W9-ADZ-043
DISCARDED

We have used a plain cover because the original cover was too mutilated to be used.

LE
Roman Réaliste
Sous le Second Empire

PIERRE MARTINO

LE
Roman Réaliste
Sous le Second Empire

PARIS
LIBRAIRIE HACHETTE ET CIE.
79, BOULEVARD SAINT-GERMAIN, 79
1913

PREMIÈRE PARTIE

AUTOUR DE CHAMPFLEURY
« LA SINCÉRITÉ DANS L'ART »

LE ROMAN RÉALISTE SOUS LE SECOND EMPIRE[1]

CHAPITRE I

LE GROUPE DE LA BOHÊME ET LES ORIGINES DE L'ÉCOLE RÉALISTE

I

Les écrivains réalistes ont été, entre 1850 et 1860, accusés de toute sorte de méfaits par les critiques ; mais une affirmation en particulier plaît à leurs adversaires, sans qu'ils se mettent d'ailleurs en peine de la justifier, tant elle leur paraît incontestable. Ils établissent une liaison étroite entre les premières tentatives du réalisme et les tendances d'un petit groupe d'écrivains, qu'ils appellent la *Bohême*. Sous le poids de ce vocable, d'avance discrédité, et de ces origines douteuses, on accable plus facilement des œuvres, auxquelles on a déjà, pour leurs mérites propres, distribué de suffisantes flétrissures. Nettement, âpre conservateur, voué par une sorte de mission à dénoncer les crimes du roman, estime que la peinture de la bohême est le fond même du réalisme. A. de Pontmartin témoigne bien à Murger

1. Voir, p. 287, *Notes et références*.

une sympathie dont il a quelque honte, mais il lui en veut de son réalisme, qu'il attribue à une fâcheuse influence des bohèmes, ses compagnons de jeunesse. Hippolyte Babou, qui voit dans *rachitisme* un synonyme convenable de *réalisme*, explique que les réalistes sont les successeurs des bohèmes, ignorants et incapables de travail. G. Merlet écrit, dans les mêmes intentions, quoique sous une forme plus polie : « Si la bohême ne doit pas être le tombeau du réalisme, elle en a été le berceau, et cette origine ne s'effacera que difficilement. » Baudelaire, qui fut de la bohême, mais la renie, affirme que la jeunesse réaliste respecte Murger comme un classique.

Cette parenté, si vilainement reprochée, ne paraît pas d'ailleurs incommoder les écrivains réalistes, ni les quelques critiques qui consentent à les défendre. Ils l'admettent tout bonnement comme un fait d'histoire, ne voyant aucune gloire ni aucun désavantage à en tirer. Il ne faut pas, insinue Sainte-Beuve, convaincu, mais très prudent, dès qu'il s'agit de parler du réalisme, « il ne faut pas, à force de se mettre en garde contre la bohême, s'abstenir de toute littérature actuelle et vivante ». Champfleury, qui, quelques années durant, fit du réalisme sa chose, se souvient qu'il fut en sa jeunesse « roi de la bohême », et il explique : « A cette époque, on pressentait déjà ce que nous deviendrions un jour ; on voulait nous classer ; mais le réalisme n'était pas inventé.... Nous fûmes déclarés bohêmes. »

Tous, amis ou ennemis, s'accordent à associer étroitement ces deux mots. Nous pouvons en être un peu surpris d'abord : on ne connaît guère aujourd'hui la bohême qu'à travers l'opéra, et comme un monde d'aimable fantaisie où d'invraisemblables étudiants vivent parmi les plaisirs, et dans la pauvreté, une existence enchanteresse, occupés surtout à poursuivre auprès de délicieuses grisettes des idylles sentimentales, passionnées, gaies ou mélancoliques, toujours très distinguées. Qu'est-ce que le roman réaliste et ses brutalités voulues peuvent avoir de commun avec ces bluettes attendrissantes? Pour le comprendre, il faut restituer au mot bohème le sens qu'il eut vers 1845, et esquisser ce que fut le petit groupe littéraire qui prit ou accepta ce vocable comme enseigne.

Le mot lui-même existait dès le Moyen Age, mais avec le sens plutôt géographique qu'a conservé aujourd'hui son synonyme *bohémien* ; ce n'est guère qu'au XVIIIe siècle, semble-t-il, qu'on commença à appeler bohèmes « ceux qui menaient une vie vagabonde, déréglée », et c'est après 1830 seulement que cette épithète fut attribuée à un certain nombre d'écrivains et d'artistes. Il y eut en effet à Paris, après la révolution de 1830, quantité de jeunes gens sans fortune, sortis des milieux populaires de la capitale ou de la province, à qui les transformations politiques et sociales, lentement agissantes depuis près d'un siècle, permirent de tenter les carrières d'écrivain et d'artiste, jusque-là presque uniquement réservées à la bourgeoisie parisienne et à la noblesse. Les triomphes éblouissants du romantisme, les libertés consenties par le nouveau régime, une vive fermentation d'idées socialistes, une instruction secondaire plus largement répandue, bien d'autres causes encore contribuèrent à démocratiser le monde, jusque-là assez fermé, des gens de lettres, et bientôt la littérature elle-même.

Les sociétés que formaient ces jeunes gens tournèrent plus d'une fois à la confrérie. Balzac, qui cherchait à noter dans sa *Comédie humaine* toutes les manifestations essentielles de l'activité de ses contemporains, ne manqua pas de s'en aviser ; d'ailleurs, il s'intéressait toujours à ce qui avait forme de groupement, de société ; il y voyait aussitôt une manière de conjuration où des affiliés mystérieux réalisaient artificieusement quelque grand dessein ! Deux fois la bohême a pris place dans son œuvre. Dans *Un grand homme de province à Paris* (1839), il a montré le cénacle de la rue des Quatre-Vents ; neuf jeunes gens le composent, tous pauvres, obligés à une existence précaire, tous doués de qualités géniales, et ayant le culte de l'art, tous purs, malgré la dureté de leur vie, et incapables de se laisser entamer par la misère. Daniel d'Arthez est leur chef ; Daniel de Rubempré, au contraire, le grand homme de province, personnifie l'écrivain arriviste ; il lâche ce cénacle, trop idéaliste et trop vertueux, et devient journaliste ; il ne tarde pas à symboliser toutes les tares et les excès du journalisme en sa nouvelle puissance. Avec *Un Prince de la bohême* (1840), Balzac a voulu montrer un autre trait de cette bohême naissante ; les préoccupations galantes et la vie amoureuse de Rusticoli de la Palférine ne sont que le grandissement balzacien des prochains triomphes de Marcel et de Rodolphe sur une Mimi ou une Musette, désespérément faciles. Ce roman contient une définition grandiloquente de la bohême, et comme elle est, je crois, la première, il faut en citer au moins l'essentiel :

> La bohême, qu'il faudrait appeler la doctrine du boulevard des Italiens, se compose de jeunes gens tous âgés de plus de vingt ans, mais qui n'en ont pas trente, tous hommes de génie dans leur genre, peu connus encore, mais qui se feront connaître, et qui seront alors des gens fort distingués ; on les distingue déjà dans les jours de carnaval pendant lesquels ils déchargent le trop-plein de leur esprit, à l'étroit durant le reste de l'année, en des inventions plus ou moins drolatiques. A quelle époque vivons-nous ! Quel absurde pouvoir laisse ainsi se perdre des forces immenses? Il se trouve dans la bohême des diplomates,

capables de renverser les projets de la Russie, s'ils se sentaient appuyés par la puissance de la France. On y rencontre des écrivains, des administrateurs, des militaires, des journalistes, des artistes! Enfin tous les genres de capacité, d'esprit, y sont représentés. C'est un microcosme. Si l'empereur de Russie achetait la bohême moyennant une vingtaine de millions, en admettant qu'elle voulût quitter l'asphalte des boulevards, et qu'il la déportât à Odessa, dans un an Odessa serait Paris. Là se trouve la fleur inutile et qui se dessèche de cette jeunesse française que Napoléon et Louis XIV recherchaient, que néglige depuis trente ans la gérontocratie sous laquelle tout se flétrit en France.... Ce mot de bohême vous dit tout. La bohême n'a rien et vit de ce qu'elle a. L'espérance est sa religion, la Foi en soi-même est son code, la Charité passe pour être son budget. Tous ces jeunes gens sont plus grands que leur malheur, au-dessous de la fortune, mais au-dessus du destin. Toujours à cheval sur un si, spirituels comme des feuilletons, gais comme des gens qui doivent, oh! ils doivent autant qu'ils boivent! enfin, c'est là où j'en veux venir, ils sont tous amoureux, mais amoureux!... Figurez-vous Lovelace, Henri IV, le Régent, Werther, Saint-Preux, René, le maréchal de Richelieu, réunis dans un seul homme, et vous aurez une idée de leur amour!

A la même époque George Sand, dans *la Dernière Aldini* (1838), et Alphonse Karr, dans *Geneviève* (1838), mettaient en scène des milieux de bohême, plus ou moins artistique et littéraire.

Mais ce sont là des bohêmes imaginaires, celle de Balzac tout à fait fantastique. La bohême de Th. Gautier, au contraire, et celle de Murger, ont fait assez parler d'elles, en leur temps, pour qu'on puisse aujourd'hui avoir idée de ce qu'elles furent. A vrai dire, Th. Gautier et ses amis Camille Rogier, Gérard de Nerval, Arsène Houssaye, Ed. Ourliac, Célestin Nanteuil, Jehan du Seigneur, Pétrus Borel, etc., ne s'avisèrent pas tout de suite, dès 1833, qu'ils fussent bohèmes; ils se contentaient de s'appeler « Jeune France », et d'être quelquefois confondus avec les *bousingots*. Leur pauvreté était relative; ils s'amusaient de leur vie excentrique, de leurs pseudonymes barbares et des costumes extravagants qu'ils imaginaient. La maison de la rue du Doyenné, tout enrichie de belles peintures, « retentissait de... rimes galantes, traversées souvent par les rires joyeux ou les folles chansons des Cydalises » ; on donnait des bals, des soupers, des fêtes costumées ; toujours, comme il convenait à d'enthousiastes romantiques, l'orgie était « folle, échevelée, hurlante », et le bol de punch l'éclairait diaboliquement ! Plus tard seulement, après qu'une nouvelle bohême eût commencé à faire quelque tapage, Th. Gautier et Gérard de Nerval s'avisèrent que leur existence, libre et aisée, avait été de la bohême :

Aux vents capricieux qui soufflent de Bohême,
Sans les compter, je jette et mes nuits et mes jours,
Et parmi les flacons, souvent l'aube au teint blême
M'a surpris dénouant un masque de velours.

Plus d'une m'a remis la clef d'or de son âme ;
Plus d'une m'a nommé son maître et son vainqueur ;
J'aime, et parfois un ange avec un corps de femme
Le soir descend du ciel pour dormir sur mon cœur.

On sait mon nom, ma vie est heureuse et facile.

Cette bohême avait besoin d'une épithète qui relevât ce que le mot a d'un peu mesquin : ce fut la « bohême galante » ; ç'aurait pu être la « bohême dorée ». D'ailleurs, au point de vue littéraire, son histoire ne se sépare pas du tout de celle du romantisme.

Dix ou quinze ans après, vers 1843, il y eut une nouvelle bohême, — sans épithète, — la vraie ; Th. Gautier, Gérard de Nerval, Arsène Houssaye approchaient alors de la quarantaine ; Murger et ses amis n'avaient pas vingt-cinq ans. Ce fut cette fois un véritable prolétariat intellectuel ; Murger était fils d'un concierge tailleur ; le père de Champfleury était secrétaire de mairie à Laon ; celui de Barbara, un petit marchand d'instruments de musique ; celui de Bonvin, garde champêtre ; celui de Delvau, tanneur au faubourg Saint-Marcel ; la famille de Courbet était à demi paysanne. Tous ils vinrent à Paris sans ressources ou presque ; pour vivre, ils durent souvent se résigner à des métiers qui n'avaient que des rapports indirects avec la littérature et les arts : Champfleury et Chintreuil firent des paquets chez un libraire ; Bonvin fut ouvrier typographe. Il y eut là quelques dures années de vraie misère ; les « scènes de la vie de bohême » furent fréquemment des scènes d'hôpital : Murger, qui parut résister longtemps « contre cette vie en révolte avec l'hygiène du corps et de l'âme », mourut à quarante-deux ans, « n'ayant plus assez de vitalité pour souffrir et ne se plaignant que de cette odeur de viande pourrie qui est dans la chambre et qu'il ignore être la sienne ». Pour beaucoup de bohêmes ces souffrances furent inutiles ; ils restèrent ignorés ; quelques-uns d'entre eux, Murger, Champfleury et Courbet, au premier rang, se tirèrent d'affaire entre 1845 et 1855 et conquirent une certaine notoriété, en même temps qu'une modeste aisance. Ceux de leurs anciens camarades qui avaient moins bien réussi, ou qui n'avaient pas réussi du tout, ne surent pas s'interdire toujours la jalousie : ils affectèrent le dédain pour ces littérateurs arrivés. Il y eut ainsi, pendant quelque temps, de grands débats ; chacun voulut accaparer la bohême à son profit ; ce fut une fureur de raconter les épisodes de cette jeunesse misérable et d'en tirer des livres. Nous pouvons, grâce à ces témoignages divers, nous représenter ce que fut la bohême de 1845.

II

Nous sommes avertis d'abord qu'elle n'est pas une. « Comme tout état social, la bohême comporte des nuances différentes, des genres divers, qui se subdivisent eux-mêmes, et dont il ne sera pas inutile d'établir la classification » ; la préface des *Scènes de la vie de bohême*, qui est comme une sorte de manifeste officiel, nous enseigne les distinctions nécessaires. Il faut éliminer d'abord « les bohèmes qu'on pourrait appeler amateurs », ceux, qui, sans aucune vocation artistique, ont été tentés par les séductions romanesques de cette existence de hasard : ils abandonnent leur famille ou leur situation, ils renoncent quelque temps à leur aisance ordinaire ; bientôt, lassés par la dureté de cette vie, « ils s'en retournent épouser leur petite cousine et s'établir notaire dans une ville de trente mille âmes ». Il n'y a guère à faire état non plus des jeunes gens « qu'on a trompés ou qui se sont trompés eux-mêmes », qui ont cru à la « vocation » et aspirent à la vraie misère et au lit d'hôpital qui leur donnera le génie ; peu à peu ces « médiocrités impuissantes », qui ne veulent pas savoir que la bohême n'est qu'un « stage », glissent à la paresse et au parasitisme ; bientôt ils vont rejoindre une « bohême voisine, dont les mœurs appartiennent à une autre juridiction que celle de la physiologie littéraire », le monde de « tous les industriels ingénieux et vagues dont la principale industrie est de n'en point avoir, et qui sont toujours prêts à tout faire, excepté le bien ».

Plus intéressante est la « bohême ignorée » ; ce sont surtout des artistes, enthousiastes, pleins de foi dans leur art, et qui travaillent passionnément, quelques-uns très remarquables ; mais ils « attendent que l'admiration publique et la fortune entrent chez eux par escalade et avec effraction » ; ce sont des « disciples de *l'art pour l'art* » ; en un mot, ils sont trop naïfs pour se faire valoir et meurent pour la plupart de misère. Quelques-uns d'entre eux formaient la société des « Buveurs d'eau ». Murger avait fait un moment partie de leur groupe, et il est revenu souvent à parler d'eux avec des sentiments très mélangés : une admiration sincère pour leurs talents et leur courage ; le désir de se défendre contre les reproches que lui avaient valu de la part de ses anciens amis des succès littéraires trop faciles ; par instants même une amertume vertement exprimée sous forme de vives représailles. Il a consacré une nouvelle entière (*Francis* dans *les Buveurs d'eau*) à raconter, sous une fiction très transparente, comment il se brouilla avec eux.

Enfin il y a « la vraie bohême, la bohême officielle », celle naturellement de l'écrivain qui signe le manifeste, et de ses plus proches amis ; la seule définition que Murger en donne est que ceux qui la composent ont cessé d'être bohèmes, et qu'ils ont réussi, grâce à leur habileté, là où les autres ont échoué : c'est la bohême arrivée.

.... Ceux qui en font partie ont constaté publiquement leur existence... ils ont signalé leur présence dans la vie ailleurs que sur un registre d'état civil ;... pour employer une expression de leur langage, leurs noms sont sur l'affiche,... ils sont connus sur la place littéraire et artistique, et... leurs produits, qui portent leur marque, y ont cours à des prix modérés, il est vrai.

Pour arriver à leur but, qui est parfaitement déterminé, tous les chemins sont bons, et les bohèmes savent mettre à profit jusqu'aux accidents de la route. Pluie ou poussière, ombre ou soleil, rien n'arrête ces hardis aventuriers, dont tous les vices sont doublés d'une vertu. L'esprit toujours tenu en éveil par leur ambition, qui bat la charge devant eux et les pousse à l'assaut de l'avenir : sans relâche aux prises avec la nécessité, leur invention, qui marche toujours mèche allumée fait sauter l'obstacle qu'à peine il les gêne....

Les bohèmes savent tout et vont partout, selon qu'ils ont des bottes vernies ou des bottes crevées. On les rencontre un jour accoudés à la cheminée d'un salon du monde, et le lendemain attablés sous les tonnelles des guinguettes dansantes....

Telle est en résumé cette vie de bohême, mal connue des puritains du monde, décriée par les puritains de l'art, insultée par toutes les médiocrités craintives et jalouses qui n'ont pas assez de clameurs, de mensonges et de calomnies pour étouffer les voix et les noms de ceux qui arrivent par ce vestibule de la renommée en attelant l'audace à leur talent.

Le dernier chapitre des *Scènes de la vie de bohême* ne laisse d'ailleurs aucun doute : Marcel entre dans « le monde officiel » ; Schaunard et Rodolphe arrivent « devant le public qui fait la renommée et la fortune » ; Barbemuche a « depuis longtemps renoncé à la bohême » ; Colline a « hérité et fait un mariage avantageux » !

Ce n'est pourtant pas dans ce livre officiel qu'il nous faut chercher l'image de la « vraie bohême »; il contient de-ci, de-là, quelques traits réels, mais, pour l'ordinaire, c'est simplement le recueil des meilleurs calembours et des farces les plus réussies dont Murger et ses amis avaient tiré un peu de gloire ; c'est aussi l'album des souvenirs amoureux de Murger, et, vers la fin, le livre est presque exclusivement cela. Mimi et Musette y apparaissent poétiquement transfigurées ; tous les événements auxquels elles ont pris part s'idéalisent, et leur lyrique amoureux ne sait que détailler avec préciosité les sentiments délicats que lui inspirèrent les muses de la bohême ! Bien plus véridiques sont les œuvres de Champfleury, dont le tempérament n'était point de magnifier ses souvenirs, et qui, par commodité d'abord et plus tard au nom de ses théories, reportait dans ses romans, sans rien corriger de leur vulgarité quotidienne, tous les menus détails de son existence. Les *Aventures de Mlle Mariette* sont aux *Scènes de la vie de bohême* ce que le *Journal de Julien*, domestique de M. de Chataubriand, est à l'*Itinéraire de Paris à Jérusalem*. Certes l'œuvre est médiocre, son seul intérêt est de nous parler de la bohême, « d'un monde particulier qui n'avait pas encore trouvé de biographe sincère », — c'est l'auteur lui-même qui nous en avertit ; et il confesse, avec des réserves honnêtes de style, mais non sans jargon, que « des lois autobiographiques ont présidé à l'enfantement du roman ». De fait, le déguisement des noms et des aventures est si peu discret qu'il est facile d'en donner presque toutes les *clefs*. —

Gérard (Champfleury), correcteur et rédacteur au *Petit Journal* (*Le Corsaire*), vit avec Valentin (Fauchery), qui est graveur, mais bientôt il le quitte pour aller habiter rue des Canettes, dans la maison de Streich (Murger). Mariette est sa maîtresse ; c'est une aimable personne, vive, spirituelle et très prenante, mais légère et menteuse à l'excès, en réalité fort peu sentimentale et très éprise de l'argent ; elle a réellement existé, et elle joua dans la bohême un grand rôle ; elle « servait de trait d'union entre la poésie et la peinture, entretenant entre ces arts des liens si amicaux et si adroitement tissés que personne n'en soupçonnait la trame ;... la science apparaissait quelquefois sous les traits d'un jeune étudiant. » Mariette s'appelle Musette dans les *Scènes de la vie de bohême*, et Marianne dans *le Pays latin* : Champfleury, dans ses *Souvenirs*,

l'évoquera discrètement sous le nom de Mlle M....
Gérard connaît bientôt les amies de Mariette, Mlle Rose en particulier, dont les infidélités ressemblent beaucoup à celles de Mimi, — et surtout les amis de Mariette, qui sont ses anciens et ses nouveaux amants : le peintre Thomas (Bonvin), le chanteur populaire Giraud (Pierre Dupont), le poète de Villers (Th. de Banville), Streich, le poète qui ne sait écrire que ses amours (Murger), etc. Si l'on ajoute à ces noms ceux de Schaunard (le musicien Schanne), de Colline (J. Wallon) et de Barbemuche (Barbara), on aura presque tout le personnel de la haute bohême littéraire. Le roman, c'est la vie commune, infiniment plate, de Gérard et de Mariette, les frasques renouvelées de la maîtresse, la condescendance peu jalouse de l'amant, la pénurie perpétuelle, les ruptures, les reprises, et enfin la séparation définitive.

Les *Aventures de Mlle Mariette* disent toute la vulgarité de ces unions, poétisées à bon compte par Murger : Mimi est une « petite *noceuse* », c'est Schaunard qui ose l'écrire ; Musette « à tout propos... se mettait en tenue d'atelier » ; Phémie, « mal embouchée, *débagoulait* aux gamins de la rue tout le dictionnaire de l'argot... montait volontiers derrière les voitures ». A côté de la grisette, on voit paraître les entremetteuses, les tireuses de cartes et surtout les parents ; il n'est que de regarder l'intérieur de Gérard, quand Mariette a décidé d'installer chez elle sa mère, sa sœur et sa cousine ! Quand les bohêmes se réunissent, leurs maîtresses les entendent, bouche bée, parler littérature et arts, et elles se reposent en des propos qu'on eût peut-être trouvés trop plats chez la portière d'Henry Monnier. Dans ces intérieurs, sales et encombrés, tout travail est impossible ; le poète et le peintre vont s'installer où ils peuvent, dehors, au café. D'ailleurs le besoin d'argent est perpétuel, il oblige à des démarches qui ne ressemblent en rien à cette amusante chasse à la pièce de cent sous, que les héros de Murger semblent parfois entreprendre par divertissement. Les budgets sont difficiles, la prose et la peinture se vendent peu, les vers pas du tout : l'amour des grisettes n'y résiste pas ; de riches amoureux passent à portée, et le bohème est trop souvent dans de délicates situations d'amant de cœur. Bref, ces unions, sans poésie, risquent de détruire toute énergie chez ceux qui en sont victimes : les grisettes sont un « boulet au pied » des bohèmes ; la maison de la rue des Canettes entend plus souvent des querelles de ménage, de méchants propos, que des controverses littéraires ou des chansons amoureuses.

La littérature et l'art devaient se réfugier dans des académies de fortune : le livre de Champfleury nous les fait connaître. Ce furent des salles de bal public, des gargotes, des cafés, le café Momus surtout, où la bande des bohèmes s'installa un temps, accaparant les journaux, le tric-trac, le billard, apportant des instruments de musique, des chevalets, des planches à graver, chassant peu à peu tous les autres habitués. Ce furent aussi les salles de rédaction des petits journaux, où ils trouvèrent à placer leurs premiers articles ; *le Castor*, organe des chapeliers, et *l'Écharpe d'Iris* ne sont pas tout à fait de la légende. *Le Corsaire-Satan*, vers 1845, groupa les principaux écrivains de la bohême. Singulier journal, surtout consacré à recueillir les menus scandales du monde et du demi-monde, où l'enthousiasme n'était point permis, mais seulement l'*éreintement*, et où, paraît-il, des chantages profitables se dissimulaient derrière des articles d'art et de littérature. Lepoitevin de Saint-Alme (le Saint-Charmay des *Aventures de Mlle Mariette*), qui le dirigeait alors, groupa autour de lui, pendant quelques années (1845-1849), une douzaine de jeunes rédacteurs qu'il payait fort peu, et auxquels il ne demandait que des récits légèrement égrillards, des bons mots, des « propos de ville et de théâtre », des « nouvelles à la main », et surtout des histoires compromettantes. Murger y fit passer peu à peu toutes les *Scènes de la vie de bohême* ; Champfleury y donna ses premières histoires comiques de bourgeois et ses premiers portraits d'excentriques ; c'est au *Corsaire* que la bohême littéraire se fit jour. *L'Artiste* aussi, grâce au libéralisme d'Arsène Houssaye, ouvrit quelquefois ses colonnes, mais il lui fallait plutôt des articles d'art ; et ce n'était point une spécialité de la bohême ; elle n'en eut jamais qu'une au surplus : la peinture de la vie de bohême, plus ou moins réelle ou idéalisée.

III

On est bien embarrassé à discerner quelques tendances littéraires générales dans ce monde de la bohême, qu'on peut seulement définir par les conditions extérieures de l'existence ; il y en a pourtant quelques-unes, qui ressortent assez nettes, et qui expliquent les liens mystérieux de la bohême et du réalisme.

Les opinions philosophiques et politiques se devinent plutôt qu'elles ne sont exprimées ; l'indifférence est de règle : il est vrai que c'est une opinion, et si elle s'exprime dans un argot violent et imagé comme l'était celui de la bohême, ce sera vite une opinion séditieuse. Il eût été bien étonnant, surtout aux approches de 1848, qu'une réunion de jeunes gens acculés à la misère, et par état ennemis féroces du bourgeois, acharnés à se faire ouvrir les portes du monde littéraire et artistique, eussent un grand respect pour les idées consacrées et les institutions établies. De fait, la bohême est plutôt matérialiste ; la religion n'y compte guère, elle est souvent prétexte à plaisanteries ; on y raille le sentiment, l'idéal, l'amour ; Murger lui-même n'hésite pas à se moquer de ses propres enthousiasmes. On tend vers une sorte d'impassibilité brutale : chez les « buveurs d'eau », l'amour n'est considéré qu'en tant que sujet d'étude, ou à tout le moins comme stimulant à la production artistique ; l'œuvre passe bien avant le sentiment.

En politique, les affirmations sont plus nettes ; certains petits cénacles sont républicains et ne se réunissent qu'autour d'une statuette de la Liberté : quelques bohêmes vont en prison pour des délits politiques. Les bohêmes en général manquent évidemment de sympathie pour le pouvoir ; ils accueilleront avec joie la République, avec hostilité l'Empire ; Courbet affiche ses opinions révolutionnaires ; Champfleury ne reniera pas tout à fait sa ferveur républicaine de 1848 ; même sous l'Empire il tiendra des propos compromettants ; Baudelaire lui-même, si féroce en 1846 contre les républicains, si enthousiaste pour les sergents de ville qui les « crossaient», devient avec Champfleury directeur d'un journal révolutionnaire où il approuve le régicide ; il donne quelque temps dans le socialisme, mais se réduit bientôt à une indifférence dédaigneuse pour tout ce qui n'est pas l'art et la poésie. Ces vagues aspirations démocratiques se manifestent dans les œuvres ; peintres ou écrivains, les bohêmes affectent d'étudier les milieux populaires, les pauvres, les humbles, par réaction contre les héros distingués, et aussi parce que ce sont les seuls qu'ils aient connus pendant leur jeunesse à Paris. Certes, les Goncourt exagéraient beaucoup en écrivant : « Sans qu'on s'en doute, cet avènement de la bohême, c'est la domination du socialisme en littérature », mais il y avait réellement dans le monde de Murger, de Champfleury, de Courbet, des tendances libérales, auxquelles, quelques années après, la littérature réaliste donnera un plein développement : le réalisme, sous l'Empire, fut une littérature d'opposition.

Le seul lien véritable qui rejoignait tous les bohèmes, vers 1845, c'était leur romantisme ; et tous, quelque voie qu'ils aient prise par la suite, l'ont confessé. « La bohême est fille de la Révolution de 1830 et du romantisme. » — « Nous étions d'épileptiques admirateurs *quand même* de Victor Hugo », a écrit l'un d'eux, et cette admiration était bruyante et belliqueuse. Au moment de la chute des *Burgraves* et du succès de *Lucrèce*, la bohême manifesta et voulut renouveler les exploits des « Jeune France », le soir d'*Hernani* ; *le Corsaire* poursuivit de brocards plus ou moins spirituels « le notaire » Ponsard, et l'école du bon sens ; Champfleury fut mis à coups de crosse à la porte du théâtre, où il exprimait de manière trop gênante pour le public son hostilité à l'égard de la tragédie et de la « poésie monotone »; comme Zola, il commença par adorer dévotieusement ce qu'il devait brûler plus tard avec tant d'acharnement, les intrigues invraisemblables, les personnages grandiloquents et symboliques, les vers à la parure prestigieuse.

Aussi les bohèmes ployèrent et déformèrent à leur propre usage tous les lieux communs du romantisme : la liberté dans l'art, qui justifiait toutes les audaces et tous les sujets, tous les styles aussi ; le jeune homme fatal, le poète méconnu par la société, Gilbert, Chatterton, Malfilâtre, Didier ; — la glorification de la courtisane, la rénovation par l'amour, etc. Ces thèmes leur permettaient de rehausser singulièrement leur propre existence et de transfigurer les banales grisettes en d'incomparables inspiratrices. Murger a lui-même dessiné, sans beaucoup charger, le type du « poète de gouttières ».

Melchior... habitait... une chambre de cent francs dans laquelle il faisait de la poésie lyrique.... Ce fut à la suite d'un premier amour très fécond en orages qu'il s'était décidé à prendre la lyre. Ses amis l'encouragèrent dans cette déplorable manie en le comparant à Lamartine.... Il avait d'ailleurs une foi inébranlable en lui-même et croyait au *nascuntur poetæ* de l'orateur romain. Si parfois il lui venait quelques doutes sur sa vocation, il se hâtait de les dissiper par la lecture d'un de ses poèmes, et devant cette œuvre de son cœur, il entrait en des ravissements infinis. Il pleurait, sanglotait, il battait des mains.... Au reste ces ridicules n'étaient pas inhérents à la nature de Melchior. Ils lui avaient été inoculés par les amis avec lesquels il vivait, et qui lui assuraient chaque jour qu'il était appelé à de hautes destinées poétiques. Si les personnes sensées qui s'intéressaient à lui essayaient de lui montrer dans quelle voie fausse il s'engageait aussi gratuitement, Melchior se récriait. Il répondait qu'il avait une mission à remplir, que les poètes sont les prêtres de l'humanité, et que, dût-il mourir en route, il ne renierait pas son culte, etc. Melchior avait d'ailleurs une idée fixe. Il voulait élever à la mémoire de son premier amour un superbe monument poétique, au front duquel il placerait le nom de sa maîtresse, pour le faire passer à la postérité à côté des noms de Laure et de Béatrix. Depuis deux ans il travaillait à ce poème et n'écrivait pas deux strophes où il ne plantât deux saules et n'allumât une auréole. Chaque fois qu'il avait ajouté une centaine de nouveaux vers à son poème d'amour, il réunissait ses amis dans des soirées où l'on buvait de l'eau non filtrée, et il leur lisait ces nouvelles élégies qu'on applaudissait avec fureur.... C'était un spectacle vraiment bien curieux que ces réunions où un tas de gueux, paresseux comme des lazzaroni, jouaient sans rire avec les plus graves questions d'art, et se drapaient prétentieusement dans le manteau de leur *sainte misère* ; ces soirées se terminaient ordinairement par une lecture à haute voix du *Chatterton* de M. Alfred de Vigny. C'est avec ce livre que Melchior avait achevé de se griser l'esprit, et combien de jeunes gens comme lui ont bu le poison de l'amour-propre dans ces pages brûlantes !

C'est son portrait que Murger a dessiné là ; en effet, pendant ses années de bohème (de 1840 à 1850), il n'eut d'autre dessein que d'être un grand poète romantique à la manière de Musset et accessoirement de Lamartine. Le volume des *Nuits d'hiver*, posthume, mais dont il avait corrigé les épreuves avant de mourir, contient les meilleurs vers qu'il a composés de 1841 à 1860 ; c'est un bien petit bagage, une quarantaine de pièces, dont les sujets et le style sont du pur Musset. Tous les thèmes connus repassent : rien ne vaut que l'amour... il faut vivre pour aimer... après avoir juré de vivre sans maîtresse, j'ai fait serment de vivre et de mourir d'amour... la jeunesse n'a qu'un temps... Dieu est complaisant aux amoureux... un hymne confus sort de la nature qui dit : Aimez-vous..., etc. Cette poésie « bohème » n'est point du tout libertine comme on eût pu s'y attendre : Murger paraît assoiffé de pures jeunes filles, de cousines vertueuses, d'épouses fidèles, d'amours idéaux, de marguerites qu'on effeuille, de fleurs qu'on ranime avec des larmes ! Il y a aussi la poésie des trahisons — le pastiche des *Nuits* ; la poésie philosophique à l'instar de *Rolla* ; les luttes contre le doute et la désespérance.... Qu'on lise seulement *A ma cousine Angèle*, le *Requiem d'amour*, la *Ballade du désespéré* ; avec ces trois pièces on connaît toute l'inspiration poétique de Murger, qui est fort pauvre et toute d'emprunt ; l'on sait du même coup à quoi s'employait une partie de la bohême.

Mais, par une singulière conséquence, et paradoxale

au premier abord, cette poésie élégiaque, tant bien que mal pastichée, a acheminé les bohèmes et Murger lui-même vers un certain réalisme. Il y avait un contraste vraiment trop plaisant entre les envolées sublimes du poète et la vie précaire du bohème. Il voulait récrire *le Lac*, *la Tristesse d'Olympio*, *les Nuits*, chanter une Elvire, une Béatrix, une Laure ; mais sa muse inspiratrice était une muse pour rire, Musette ; les anges auxquels il destinait ces auréoles s'appelaient Mariette, Mimi, Phémie teinturière ; elles touchaient les casseroles plus souvent qu'il n'eût été souhaitable, bien souvent embarrassées d'ailleurs d'y mettre quelque chose à cuire ; elles écorchaient le français, lâchaient des *cuirs* ; leurs trahisons n'étaient point sanglantes, et leur fréquence y avait accoutumé les victimes ; leurs rêves, c'était de sortir en chapeau ou d'avoir un cachemire.... Évidemment on pouvait bien s'illusionner quelque temps :

Les femmes que nous aimons, lorsqu'elles deviennent nos maîtresses, cessent d'être pour nous ce qu'elles sont réellement. Nous ne les voyons pas seulement avec les yeux de l'amant, nous les voyons aussi avec les yeux d'un poète. Comme un peintre jette sur un mannequin la pourpre impériale ou le voile étoilé d'une vierge sacrée, nous avons toujours des magasins de manteaux rayonnants et des robes de lin pur, que nous jetons sur les épaules de créatures inintelligentes, maussades ou méchantes, et quand elles ont ainsi revêtu le costume sous lequel nos amantes idéales passaient dans l'azur de nos rêveries, nous nous laissons prendre à ce déguisement ; nous incarnons notre rêve dans la première femme venue, à qui nous parlons notre langue et qui ne nous comprend pas.

Cependant que cette créature aux pieds de laquelle nous vivons prosternés s'arrache elle-même la divine enveloppe sous laquelle nous l'avions cachée, pour mieux nous faire voir sa mauvaise nature et ses mauvais instincts ; cependant qu'elle nous met la main à la place de son cœur où rien ne bat plus, où rien n'a jamais battu peut-être ; cependant qu'elle écarte son voile et nous montre ses yeux éteints, et sa bouche pâle, et ses traits flétris, nous lui remettons son voile et nous nous écrions : « Tu mens ! tu mens !... »

Puis à la fin, oh ! bien à la fin toujours, lorsque, après avoir eu beau nous mettre de triples bandeaux sur les yeux, nous nous apercevons que nous sommes nous-mêmes la dupe de nos erreurs, nous chassons la misérable qui la veille a été notre idole, nous lui reprenons les voiles d'or de notre poésie.

Au sortir des exaltations poétiques, le bohème revenait un peu brusquement à la réalité, et par goût de confidence *quand même*, par amusement aussi de ce contraste, il racontait sa vie et ses amours à peu près comme ils étaient, de banales rencontres d'étudiants et de grisettes ; hors des lieux communs de la poésie, il est impossible de trop idéaliser. Même dans son joli *Requiem d'amour*, Murger ne pourra tout à fait oublier l'importance que le goût des bottines, des perles et de la dentelle eut dans la destinée de l'amie envolée ; il se rappellera que sa main ne fut pas toujours blanche ! Quand les bohèmes se décidèrent à conter en prose et non plus seulement en vers les principaux incidents de leur vie, ils se trouvèrent *réalistes*, sans le savoir, et introduisirent dans le roman des scènes et des personnages dont la critique officielle se scandalisa. Les *Scènes de la vie de bohême* et les *Aventures de Mlle Marielle*, qui n'étaient après tout que des *Confessions d'un enfant du siècle*, furent les premiers romans réalistes.

Le principe romantique de la confidence amoureuse conduisait donc les bohèmes à la peinture de ce qu'on appellera plus tard « les bas-fonds » ; ils y étaient amenés aussi, et plus directement, par le respect d'une autre doctrine romantique, celle du *grotesque*. Le mot lui-même n'avait jamais été bien expliqué, et sa principale utilité, dans la *Préface de Cromwell*, fut de servir d'imprécise antithèse à un *sublime*, lui aussi bien mal défini ; mais cette imprécision était avantageuse à la doctrine ; le grotesque pouvait être, sans l'accompagnement de son partenaire le sublime, un « élément de l'art » : le fossoyeur, la sorcière, le fou méritaient de n'être pas que des contrastes. Quasimodo intéressait plus qu'Esmeralda. De là une recherche du laid, de l'étrange, de la monstruosité, qui est la caractéristique de toute une partie de la littérature romantique.

Les bohêmes y vinrent d'autant mieux que leur existence leur offrait quotidiennement ce grotesque, que d'autres se fatiguaient à imaginer ; les inventeurs méconnus, les charlatans à demi détraqués par leur art, les fondateurs de religions nouvelles, les rêveurs d'utopies sociales, les sorciers et leurs victimes, les fous enfin de toutes les sortes, comiques ou pitoyables, bénins ou dangereux, bref « les excentriques » et les « grands hommes du ruisseau » étaient sans cesse mêlés à la vie du bohème littéraire, et traités par lui comme des « frères ». Champfleury, bien qu'il ne s'interdît pas d'écrire, par moments, à la manière de Murger, la confidence de ses banales amours, préféra conter la vie de l'excentrique que celle de la grisette ; c'est à ces modèles qu'il dut ses premiers succès littéraires. Le conte bizarre de *Chien Caillou* fut un événement dans le monde du romantisme ; Victor Hugo écrivit à Champfleury, pour le féliciter, une lettre grandiloquente ; Champfleury, qui devait tant médire de lui, lui dédia, par reconnaissance, son premier volume. Or *Chien Caillou* est un épisode de la vie de bohème la plus lamentable, où est tout bonnement portraicturé un « excentrique », Chien Caillou (le graveur Bresdin) et deux misérables filles, qui ont réellement existé. Chien Caillou vit dans une mansarde extraordinairement étroite, en compagnie d'un lapin blanc ; malgré son talent de graveur, il est misérable, il partage des carottes avec son lapin. Dans la même maison, deux filles, Amourette et Nini, n'ont ni de quoi se vêtir, ni de quoi manger. Amourette devient la maîtresse de Chien Caillou, qui en oublie son lapin ; un jour elle disparaît ; de désespoir, il tue son lapin ; sa misère et sa folie deviennent plus lamentables encore. Ce conte bizarre, hautement romantique, ne fût-ce que par cette antithèse poussée jusqu'à l'extrême de la démence et du génie, — mais, par endroits, d'une vérité assez brutale, — donne le ton de la plupart des productions de Champfleury entre 1845 et 1850.

Quand il délaisse l'étrange, c'est pour le macabre. « A cette époque, a-t-il lui-même écrit, je me promenais effrontément dans Paris, sans rougir d'avoir signé de mon nom je ne sais quels essais de prose particulière que j'intitulais *Ballades*, et qui étaient un dernier reste de la littérature de cimetières, de Montfaucon, d'âne mort et d'abattoir, que, j'espère, on ne lit plus du tout aujourd'hui. » Il faisait parler des croque-morts, il exécutait des variations sur la Morgue ou sur une tête de mort ; sa prose funèbre disait l'hiver désastreux pour les misérables..., tout cela piteusement écrit et sans verve, intéressant seulement par le réalisme de quelques petits détails, mais d'inspiration purement romantique.

Champfleury ne fut pas le seul bohème engagé dans la littérature étrange ou macabre, et conduit, par la condition misérable de ses modèles, à un réalisme parfois assez cru. Barbara « cherche dans l'horreur son principal élément littéraire, et il n'a souci que de donner le frisson au lecteur » ; Nadar, dans ses nouvelles, retrace quelques-uns des types étranges ou raconte les aventures bizarres qu'il a connues pendant sa vie d'étudiant.

Mais il n'est pas utile de nous arrêter plus longtemps à ces productions fort médiocres ; il suffit d'avoir marqué par quels chemins principalement les bohèmes romantiques de 1845 commencèrent à s'acheminer vers le réalisme ; les œuvres ultérieures, plus intéressantes, de Murger et de Champfleury, nous montreront ce qu'il advint de ces aspirations, encore bien vagues vers 1850. Ce réalisme ne s'exprime pas sous forme d'une théorie générale d'art ; ce n'est pas une certaine manière de voir et de rendre, ni un dessein ferme de vérité ; le réalisme est tout bonnement dans le choix des sujets, « la bizarrerie des personnages, leur condition de bas étage, le côté malsain de leur intelligence ». Les premiers *réalistes*, qui furent des bohèmes, ont choisi ces sujets et ces personnages, non pas de dessein prémédité, mais parce qu'ils n'en avaient guère d'autres à leur portée ; ils commencèrent par vouloir les embellir et les dramatiser, mais ils durent y renoncer, tant la matière qu'ils mettaient en œuvre était de soi plate et vulgaire.

Le réalisme, au moment où on commença à employer ce mot, n'eut qu'un sens : l'apparition dans le roman de personnages jusque-là méprisés, ou mieux la peinture, plus ou moins voilée, de la vie vagabonde et excentrique, de la vie de bohême, — la peinture aussi du demi-monde. Le réalisme, — la *Revue des Deux Mondes* l'affirme, — c'est « la peinture des mondes spéciaux et des demi-mondes. » *La Dame aux Camélias* et *le Demi-Monde* suffiront à faire classer Alexandre Dumas dans l'école réaliste, bien qu'on reconnaisse expressément que sa manière n'est point celle des autres réalistes. Granier de Cassagnac trouvera naturel d'étudier *Madame Bovary* dans un article intitulé *la Bohême dans le roman*.

CHAPITRE II

MURGER

I

Il faut parler de lui, à cette place, avant d'étudier la campagne bruyante qui fut entreprise, à partir de 1850, en faveur du réalisme. Cette campagne, en effet, fut l'œuvre des amis de Murger, mais il n'y prit point part et n'en subit guère l'influence ; on l'étiqueta néanmoins réaliste parce qu'il était bohème et que d'autres bohèmes se disaient réalistes ; il se crut lui-même réaliste, et essaya, par moments, de l'être tout de bon ; il y réussit quelquefois, contre ses goûts, contre son tempérament, car ses préférences n'étaient point là. Les hésitations de Murger, ses essais, ses repentirs sont intéressants pour l'histoire du roman réaliste ; ses œuvres, encore que bien médiocres dans l'ensemble, eurent du succès ; elles nous montrent comment une partie du public fut amenée du romantisme au réalisme ; au prix de quelles contradictions, de quelles incertitudes, le passage put se faire d'une doctrine à l'autre.

Murger n'eut point, dans sa jeunesse, à cause de

sa condition sociale, cette culture préliminaire d'art ou de littérature que reçurent, enfants, ou du moins surent se donner ensuite la plupart des gens de lettres, ses contemporains. Il était fils d'un concierge-tailleur, et certes destiné à toute autre carrière qu'à celle de rédacteur de la *Revue des Deux Mondes* ; c'est l'ambition de sa mère qui lui valut de franchir, après bien des misères, cette soudaine étape; on le mit au collège ; il pensait quelquefois sans enthousiasme à cette décision maternelle et adjurait les parents humbles de laisser les enfants à leur état. Ses études furent irrégulières, incomplètes ; l'enfant n'en eut guère de profit ; il lut surtout des poètes et commença à écrire des vers. Il ne songea jamais à refaire cette éducation manquée ; son ignorance fut très grande : il admirait avec respect et ingénuité un de ses amis qui avait lu Diderot, mais il ne songeait pas à l'imiter. Son jugement, même avec l'âge, resta sans vigueur : ses réflexions, quand il frôle les questions sociales, politiques, religieuses, littéraires même, sont d'une singulière indigence. Où aurait-il trouvé le temps et les moyens de donner à son esprit une nourriture sérieuse? Dès qu'il se fut brouillé avec son père, et réfugié chez un des « buveurs d'eau », il fut aux prises avec la vraie misère, qui lui enleva bientôt sa santé, l'envoya plusieurs fois à l'hôpital, et le fit mourir à quarante ans, usé de privations. Le succès de ses livres, après dix très dures années, ne lui valut qu'une petite aisance, et le moyen de vivre seul à la campagne. Son expérience du monde fut aussi incomplète que son éducation ; en fait de réalité, il ne connut que sa propre vie de bohème, et ce qu'il put voir des mœurs paysannes, autour de sa maison de Marlotte ; aussi se répéta-t-il beaucoup.

Il commença par peindre des aquarelles et par

écrire des vers, qui sont pour la plupart, on l'a vu, un pastiche, pas toujours bien adroit, à la manière de Musset. Quelques-unes des pièces que les *Nuits d'hiver* nous ont conservées sont plus originales ; du moins elles aident à comprendre comment ce poète sentimental et pleurard a pu devenir l'historien amusé et, par moments, véridique de la bohême. Champfleury, avec lequel il vécut assez longtemps avait entrepris de le dégoûter de l'aquarelle et de la poésie ; et il y réussit ; mais il n'était pas lui-même tout à fait insensible à certaines formes de poésie... en prose ; il aimait des ballades quelque peu macabres, ou des chansons populaires, imitées de poètes suisses et allemands, que son ami Max Buchon lui avait fait connaître ; il s'y essaya lui-même, vers 1845, et dut pousser Murger vers une sorte de poésie réaliste, dont on trouve quelques échantillons dans les *Nuits d'hiver*. Très remarquable à ce point de vue, le petit poème qui a pour titre *Courtisane* : le ton en est assez brutal et rappelle Baudelaire :

La poussière de riz blafarde son cou maigre,
Et ses cheveux, tordus dans un chignon épais,
A l'âcre odeur du roux mélangent l'odeur aigre
Des parfums éventés qu'on achète au rabais.

Ses yeux qu'ont fatigués les débauches hâtives,
Dans le creux de l'orbite éteignent leur regard,
Et semblent redouter les lumières trop vives,
Comme ceux d'un enfant malade ou d'un vieillard.

. . . .

Son haleine est fétide et vous souffle au visage
La putréfaction de ses poumons malsains.

. . . .

Je voulus à tout prix la renvoyer chez elle ;
Elle me résista ; ce fut mon châtiment,
Et, jusqu'au rayon bleu de l'aurore nouvelle,
J'ai dû subir l'ennui de cet accouplement.

Il y a là une quarantaine de vers qui contrastent singulièrement avec les larmoiements ordinaires de Murger.

Quelques autres morceaux, — vers ou prose, — sont des petits tableaux, exacts et un peu attendris, de la vie quotidienne, des fantaisies rustiques, des légendes plus ou moins populaires ; l'imitation y est visible, quelquefois avouée. Mais Murger prend partout prétexte pour se livrer à son imagination et à sa rêverie sentimentale ; il néglige volontiers les détails typiques et vulgaires, que Champfleury appréciait surtout chez Hebel. Ainsi *les Amours d'un grillon et d'une étincelle*, la moins ignorée de ces ballades, ne dit guère la poésie de la chaumière, du foyer et de l'hiver ; un scarabée italien, coureur et sceptique, y exprime la joie de vivre ; un grillon allemand, poète et mélancolique, est amoureux d'une étoile ; il désespère ; les étincelles du foyer lui donnent un moment l'illusion de voir l'étoile ; désabusé, il se tait. Ce grillon paraît bien être encore un symbole des illusions amoureuses et poétiques de Murger.

Ces quelques tentatives vers une poésie réaliste n'aboutirent en somme à rien du tout ; Murger n'y trouva pas sa voie, pas plus que Champfleury, d'ailleurs. Du moins dut-il à l'influence de Champfleury de se dégoûter de ses pastiches romantiques ; il se découvrit un autre talent, une certaine verve comique, une aptitude à raconter drôlement ses propres aventures, après les avoir péniblement idéalisées.

Olivier, a-t-il écrit de lui-même, s'installe (dans un fauteuil) pour y faire ses ronrons élégiaques, qui commencent à devenir un peu monotones ;.... je trouve que ses vers parlent de trop de choses qu'il ignore encore : cela ressemble parfois au bavardage des enfants précoces ; bref, je crois qu'il commence à se fatiguer lui-même d'égrener toujours le même chapelet mélancolique ; au milieu de son chagrin, il a parfois des bouffées de grotesque, qui indiquent en lui une source de comique, bien plus franc que son sentiment mélancolique, qui est plutôt un écho que le vrai cri d'un cœur profondément atteint. Léon lui a dit l'autre jour qu'il finirait par jeter sa muse par la fenêtre, et qu'il écrirait des vaudevilles. Olivier a protesté avec indignation. — C'est égal, a persisté Léon, tu en feras, et tu deviendras puissamment riche.

Effectivement Murger « jeta sa muse par la fenêtre », et, s'il ne devint pas « puissamment riche », il « fit des vaudevilles ». En 1847, il se décida, ou on le décida à raconter dans *le Corsaire*, sur le mode comique, ses aventures amoureuses, et les principaux incidents de la vie de bohême. Chaque épisode lui était payé quinze francs ; il les écrivait péniblement, la nuit, excité par de nombreuses tasses de café. Champfleury, dans *les Aventures de Mlle Mariette*, racontera plaisamment dans quel dessein précis furent composées ces *Scènes de la vie de bohême* :

Streich (Murger) avait un singulier talent : il n'écrivait que sa vie, ses amours et les amours de Rose (Mimi). De temps en temps, il découpait une aventure de sa vie, comme une tranche de pâté, et en portait un morceau à M. de Saint-Charmay (au *Corsaire*), qui recevait avec plaisir ces sortes de biographies de poète et de grisettes ; les infidélités de Rose procuraient une aventure par semaine à Streich, qui en publiait presque régulièrement quatre par mois. Ainsi la disparition de Rose produisit un feuilleton d'un sentiment comique et exagéré, les chagrins domestiques de Streich se tournaient en mots plaisants. Il excellait surtout dans la peinture des courses à l'argent. Mlle Rose, ainsi que toutes ses amies, s'était frottée de littérature dans un tel milieu et lisait les journaux, surtout les feuilletons de Streich. Ayant surpris son secret de découdre un feuillet de sa vie pour le mettre en roman, quand elle avait commis quelque escapade, elle ne rentrait qu'après avoir étudié le récit imprimé de cette fuite afin d'être sûre de sa réception. *Le Petit Journal* (*le Corsaire*), à l'insu du rédacteur en chef, servait ainsi de boîte à lettres aux amours de Streich. Mais cette poste n'était pas toujours fixe : il arrivait quelquefois que le feuilleton ne paraissait pas le lendemain de la brouille. Mlle Rose, ne voyant rien sur son compte, croyait que Streich, lassé d'elle, ne voulait plus la recevoir. Le récit des aventures demandait deux nuits de travail. M. de Saint-Charmay se faisait prier pour insérer le feuilleton ; chaque brouille éloignait donc Mlle Rose pendant quelques jours.

II

Ces chroniques du *Corsaire*, réunies en volume, formèrent les *Scènes de la vie de bohême* et les *Scènes de la vie de jeunesse*, qui furent le début de Murger comme romancier (1851). Ces deux livres ont été accueillis avec presque de l'enthousiasme : on leur reconnut une originalité, qu'il nous est bien difficile d'apprécier aujourd'hui. Là encore Murger imitait Musset : après avoir pastiché tant bien que mal ses poésies amoureuses, il décalquait maintenant ses *Nouvelles*. *Emmeline*, *les Deux Maîtresses*, *Frédéric et Bernerette*, *le Fils du Titien*, *Margot* ne sont que le récit, plus ou moins voilé ou embelli, d'aventures d'amour réellement échues à Musset ; ces aventures étaient transportées dans un monde infiniment élégant : l'héroïne était comtesse, duchesse, baronne ; le héros riche ou noble ; il y a bien une grisette, Bernerette, mais elle se tue plutôt que d'avoir à gagner sa vie comme lingère ; point de détails vulgaires, point de précision sur les personnages ou les milieux ; l'auteur disserte sur des complications de sentiment, et s'entretient aimablement, quelquefois sur un ton badin, avec le lecteur ; ce sont des causeries de bonne compagnie et de charmantes confidences d'amour.

Ce fut là le modèle de Murger, il l'a lui-même gentiment avoué : « O Mademoiselle Musette ! vous qui êtes la sœur de Bernerette et de Mimi Pinson ! il faudrait la plume d'Alfred de Musset pour raconter dignement votre insouciante et vagabonde course dans les sentiers fleuris de la jeunesse, et certainement il aurait voulu vous célébrer aussi. » Sous la conduite de Musset, Murger conta, en prose comme il avait fait en vers, les infidélités de sa maîtresse, et détailla sa propre psychologie amoureuse. Seuls les acteurs et leur milieu furent changés, et encore pas toujours ; mais la qualité des personnages comptait au fond pour bien peu dans de telles nouvelles : il suffisait qu'ils fussent amoureux et bien disants ! L'entreprise n'avait certes rien qui pût faire crier au réalisme : aussi lit-on avec quelque stupeur des affirmations comme celle-ci, qui est de Pontmartin : les *Scènes de la vie de jeunesse* ne seraient « qu'une seconde épreuve de son premier livre, épreuve poussée au noir, et où les tendances réalistes devenaient si excessives que l'auteur, au lieu d'interpréter la nature ou même de la copier, semblait vouloir ne nous donner que des études d'amphithéâtre, d'après le cadavre ou l'écorché ». On ne parlera pas autrement de *Madame Bovary* et de *Germinie Lacerteux* !

Ce qui nous frappe au contraire dans les *Scènes de la vie de bohême* et les *Scènes de la vie de jeunesse*, c'est précisément tout ce qui en fait des romans point du tout réalistes. Murger n'écrit plus en vers, mais il continue à faire métier de poète, d'autant plus librement qu'il n'est plus entravé et retenu dans ses élans par les difficultés de la rime ou de la strophe. Les confidences personnelles débordent de partout ; toute la biographie de sa jeunesse y passe : les années d'enfance, la mère enthousiaste du fils, la brouille avec le père, la cousine Angèle, etc., toutes les amitiés et toutes les amours, même de menus détails d'existence. Presque toujours Murger est le héros de son conte : il s'appelle Rodolphe, Olivier, Melchior, Jacques. Quand il se tait sur lui-même, ou du moins qu'il passe au second plan du récit, c'est encore de sa propre existence qu'il parle, de « la vingtième année » ; plusieurs épisodes commencent : « X... avait vingt ans, il était amoureux », et amoureux à la manière de Murger. C'est un thème sans cesse repris ; les circonstances seules varient, et elles admettent toujours les mêmes lieux communs sur la vie et sur l'amour dus à Musset. Ces aventures d'amour, empreintes d'une philosophie doucement spiritualiste, sont franchement romanesques ; point de vraisemblance gênante ; quelquefois c'est du pur mélodrame : dans *le Souper des funérailles*, le héros, très byronien, mène, sous trois noms, trois existences successives ; il est comte et devient ouvrier ; il est miraculeusement sauvé du suicide, mais il disparaît après la révélation d'un secret qui le désespère. Toutes les *scènes* de la vie de jeunesse ou de bohême ne sont certes point aussi corsées, et en dehors de la réalité ; l'une d'elles s'appelle même *la Maîtresse aux mains rouges*, mais le titre est ce qu'il y a de plus réaliste dans cette nouvelle, et elle n'est pas, par ailleurs, moins romanesque que les autres.

D'ailleurs, après les confidences d'amour, ce qui importait le plus à Murger, dans ces petits contes, c'était le style, et il se vantait de le travailler beaucoup ; or ce style est, à l'ordinaire, purement poétique, tout à fait romantique ; les développements de pure rhétorique, « l'orchestration des thèmes lyriques », y sont monnaie courante. Murger s'est peint sous le nom de Rodolphe : « Quand on avait eu le malheur de lui laisser prendre cette corde (l'amour), il en avait pour une heure à roucouler des élégies sur le bonheur d'être aimé, l'azur du lac paisible, chanson de la brise, concert d'étoiles, etc., etc. Cette manie l'avait fait surnommer l'*harmonica.* » Sans cesse l'instrument vibre ; la nouvelle devient une petite ballade en prose, la phrase tourne à la strophe. Une grisette meurt : aussitôt les meubles de sa chambre prennent la voix et chantent plaintivement son souvenir ; un refrain : « Où donc est-elle? Ne reviendra-t-elle pas? » marque les temps de cette plainte. Les bohèmes partent à la campagne avec leurs amies par un beau jour de soleil ; c'est aussitôt une ballade précieuse, sentimentale et mignarde sur le soleil de mai. Mimi s'est enfuie vers de riches amants ; elle sera baronne, vicomtesse, marquise ; son amant se console un peu à dérouler en deux pages les images successives des belles toilettes qu'elle portera.... Rodolphe s'attarde devant les souvenirs qu'il garde d'elle et s'encourage à les brûler en des phrases rythmiques, qui sont comme les couplets d'une romance d'adieu, etc. Partout d'ailleurs abondent les expressions précieuses, les mots recherchés, les concetti, dont, paraît-il, Murger avait pris le goût à la lecture de Shakespeare : la clef oubliée sur la porte du cœur, les yeux plénipotentiaires du cœur, les louis qui sont comme un clocher dans la poche, etc. ; c'est un jaillissement perpétuel d'images, souvent burlesques, mais souvent gracieuses et poétiques. Toutes ces gentillesses de style n'ont rien à voir évidemment avec la manière réaliste, plutôt sobre, et volontiers brutale.

Champfleury, le meilleur ami de Murger, et son compagnon de travail, l'a dit un peu grossièrement. « Son œil ne le portait pas à l'observation des choses extérieures. Peut-être Murger n'eût-il pas remarqué sur le trottoir, en face de lui, la figure d'un homme à nez crochu, le crâne recouvert d'une perruque de chiendent ! Toute la curiosité du poète était tournée au dedans de lui-même. »

Cette incuriosité du monde extérieur, cet idéalisme de parti pris sont bien caractéristiques des deux premiers volumes de Murger. Pourquoi donc a-t-on si unanimement parlé de réalisme, lors de leur apparition? Le mot était nouveau, et pas encore de sens bien précis : c'était les amis de Murger qui le mettaient à la mode. Et puis, si obstinément lyrique que se montrât Murger, il ne pouvait pas tout à fait idéaliser ses personnages et ses intrigues ; des moments de verve comique lui faisaient même accuser violemment le contraste entre ses exaltations poétiques et leurs piètres occasions. On se scandalisa de ces nouvelles où paraissaient non plus les ordinaires héros de romans, mais des bohèmes et des grisettes ; le public et la critique étaient prudes ; ils se laissèrent émoustiller à ces peintures qu'ils jugeaient un peu libertines, rassurés d'ailleurs et rassérénés à chaque instant par les lieux communs poétiques et les passages sentimentaux. On aima, en s'en effarant un peu, cette sincérité de l'auteur, et le côté légèrement *canaille* de l'œuvre.

Il y avait bien, par surcroît, quelques lointaines velléités d'un réalisme plus sérieux. Des caricatures avaient trouvé place dans les deux livres, celles des ennemis traditionnels de la bohême : le bourgeois, le propriétaire, le concierge : M. Mouton, le bourgeois stupide, qui émet péniblement des opinions grotesques sur les journaux ; Monetti, l'oncle poêlier-fumiste, garde national, si dur à obliger son neveu. Tel épisode où Murger s'est amusé à reproduire les propos vulgaires d'une commère devant un lit de mort est presque de l'Henry Monnier. Mais ce ne sont là que de rares indications, et je ne crois pas d'ailleurs que les critiques y aient pris garde sur le moment.

Pour si bienveillants qu'ils se fussent montrés aux débuts de Murger, ils n'en avaient pas moins formulé d'importantes réserves ; ils avaient été surtout sensibles à ses qualités poétiques, et, à cause d'elles, ils lui faisaient crédit ; ils toléraient ces premiers sujets un peu risqués, mais sollicitaient le jeune écrivain de sortir du cercle des grisettes et des bohèmes, et d'en venir à des personnages d'un meilleur monde, à des intrigues plus distinguées. « S'en tiendra-t-il toujours aux horizons du Luxembourg et aux mansardes du quartier latin? Ne cherchera-t-il pas des modèles plus sérieux, plus dignes de la maturité d'un esprit fécond, offrant de plus hautes perspectives, de plus larges échappées? C'est une question que nous lui adressons avec toute la sympathie que nous inspire son talent. » En même temps, ses anciens compagnons de bohême, Champfleury et Courbet, qui commençaient à prêcher le réalisme, les sujets populaires, la peinture des humbles, l'invitaient à suivre leur exemple. Il ne renonça pas tout d'un coup, ni tout à fait, aux scènes de la vie de bohême qui lui avaient donné la notoriété, mais il déféra peu à peu aux invitations expresses et contradictoires qu'on lui adressait ; il tenta de nouvelles œuvres ; quelques-unes d'entre elles pourront véritablement être dites réalistes.

III

La sollicitation lui vint principalement de la *Revue des Deux Mondes*, qui l'attira dès l'année même où il venait de publier ses deux premiers volumes. Il y collabora jusqu'à sa mort et assez régulièrement :

c'est là qu'ont paru ses œuvres les plus importantes, Buloz, si habile à recruter ses collaborateurs, et si prompt à les régenter, entreprit la conversion de Murger; il lui toléra d'abord ses grisettes, bien amendées, il est vrai, et ses bohèmes, mieux habillés; mais il l'invita bientôt à choisir ses personnages dans un autre monde, dans « le monde », ce qui lui valut, paraît-il, cette réplique : « N'êtes-vous pas la revue des *deux* mondes? » D'ailleurs, en dehors même de ces invites directes, et de la nécessité où Murger se trouva d'agréer à un nouveau public, cette entrée dans la grande revue bourgeoise modifia tout à fait son existence ; elle le posa et lui assura des revenus réguliers, une petite aisance ; il parut dans quelques salons, et put parler du monde, qu'il ne connaissait jusque-là que par les livres, par les nouvelles de Musset surtout ; il put vivre à la campagne, la plus grande partie de l'année, et voir de près les mœurs des paysans. Son expérience s'étendait un peu : de toute façon il était soustrait à la bohême.

Les résultats n'en furent pas très heureux d'abord. *Le Pays latin* et *le Dernier Rendez-vous*, qui furent les premiers romans de cette nouvelle manière, témoignent que l'effort de Murger vers la distinction n'alla pas au début, sans gaucherie. *Le Dernier Rendez-vous* surtout est caractéristique ; les personnages et la matière sont repris d'une des *Scènes de la vie de jeunesse* (*les Amours d'Olivier*), où les déceptions amoureuses du héros étaient doucement comiques, encore qu'il manquât d'en mourir. Murger imagine que, après dix ans, Olivier, qui n'est plus bohème, retrouve Marie, devenue une femme tout à fait élégante ; Urbain qui, autrefois, trompa vilainement Olivier, s'excuse longuement sur la neurasthénie de ses années de jeunesse, et se donne mélodramatiquement des airs de René, de Didier, ou d'Antony malgré lui. Olivier et Marie essaient de recommencer l'ancien amour, mais leur dernier rendez-vous leur dit l'impossibilité de ce recommencement. C'est un débordement de psychologie amoureuse, de spiritualisme dans l'amour, de paysages romantiques, une *Tristesse d'Olympio* infiniment délayée, que ne relèvent plus, cette fois, des détails pittoresques sur les incongruités du costume ou sur la pénurie d'argent. Toutes les velléités poétiques de Murger, jusque-là combattues, réfrénées par ses amis, finalement abandonnées par lui-même, ont eu un dernier éclat.

Le Pays latin laisse paraître le dessein, encore bien confus, de représenter la réalité. Jusqu'alors Murger n'avait pas su, ou pas voulu composer réellement un roman ; il n'écrivait que de petites nouvelles sans intrigue, ou plutôt de légers épisodes tant bien que mal rattachés les uns aux autres. Il lui fallait maintenant prendre l'habitude du grand roman, découpé également entre quatre ou cinq livraisons de revue. Le bohème devient un étudiant très sérieux, Claude Bertolin, qui a laissé en province une petite fiancée ; à Paris, il vit d'une existence à peu près monacale jusqu'au jour où il rencontre Mariette, l'éternelle Mariette des bohèmes. Mais Mariette, elle aussi, a changé : elle se souvient d'avoir été Marianne, une petite paysanne, compagne des jeux de Claude, et elle conte longuement par quelles aventures elle s'est muée en une grisette plus que volage. Du moins elle a eu des amants distingués : elle a appris à écrire, elle a lu toute la littérature contemporaine, elle joue admirablement du piano, elle parle grec au besoin. Si elle a tant fait souffrir ses amants par ses infidélités, c'est qu'elle a elle-même beaucoup souffert. D'ailleurs elle veut se réhabiliter, elle entre dans un atelier, et devient une grisette tout à fait vertueuse Si elle reprend un amant, c'est que Claude avait fini par l'aimer, et que, en le désespérant, elle veut le rendre à sa petite fiancée et à ses bons parents. La vertu et le sentiment triomphent donc, après le temps de lutte convenable, et comment en vouloir à Marianne d'être quelquefois Mariette !

Rien qu'à cette brève analyse du roman, on devinerait combien les types sont convenus, les aventures sans vérité ; la peinture du « pays latin » est délibérément supprimée, l'essentiel étant les beaux sentiments des héros et les longs discours nécessaires à les faire valoir. A peine, par moments, de courts développements pour nous dire ce que sont dans la réalité les grisettes et les étudiants. Mais, grâce à quelques personnages accessoires, un nouveau monde commence, avec ce roman, à paraître dans l'œuvre de Murger : ce sont les types de province, petits bourgeois d'abord, paysans ensuite, dont il ne s'était pas fait par avance une image conventionnelle ; il les ignorait tout à fait. Il y a, dans *le Pays latin*, un curé de campagne, joueur de dames et bon enfant, et un docteur athée et collectionneur d'elzéviers, deux grands amis, peints assez heureusement dans le laisser-aller de leurs conversations familières. Murger témoignait là qu'il saurait, au besoin, représenter exactement les existences de braves gens de province, où il ne se passe rien, et que pourtant de menues occupations, ponctuellement accomplies, et de petites sensations, soigneusement dégustées, remplissent convenablement. Ce sera là une des voies qu'il va suivre — et d'autres réalistes s'y engagèrent aussi.

Cependant les bohèmes « criaient à la trahison.... Leur grand homme... passait armes et bagages aux lettrés, gens du monde ». Murger lui-même s'apercevait bien de la transformation que le succès réalisait peu à peu en lui, et il eut assez d'esprit pour le proclamer et s'en amuser. Il imagina une nouvelle personnification de lui-même, Francis Bernier, et, sous son nom, analysa son état d'esprit de romancier arrivé, les qualités nouvelles et les défauts que cet état comportait : il vaut la peine de citer quelques fragments de ce portrait, c'est celui de Murger aux environs de 1855 :

.... Il avait connu les angoisses de la nécessité, le duel fatigant du doute et de l'espérance, et il avait souffert plus qu'un autre, ayant à combattre les instincts d'une nature ardente en convoitises et en jouissances, que la fortune ou tout au moins l'aisance, seule, peut procurer. Faible à lutter contre les obstacles, il s'était associé, pour prendre courage, à un groupe de jeunes gens rigides, mais il les avait quittés bien vite, emportant sur le dos le froid de leur misère. De sa faiblesse même il se fit une force. Pesant sa valeur, il avait reconnu, tout en se faisant bon poids, que son talent ne pourrait jamais lui conquérir une place acceptée sérieusement ni même sérieusement discutée. Ayant eu à une exposition un début que la critique avait encouragé sans engager l'avenir, Francis, qui connaissait sa mesure, comprit que ce qui fait le succès de la médiocrité, c'est sa perpétuité. Il ne s'épuisa point en de vains efforts. Le moule où il avait coulé sa première œuvre avait donné une bonne épreuve ; il conserva le moule et ne fit ni mieux ni plus mal.... D'heureuses relations avec des jeunes gens de famille le firent pénétrer dans quelques salons, où les articles de journaux lui donnaient une apparence de notoriété. Il commença donc par tailler un habit noir dans son ancienne vareuse de rapin et soumit ses manières d'être, un peu accentuées, à une orthopédie morale dont l'heureux résultat lui permit de faire croire qu'il était venu au monde sous cet habit noir. Il apprit à marcher sur les tapis, à s'asseoir sur tous les sièges et à danser toutes les danses nouvelles. Ses progrès dans la science des puérilités furent rapides. Enhardi par ses premiers succès, il convoita une société plus choisie et redoubla d'efforts pour y être accueilli avec la même bienveillance.... Expurgeant de son dictionnaire toutes les locutions un peu coloriées, il était parvenu à se mettre dans la bouche un langage onctueux et parfumé comme un sirop de fleurs de rhétorique, idiome complaisant qui ne fatigue ni celui qui parle ni celui qui l'écoute. Reniant tous les souvenirs de sa jeunesse, il avait fait de son *humour* d'artiste un enjouement bénin, et si les dames le priaient derrière un écran de raconter quelque épisode de sa vie d'atelier, Judas du passé, il s'exprimait avec le dédain d'un sceptique ambitieux qui médit de sa patrie indigente pour se faire naturaliser dans un pays plus riche.... Une coterie féminine se mit à l'œuvre et profita du passage d'un ministre, qui eut à peine le temps de s'asseoir, pour signer le brevet qui conférait à Francis le grade de chevalier !

IV

Adeline Prolat (1853) et *le Sabot rouge* (1860) sont les deux tentatives de Murger dans le roman champêtre ; la scène de l'un et de l'autre roman est placée auprès de la forêt de Fontainebleau, à quelques kilomètres de Marlotte. *Adeline Prolat* a eu du succès ; il a été moins parlé du *Sabot rouge*.

La donnée même d'*Adeline Prolat* est évidemment quelque peu fantaisiste et poétique : un rapin, qui ressemble au romancier, rencontre une jeune fille, une paysanne, très simple et très pure ; il s'éprend pour elle d'un amour fort sentimental ; de beaux paysages forment un cadre gracieux; le rapin épouse la paysanne. La nécessité d'écrire un roman de trois cents pages a essoufflé un peu Murger et l'a induit à user d'un romanesque passablement banal; rivalités d'amour, tentative de suicide, secrets volés, dévouement de l'héroïne qui risque la mort par amour, etc.

Heureusement les hors-d'œuvre abondent. Murger a été extrêmement intéressé par les spectacles rustiques dont il était le témoin à Marlotte, et au cours de ces tournées de chasse où il se préoccupait de tout, excepté de prendre du gibier : il a tâché de reproduire les scènes qu'il vit et les sentiments qu'il crut deviner. C'est de ce côté-là qu'il a détourné cette verve comique, dont les *Scènes de la vie de bohême* avaient été le premier jaillissement. Presque tous les épisodes *réalistes* d'*Adeline Protat* sont légèrement caricaturaux, ou du moins plaisants ; ce n'est que par ce biais, semble-t-il, que Murger peut s'imposer une vision exacte des choses et se garder des trop faciles idéalisations. La même tendance sera bien nette chez d'autres réalistes : chez Champfleury, chez Duranty, et même chez Flaubert, il y a souvent de la caricature. L'introduction, dans la maison du père Protat, d'une cafetière dernier modèle déplaît à la routine de la cuisinière, Madelon, et provoque des manifestations violentes de sa mauvaise humeur ; en même temps qu'une scène assez drôle, c'est un tableau, minutieux jusque dans les détails, du ménage, de la maison d'un riche paysan et de ses habitants. Les voisins du bonhomme Protat n'existent pas seulement à l'état de vague fond de tableau ; les vanités et les haines villageoises, les petites conjurations contre l'étranger ou le voisin enrichi qu'on jalouse, les charivaris bruyants auxquels elles aboutissent quelquefois, et aussi les superstitions rustiques, les jeux populaires, etc., tout cela — des *documents*, selon la doctrine réaliste — tient une grande place dans *Adeline Protat*.

Ces qualités, dues à une observation plus attentive en même temps qu'à une bonne humeur amusée, sont surtout manifestes dans deux des personnages d'*Adeline Protat*. Les protagonistes, le trio sentimental, Adeline, Lazare, Zéphyr, encore qu'ils aient été dessinés par moments avec de jolies indications, sont dans l'ensemble *flou* et romanesques ; mais il y a deux types excellents, la vieille mère Madelon, la servante, et son maître le père Protat. Madelon, avant de s'engager à dix francs par mois, a été riche; mais, ruinée, elle a dû devenir gardeuse municipale de vaches, et ensuite exercer toute sorte de petits métiers où elle est aidée par son chien Caporal ; elle arrive, après bien des années, à ramasser le peu d'argent qui lui est nécessaire pour vivre ; et, si elle s'engage comme servante, c'est qu'on a tué méchamment son chien, et qu'elle s'ennuie d'être seule. Chez le père Protat, elle apporte sa vraie bonté, qui n'est guère apparente, et une humeur enragée; son franc-parler, ses mauvais propos, sa passion de tout gouverner dans la maison, sa langue incorrecte. C'est un excellent type de vieille servante d'autrefois, aussi vraie certes que la Nanon d'*Eugénie Grandet*. De même le père Protat, avec sa solide honnêteté, sa finauderie en affaires, ses violences contenues, son adoration respectueuse pour sa fille, parce qu'il a été trop dur pour elle autrefois, et aussi parce qu'elle a des manières de demoiselle.

S'il y a, malgré tout, dans *Adeline Protat*, bien des pages qui tendent à en faire tout le contraire d'un roman réaliste, *le Sabot rouge*, par contraste, mériterait l'épithète de « naturaliste »; et s'il provoque en nous des souvenirs de lecture, ce sera plutôt à *la Terre* de Zola qu'aux *Paysans* de Balzac que nous serons tentés de l'apparenter : la passion de l'argent et de la terre y mène tout ; un père vole son fils, et tue sa future bru ; le fils dupe son père ! C'est le dernier volume que Murger ait publié : il est d'une observation plus minutieuse et comme plus âcre ; presque plus de pastorale dans ce roman champêtre ; à peine quelques couplets sentimentaux ;

presque plus d'intrigue non plus : c'est une série d'épisodes guère rattachés les uns aux autres. « Le Sabot rouge » est une auberge qui rassemble commodément les principaux personnages du récit, des paysans et des braconniers. L'épisode principal, et le plus intéressant, met aux prises le fermier Derizelles et son fils Isidore. Le fermier est veuf ; toute la fortune est à son fils, et, pendant des années, le père use d'une diplomatie finassière pour l'en frustrer ; Isidore, passionné uniquement pour la chasse, laisse son père administrer ses biens : pour le mieux tenir, Derizelles entreprend de lui faire épouser une fille de rien, qui n'aura aucune autorité dans la maison et sera toute soumise au beau-père : il pousse donc son fils dans les bras de la servante Lison. A force de roueries et de filandreux propos, il arrive à donner à Isidore l'idée d'épouser sa maîtresse, et à Lison celle de ne consentir à ce mariage que si son amant fait donation à son père de la moitié de ses biens. Isidore finit par consentir à cette donation, d'autant qu'elle est révocable en cas de naissance d'un enfant ; or Lison est enceinte. Derizelles, se voyant ainsi berné, se débarrase de Lison, en la faisant piquer par des mouches charbonneuses. Le père et le fils seront d'ailleurs convenablement punis, puisque, dans une nuit d'hiver, Isidore, par mégarde, tue son père : tous deux sont dévorés par les loups.

Les exploits des contrebandiers, leurs luttes contre les gardes, les beuveries et les propos des clients du « Sabot rouge », les haines villageoises forment autour de cet épisode un ensemble très pittoresque. A part un type idéal de jeune fille, Mélie, cousine d'Isidore, les personnages n'ont rien de romanesque ; ce sont des instincts bas et violents qui les mènent : Isidore est une brute, la Lison ignore les beaux sentiments, et le père Derizelles n'a d'intelligence et de passion que pour les arpents de terre qu'il veut posséder. Le style lui-même est, en général, plus simple, presque partout dépouillé des oripeaux romantiques et des lieux communs spiritualistes chers à Murger : il y a un effort réel pour faire parler les personnages selon leur condition et leur état d'esprit. Bref, dans ce petit roman, Murger, à une époque où la doctrine réaliste, prêchée par ses amis, avait un plein succès, a concentré toutes les observations qu'il avait pu faire pendant dix années de vie à la campagne, et il ne les a pas trop atténuées en les utilisant.

V

Mais il ne renouvela pas souvent cette tentative. Dans les années qui séparent *Adeline Protat* du *Sabot rouge*, Murger a préféré présenter au public ses éternels bohèmes, si bien accueillis d'abord, et les « gens du monde » nécessaires alors aux fictions romanesques ; dans de tels sujets, il se trouvait bien embarrassé d'être vrai : l'image fantaisiste qu'il avait donnée autrefois de la bohême était maintenant trop généralement acceptée comme son portrait véridique pour qu'il fût commode, et même tentant, de la retoucher ; quant au « monde », Murger ne venait que d'apprendre à « marcher sur les tapis » et à « s'asseoir sur tous les sièges », et, s'il commençait à « avoir accès dans les meilleurs salons parisiens », il y était moins préoccupé d'observer que de se conformer tout à fait au « savoir-vivre mondain » ; il était un parvenu fort respectueux. Toutefois, malgré ces graves empêchements, quelques-uns des romans que Murger publia alors témoignent, par moments, des mêmes intentions réalistes que nous ont révélées les romans rustiques.

Les Buveurs d'eau (1853-1854) contiennent trois épisodes : deux d'entre eux, *Francis*, *Lazare*, sont proprement des « scènes de la vie d'artiste », une sorte de recommencement de la *Vie de bohême* ; mais il n'y a plus guère de fantaisie : « Cette fois, tout était précis comme un procès-verbal » ; on lit des détails de lamentable misère ; le mobilier des buveurs d'eau est compté avec minutie ; une vieille grand'mère qui vit avec ses petits-enfants est obligée de se faire femme de ménage ; l'héroïsme des buveurs d'eau est mélangé de quelques mesquineries. Il est vrai que Murger, parlant d'une autre bohême que la sienne, se sent moins gêné sans doute à être sincère et sévère. *Hélène* n'est que bien indirectement un épisode de la vie d'artiste : c'est une petite histoire d'amour sur le même thème qu'*Adeline Protat* : un rapin, sentimental comme Murger (peu importe qu'il s'appelle ici Antoine plutôt que Lazare ou Rodolphe), rencontre, au cours d'un voyage au Havre, une belle jeune fille, Hélène, qui, paraît-il, fut dessinée à la ressemblance de la fameuse cousine Angèle ; les jeunes gens s'aiment et se le disent, mais les nécessités matérielles, qui décident souverainement de la vie des pauvres gens, les obligent à se séparer aussitôt et pour jamais ; ils ne garderont de ce beau rêve que le souvenir de quelques heures d'amitié et de paroles d'aveux émues. Là encore les héros sont des humbles; la médiocrité de leur existence pèse sur leurs actes et nuance leurs sentiments ; ils discutent les notes d'hôtel, mangent dans les petits restaurants et rognent sur les pourboires ; l'héroïne est une petite institutrice, très simple, très courageuse, résignée à sa dure vie : une bottine déchirée ou un châle perdu sont de grands événements pour elle ; après quelques heures d'exaltation romanesque, elle sait bien qu'il lui faut chercher une place et la trouver, oublier son trop aimable compagnon de voyage. De-ci, de-là, l'imagination et surtout le style de Murger retrouvent leur intempérance accoutumée, mais l'ensemble de la nouvelle est très suffisamment gris et terne.

Le « réalisme » se décèle moins dans la conception essentielle du roman que dans les hors-d'œuvre et les personnages de second plan ; c'est assez habituel alors. Il y a un portrait de bourgeois ridicule assez bien venu, — presque tous les romans réalistes, vers 1855, en contiennent au moins un ; M. Homais est comme la synthèse de tous, — M. Bridoux, dont l'intimité est facile; il bavarde sans réserve sur ses affaires et ses malheurs, critique le gouvernement et les institutions, et étale une tranquille admiration de lui-même ou des siens, qui s'accorde à merveille avec un sens parfait de ses intérêts et de la réclame bien entendue. Ses propos tiennent une grande place dans le récit. L'intrigue, d'ailleurs, est fort secondaire. Murger a utilisé, — et ceci encore est tout à fait un procédé que l'école réaliste de 1850 mit à la mode, — tous les incidents d'un voyage personnel au Havre : c'est une série de tableaux, de scènes : un wagon de troisième classe, des auberges, la descente de la Seine sur un remorqueur, les curiosités de la route, le phare de La Hève, la rencontre d'émigrants qui viennent s'embarquer, la vue d'un paquebot quittant le port pour l'Amérique, etc.. Tous ces renseignements sont certes bien inutiles à l'histoire sentimentale d'Antoine et d'Hélène ; ils n'ont que l'intérêt de descriptions exactes ; et nous pouvons y apprendre aujourd'hui comment on allait au Havre vers 1850, et ce qu'on y voyait : c'est presque du roman documentaire.

Les Vacances de Camille (1857) sont intitulées « scènes de la vie réelle », et ce sous-titre semble avouer un dessein réaliste. A vrai dire, l'œuvre est un roman romanesque, — une nouvelle genre Musset, fort étirée, — qui conte la rupture d'une liaison et un riche mariage. Murger y a rapproché dans une commune intrigue des bohèmes très bien élevés et des gens du monde fort délicats, comme il convient, des grisettes et des marquises qui rivalisent de distinction morale et de manières élégantes. Les « scènes de la vie réelle » sont un peu clairsemées : il y en a cependant : toutes celles qui préparent et enfin amènent la rupture de Léon d'Alpuis et de Camille ; le rôle des amis, les arrangements financiers, les consolateurs qui s'offrent aussitôt ; point de crises passionnelles, ni de grands éclats ; ce sont aussi quelques scènes de la vie des grisettes, dîners au restaurant, bal masqué, soirée chez une amie plus ou moins entremetteuse, nécessités matérielles qui entraînent vite la grisette vers une assez vulgaire prostitution.

Ici encore, les personnages principaux sont singulièrement idéalisés par Murger, car il se plaît à vivre successivement par l'esprit, en leur lieu et place, les événements qu'il imagine ; mais les personnages de second plan, qui, par leur âge ou leur condition, se prêtaient difficilement à cette espèce de métempsycose littéraire, sont d'une tout autre facture ; il y a une vieille tante célibataire et romanesque, très émue par les malheurs de Camille, la rivale de sa nièce, et fort aise de prendre part indirectement à des intrigues amoureuses ; un père indulgent aux fredaines de son fils ; un garde-chasse féru des droits de son maître, passionné par ses rivalités avec les autres gardes, ravi de pouvoir, à l'occasion, lâcher son chien sur les chasses du voisin ; une servante de grisette, très madrée, qui voudrait voir sa maîtresse moins sentimentale et plus acueillante, et qui escompte déjà les profits qu'elle tirera personnellement des futurs amants ; personnages épisodiques évidemment, profils très légèrement dessinés, mais qui empêchent le sous-titre d'être tout à fait menteur. L'ensemble est recouvert par ce « langage onctueux et parfumé comme un sirop de fleurs de rhétorique » que Francis Bernier avait tant travaillé à acquérir, et contre lequel Murger avait peine à se défendre ; la couleur générale est d'un rose tendre, fade parfois, jusqu'à agacer, dont l'effet gagne jusqu'aux scènes les plus vraies et les personnages les plus typiques.

On voit ce qu'il en est du « réalisme » de Murger ; pourquoi ses contemporains l'appelèrent réaliste, et comment cette épithète, même aujourd'hui, peut, malgré tout, lui convenir par moments. Il est resté jusqu'au bout un poète sentimental, plus disposé à rêver à propos de ce qu'il voit qu'à le bien regarder; mais il conservait dans ces exaltations de l'esprit une verve assez comique, un certain don de la caricature, qui suppose à tout le moins une vraie aptitude à l'observation, même passagère. Il n'avait guère de convictions littéraires, pas plus que politiques ou que philosophiques ; il subit des influences qui le tiraillèrent : Champfleury qui l'entraîna vers les sujets médiocres, Buloz qui le poussa vers les héros distingués. Romancier romanesque, avant tout, il fut conduit par eux vers un réalisme ambigu : tantôt un réalisme tapageur et superficiel, celui que ses contemporains remarquèrent, et qui était simplement l'audace d'avoir installé dans le roman des héros qui s'habillaient mal, parlaient irrespectueusement de tout, et ne se souciaient guère dans leurs actions des convenances ordinaires ; tantôt un réalisme un peu *grisaille*, la peinture, sympathique et discrètement poétique, des existences tranquilles, des âmes sans passions. Mais jamais il ne mena ses tentatives jusqu'au bout, embarrassé par de vieilles habitudes de sentimentalité et de bavardage lyrique, tourmenté aussi par le code nouveau des bienséances mondaines que le succès lui imposa. Encore une fois, l'école réaliste élabora sa doctrine et fit sa campagne tout à fait en dehors de Murger.

CHAPITRE III

LA CAMPAGNE RÉALISTE

I. — Les influences générales; les précurseurs; la campagne de Courbet (1848-1855).

I

Vers 1850, le mot réalisme commença à entrer dans le vocabulaire de la critique ; on batailla bientôt pour ou contre les idées qu'il représentait, et l'on finit par se préoccuper d'en donner des définitions précises. Ainsi qu'il arrive toujours, les éléments de ces définitions préexistaient depuis quelques années, et toutes les idées qu'on allait remuer étaient « dans l'air ». Le manifeste romantique par excellence, la *Préface de Cromwell*, n'est qu'une manière d'œuvre collective, résultat d'efforts éparpillés pendant quinze années ; il en fut de même pour le réalisme, encore que cette nouvelle doctrine ne se soit à aucun moment cristallisée en un *Credo* aussi simple et aussi éloquent : ses apôtres n'avaient ni la lecture ni les connaissances, ni même, après tout, la clarté de vues dont témoignait Hugo, à vingt-cinq ans ; leurs théories, quand ils en eurent, ne prirent point la forme d'un manifeste préliminaire ; elles accompagnèrent tant bien que mal, avec des tâtonnements et des incertitudes, des œuvres, dont la tendance n'était pas elle-même bien certaine. Et d'abord, ces théories ne furent guère que de montre, empruntées tout bonnement à des écrivains antérieurs, qui avaient eu des idées ou du succès ; elles furent affichées avec éclat, sans que d'ailleurs ceux qui se réclamaient d'elles en fissent réellement usage. Les réalistes commencèrent par se donner des maîtres et des précurseurs, mais déclarèrent bientôt, comme il est naturel, qu'ils voulaient faire tout autre chose qu'eux, et bien mieux. Ils leur ont dû, en réalité, des suggestions essentielles ; ils leur ont attribué, par la suite, leurs propres théories, enfin formulées, dont ceux-ci n'avaient point eu l'intention ; enfin et surtout, ils ont expliqué dans un esprit tout nouveau les opinions réelles de leurs initiateurs. Il faut donc, pour bien connaître la nouvelle école, dire d'abord en quoi un Champfleury pouvait se réclamer de Balzac, ou un Duranty de Stendhal.

Ce travail est en somme aisé et peut être bref. Les réalistes, et après eux les naturalistes, ont assez souvent, au cours du XIXe siècle, invoqué comme maîtres Stendhal et Balzac, pour qu'on puisse dresser un état sommaire de leurs obligations ; on en a d'ailleurs fait le compte plus d'une fois. Il y a eu aussi quelques influences secondaires, dont il n'est pas impossible de retrouver des traces.

Il serait certes intéressant de déceler des influences plus profondes et plus générales, mais elles échappent à une investigation précise et à une documentation appropriée. Il nous paraît constant, aujourd'hui, que le mouvement réaliste en littérature a coïncidé avec des tendances communes à toutes les formes de l'activité intellectuelle au XIXe siècle, un besoin de connaissance scientifique, un esprit général de positivisme. Mais comment le montrer à moins qu'on ne se contente de synchronismes douteux? Des romanciers réalistes, les uns, comme Champfleury, étaient dépourvus tout à fait de culture scientifique ou philosophique ; d'autres, comme Flaubert et les Goncourt, vinrent au réalisme par des chemins qui surprennent; Flaubert emprunta à Th. Gautier beaucoup de ses théories littéraires, et il devint le maître des réalistes, tandis que Gautier, à la même époque, parut résumer en lui l'essentiel du romantisme. S'il est impossible de démontrer vraiment que Champfleury, Flaubert, les Goncourt subirent l'influence d'un Auguste Comte, ou d'un Cuvier, peut-être vaut-il mieux l'admettre comme une sorte de postulat.

II

En 1850, Stendhal et Balzac venaient de mourir ; tous deux, après leur mort, furent proclamés ancêtres par les jeunes réalistes ; mais leur gloire fut bien inégale, et aussi leur influence.

Rouge et Noir paraît en pleine jeunesse du roman romantique, la même année que *Notre-Dame de Paris*, deux ans avant *Indiana* ; *la Chartreuse de Parme* est publiée en 1839, alors que Balzac n'a pas encore tout à fait conçu sa grande idée de *la Comédie humaine*. C'est marquer à quel point Stendhal eût mérité d'être dit le vrai et premier précurseur de l'école réaliste ; en fait, il resta ignoré ; son œuvre ne fut connue que dix ans après sa mort, et glorieuse seulement un demi-siècle après. En 1840, Balzac, si enthousiaste pourtant de *la Chartreuse de Parme*, — et il l'appréciait pour de tout autres raisons que les futurs réalistes —, déclarait que ce livre, accessible seulement aux âmes et aux gens « vraiment supérieurs », n'aurait de lecteurs que « parmi les diplomates, les ministres, les observateurs, les gens du monde les plus éminents, les artistes les plus distingués, enfin parmi les douze ou quinze cents personnes qui sont la tête de l'Europe ». En 1852, Flaubert estimait *Rouge et Noir* « mal écrit et incompréhensible, comme caractères et intentions » ; il avouait ne rien comprendre à l'enthousiasme de Balzac. En 1857, et en dépit de la réaction qui avait commencé de se faire, Sainte-Beuve jugeait « détestables » les romans de Stendhal, qu'il avait « essayé de relire ». Cuvillier-Fleury, qui faisait cas de sa correspondance, écrivait : « Quant à ses romans proprement dits, je n'en souhaiterais la lecture qu'à mes ennemis, si j'en avais. » Cette conjuration de l'oubli a d'ailleurs fini par triompher ; malgré le regain de faveur que Stendhal eut vers 1855, et un autre vers 1880, — qu'il avait prévu, — ses admirateurs sont restés un petit groupe, un *club* ; et il n'a point pris dans l'histoire du roman, au XIXe siècle, la place que nous lui attribuons volontiers.

Peut-être, d'ailleurs, son influence a-t-elle été moindre que nous ne sommes tentés de l'imaginer. Ce qu'il y a, à vrai dire, de réaliste chez lui, c'est son esprit, sa vie, ses goûts, beaucoup plutôt que son œuvre ; sans les secours que donnèrent successivement sa correspondance, son journal posthume, et les confidences des amis, le *beylisme* eût eu quelque peine à se dégager nettement de *la Chartreuse de Parme* et de *Rouge et Noir*.

Toute la formation intellectuelle de Stendhal, celle qu'il a reçue, celle qu'il s'est donnée, et que la vie lui a permis de développer encore, a tendu à faire de lui un esprit sec, observateur, sans imagination, incroyant en matière religieuse, irrespectueux en politique sceptique absolument devant les idées toutes faites, n'ayant de goût que pour les connaissancees précises et les notions scientifiques. Plus encore que réaliste, il est « naturaliste ». Il est en tout cas à l'opposé du romantisme ; et cela explique qu'on se soit réclamé de lui aux heures où l'on combattit cette doctrine. D'une génération antérieure aux romantiques, il avait reçu l'éducation plus scientifique que littéraire des écoles centrales ; étudiant à Paris, il lisait avec ferveur les idéologues ; à peine avait-il assimilé ses lectures qu'il les dégorgeait en des lettres à sa sœur Pauline, dont l'ensemble constitue un vrai manuel élémentaire d'idéologie, et quelquefois sous forme de dissertations très pédantes. Pendant les vacances, il continuait à instruire sa sœur. Il croyait tellement à la toute-puissance de l'idéologie que, à vingt-deux ans, il rêvait d'entreprendre aussi l'éducation de sa maîtresse ; il se désolait de n'avoir pu « donner encore que quatre ou cinq leçons de grammaire, d'après Tracy (IIe vol.) à cette âme ardente » ; elle oublierait de souffrir en apprenant !

Chez Destutt de Tracy, chez Laromiguière, chez Cabanis, il apprend une méthode, l'analyse, que, tout jeune homme, il applique âprement aux phénomènes moraux ; pour vérifier les vérités qui ont cours, ou aboutir à de nouvelles vérités, il faut collectionner des faits ; il oblige sa sœur par de continuels exercices à décrire « des caractères peints par les faits » ; à vingt ans, il songe lui-même à « se mettre dans uns pension » pour y étudier les hommes. Il a une vraie passion du document, et le jour où il se décide à tenter une œuvre véritable, et non plus seulement à raconter ses impressions de touriste, c'est une monographie scientifique qu'il écrit, tout comme Taine et Zola le demanderont plus tard au romancier : « Ce petit volume, dit-il dans une préface de *De l'amour*, n'est point un roman, et surtout n'est pas amusant comme un roman. C'est tout uniment une description exacte et scientifique. »

Quand il écrivit son premier roman, il avait près de quarante-cinq ans ; tout le long effort de son esprit vers les notions précises, les formules scientifiques, les documents authentiques, et aussi tous les événements de son existence fort peu sentimentale, employée à satisfaire des intérêts matériels et des jouissances égoïstes, tout l'avait comme ankylosé dans une attitude de l'esprit obstinée : l'observation perpétuelle et sans parti pris ou illusion, de soi-même et des autres. Chacun de ses romans fut, tout naturellement, une monographie, un recueil de documents, ou, comme il l'a dit lui-même, « un miroir qui se promène sur une grande route ». Il est très remarquable que le premier, *Armance*, qu'on ne lit plus parce qu'il n'a jamais été lu, et qu'au surplus il est ennuyeux et confus, soit l'étude des retentissements moraux d'une tare physiologique, dont Stendhal avait connu plusieurs cas. L'intrigue de *Rouge et Noir*, même en ses bizarreries apparentes, n'est point du tout imaginaire, puisqu'elle suit les diverses péripéties d'une vie réelle et d'un authentique procès. Fabrice del Dongo, le héros de *la Chartreuse*, n'a point été créé de toutes pièces, puisque son existence est en grande partie celle d'Alexandre Farnèse ; Stendhal n'a fait que transposer les événements du XVIe siècle au XIXe, arrangement hardi, et qui explique assez bien ce que le livre a parfois de déconcertant.

Les documents n'ont pas servi qu'à l'intrigue ;

Armance a pour sous-titre : « quelques scènes d'un salon de Paris en 1827 » ; *Rouge et Noir* est une « chronique du XIXe siècle » aux environs de 1830 ; la vie italienne vers 1815 est « le principal personnage de *la Chartreuse* ». Partout, et surtout en ce dernier livre, la peinture du milieu politique et social déborde largement, aux dépens du roman proprement dit ; c'est une succession de tableaux qui n'ont d'autre dessein que de nous renseigner précisément sur les mœurs d'une certaine société et d'une certaine époque. Ces tableaux ont d'ailleurs le plus souvent l'allure de pamphlets ; Stendhal s'y montre sans scrupules, jacobin, bonapartiste, libéral, athée, anticlérical, avec des affirmations matérialistes assez âpres ; les aventures ou les réflexions de ses héros disent la triste opinion qu'il a des monarchies restaurées, de la noblesse, du clergé qui les soutiennent. Et ce sont là tant de desseins et si importants que les préoccupations esthétiques ne comptent plus guère : la question du style est tout à fait secondaire : « A mesure que les demi-sots diminuent, la part de la *forme* diminue.... Le public, en se faisant plus nombreux, moins mouton, veut un plus grand nombre de *petits faits vrais* sur une passion, sur une situation de la vie.... *La Chartreuse* est écrite comme le Code civil. »

Bornées à des affirmations aussi caractéristiques, — roman documentaire, étude du milieu, révolte contre le principe d'autorité, dédain du style, — les idées de Stendhal seraient tout simplement la définition la plus réaliste qu'il y ait eu du roman ; elle est assez large pour convenir même aux aspirations les plus naturalistes ; mais l'œuvre elle-même a un autre aspect, auquel les contemporains prirent surtout garde, et qui aujourd'hui encore est celui qui lui vaut le plus grand nombre d'admirations. Stendhal a été empêché de devenir le véritable initiateur du réalisme par ce qu'il appelait lui-même son « espagnolisme » et ce que nous appelons en général *beylisme*, comme étant ce qui le caractérise tout à fait. « Cet espagnolisme m'empêche, dit-il, d'avoir le génie comique : 1° je détourne mes regards de tout ce qui est bas ; 2° je sympathise... avec tout ce qui est contes d'amour, de forêts,... de générosité. » Stendhal méprise la canaille et les petites gens, vers lesquels ira de préférence l'école réaliste de 1850 ; il aime les « héros », qui, dénués des ordinaires sentimentalismes et des préjugés moraux, n'ont d'autre but que leur propre jouissance, et qui y vont par des chemins que la religion et le Code interdisent, au besoin par le vol et par le crime. Julien, le comte Mosca, la duchesse de Sanseverina sont de cette race de « héros », et l'essentiel pour Stendhal est d'analyser ce qui se passe dans ces grandes âmes, surtout aux circonstances périlleuses de leur vie. Les faits moraux qui expliquent les décisions de ces personnages et montrent le ressort de leur énergie paraissent plus intéressants à Stendhal que les faits matériels, la suite plus ou moins hasardeuse des événements. Ce goût de l'extraordinaire, cet effort constant de psychologie et d'explication logique des caractères ont toujours déconcerté les réalistes, en 1850 comme en 1880 : Zola sera fort embarrassé à parler de Stendhal, et s'il le proclame, au nom des naturalistes, « notre père à tous », c'est plutôt par respect que par vraie élection.

« Lorsqu'il mourut à Paris, le 23 mars 1842, il y eut silence autour de lui ; regretté de quelques-uns, il parut vite oublié de la plupart. Dix ans à peine écoulés, voilà toute une génération nouvelle qui se met à s'éprendre de ses œuvres, à le rechercher, à l'étudier en tous sens, presque comme un ancien, presque comme un classique ; c'est autour de lui et de son nom presque comme une Renaissance » (Sainte-Beuve). On réédite ses romans (de 1853 à 1859) ; on lance une édition de ses œuvres complètes (1854) ; on publie sa correspondance et quelques ouvrages inédits. L'École normale de 1850 s'enthousiasma pour lui ; on le signala aux jeunes philosophes pour la sûreté de ses analyses psychologiques ; c'est là que Taine apprit à le connaître, et il fut attiré par lui d'autant plus vigoureusement que, de lui-même, il revenait, par delà la philosophie spiritualiste, aux idéologues, les premiers maîtres de Stendhal. Ce furent dix années d'une admiration exaltée : Taine emprunte à *la Chartreuse de Parme* des exemples qu'il utilise à la démonstration de lois psychologiques ; il lit 60 et 80 fois *le Rouge et le Noir* et *la Chartreuse*; il se déclare capable de parler deux ans de suite sur eux; il bataille avec ses amis, dont l'enthousiasme n'est pas assez chaud ; il appelle Stendhal un « homme divin ». Presque tous ses premiers ouvrages disent, au moins en quelques lignes, cette admiration ; et c'est après dix ans qu'il l'étudie, en s'attachant surtout à *Rouge et Noir*, dans un article si suggestif que, pendant longtemps, on connaîtra surtout de Stendhal l'image, très « tainienne », grâce à laquelle sa fortune littéraire se trouva liée à celle de la doctrine réaliste.

III

Six ans avant, Taine avait fait, à propos de Balzac, le même effort de critique ; il avait résumé et éclairé toutes les raisons que les jeunes écrivains réalistes avaient de nommer Balzac leur maître ; c'est en effet à l'époque où l'on découvrit Stendhal que l'influence de Balzac eut son plein effet. Jusque-là, ou bien on l'attaquait furieusement, au nom du goût, et surtout de la morale ; il était « le plus fécond de nos romanciers », le représentant le plus typique de cette « littérature industrielle » qui, sous la monarchie de Juillet, fit gémir incessamment les meilleurs critiques. Ou bien on admirait, non moins véhémentement, la puissance de son imagination capable de « donner à la vérité un accent si étrange, à la laideur une touche si fière » ; on l'aimait comme « l'écrivain le plus romantique qui eût jamais existé ». En 1852, Th. de Banville le célèbre comme un poète, « l'immortel Homère » du monde moderne ; en 1858, Th. Gautier écrit : « Balzac, que l'école réaliste semble vouloir revendiquer pour maître, n'a aucun rapport de tendance avec elle ». Ceux mêmes qui, plus avisés, signalaient ses préoccupations de physiologiste, d' « anatomiste du moral », s'empressaient de dire le peu de valeur de ses prétentions à la science, et avertissaient qu'il ne fallait point prendre trop au sérieux les théories générales qu'il cherchait à donner comme préface à la *Comédie humaine.* Au lendemain de sa mort, Sainte-Beuve le place, semble-t-il, au-dessous de Mérimée et de George Sand, à côté de Sue, à peine un peu au-dessus d'Alexandre Dumas, et surtout il estime que la littérature qu'il représente a « fait son temps » (1850).

Mais, peu de temps après la publication de *la Comédie humaine*, un petit groupe de dévots s'était constitué ; ils entraient aussitôt en lutte contre cette conjuration de la critique, la voyant acharnée à nier ou à dissimuler ce que l'œuvre de Balzac avait de plus original. L'un de ces « jeunes » lui écrivait en 1847 :

Il est si rare aujourd'hui, Monsieur, de voir la critique s'occuper de vos œuvres que vous me permettrez de dire ici combien vous inspirez de dévotion à quelques jeunes gens qui essaient à grand'peine de trouer les vingt couches de médiocrités en possession des journaux et des revues. J'ai beaucoup lu ce qui s'est imprimé sur vos œuvres ; je n'y ai rien compris. Il m'a fallu étudier vos préfaces et vos quelques articles de critique, malheureusement épars, et qui devraient être réunis en volumes pour l'éducation des gens qui songent encore à étudier.... Il n'y a que deux façons de critiquer M. de Balzac. La plus simple est de *comprendre* ses œuvres et d'écrire un article où se résumerait l'idée qui a servi de base à *la Comédie humaine*.... [La seconde, qui est impossible avant longtemps, suppose un immense effort préliminaire de commentaire sur son œuvre].... Ce qu'on a écrit de meilleur sur vous, Monsieur, vient de Cuvier : il parlait d'Homère : « Dans l'antiquité, la poésie était l'interprète de la science ; aussi Homère était le plus savant naturaliste de son temps. Toutes les fois qu'il décrit une blessure, il décrit avec la plus grande justesse les parties du corps par où le javelot a passé ; jamais il ne fait périr un guerrier d'une blessure qui ne soit pas mortelle. Quand il parle d'un animal, d'une plante, d'une substance minérale, il les décrit toujours d'une manière vraie et précise. » Ne trouve-t-on pas dans ces quelques lignes toute votre science ; à la place de l'histoire naturelle, mettez la société du XIXe siècle.... Aussi, Monsieur, vous avez monté de dix coudées le *roman* ; et ceux-là qui parlent encore de *Gil-Blas*, ce long récit fatigant, ne savent pas lire *la Comédie humaine*.

Plus encore qu'à l'œuvre même de Balzac, c'est aux suggestions de ses écrits théoriques que va l'admiration de ses nouveaux disciples ; Champfleury, qui a écrit ces lignes, y définit tant bien que mal le « naturalisme » de Balzac ; et il se tait sur sa prodigieuse imagination, où il ne voit sans doute qu'une caractéristique secondaire ; dix ans après, les disciples de Champfleury, qui ont fait du chemin, sentent le besoin d'excuser Balzac de « cette foule de rêves personnels qu'il est obligé d'écrire pour se soulager » ; et ils ne le diront réaliste qu'avec bien des réserves. Mais, en 1850, au moment où la doctrine n'est pas encore constituée, l'admiration dévotieuse pour Balzac suffit. Elle grandit après sa mort : « M. de Balzac, comme les empereurs romains, est devenu dieu par le plus énergique et le plus sûr des moyens : il est mort. Aux yeux d'une certaine école, il n'est plus question de le contester, ni même de l'admirer, mais on l'adore. Toute critique à son endroit est une impiété, toute restriction un sacrilège. » Bientôt la critique conservatrice croit nécessaire d'attaquer à nouveau son vieil ennemi, qui devient un « fétiche littéraire »; et elle le fait avec d'autant plus de violence qu'elle a maintenant à lui reprocher la révolution de 1848, et le réalisme.

La gloire de Balzac est en effet, vers 1855, aux mains des réalistes. Champfleury, qui s'était insinué parmi les amis de Balzac, est chargé, en 1851, par la comtesse Hanska, de mettre en ordre ses œuvres inédites, d'écrire une préface aux *Pensées* de Balzac; et même il serait question qu'il continue, sous la direction de la veuve, les romans inachevés ! Il est vrai qu'il se brouille bientôt avec elle et ne peut tenir longtemps ce rôle d'héritier littéraire. Du moins, il chante les louanges du maître et se charge de le faire connaître au public avec sa vraie gloire. L. Gozlan se fait l'historiographe du grand homme. L. Ulbach estime que « l'esprit nouveau » en littérature peut trouver dans Balzac une sorte de modèle idéal. Duranty le défend contre les attaques de Pontmartin. Taine enfin résume, — comme il le fera plus tard pour Stendhal, — toutes les raisons que la nouvelle école a d'admirer Balzac : il étudie le « naturaliste Balzac » et l'associe à cette grande enquête sur l'homme à laquelle sa philosophie convie, non plus seulement la science, mais aussi l'histoire, la critique, et même le roman. Il a commencé par définir le réalisme : la recherche méthodique de documents sur la nature humaine ; il définit l'œuvre de Balzac comme « le plus grand magasin de documents que nous ayons sur la nature humaine » ; c'est donc le réalisme par excellence. Il nous importe peu qu'il ait, par moments, *refait* Balzac, et qu'il lui ait prêté des intentions plus doctrinales qu'il ne les eut réellement ; il suffit que son étude nous montre en un résumé énergique tout ce que l'école de 1850 apprécia dans Balzac, et en quoi elle se réclamait de lui.

Il semble d'abord qu'on ait vu dans ses principales œuvres comme un prototype du roman. Il faut se contraindre à observer, d'une manière permanente, tout ce qui se présente, choses, bêtes et gens, à portée de notre regard ; ces observations spontanées, soigneusement recueillies, alimenteront, chacune en son temps, un chapitre de roman : le roman sera essentiellement un amas de souvenirs, qu'on pourra appeler « documents ». Ces documents, rassemblés, constitueront des espèces de monographies ; la forme préférable, c'est une série de biographies détaillées. Cette observation préalable des individus et de la société aura été faite sans trop de préjugés, ni d'idéalisme ; aussi les personnages du roman que l'intrigue rassemblera ne seront, quelle que soit leur condition, unis ou opposés que par des préoccupations communes d'intérêt, le plus souvent mesquines, ou franchement laides ; et la principale affaire du romancier sera de nous montrer tout ce qu'il peut y avoir, autour des événements les plus ordinaires de l'existence — un mariage, une mort, une faillite — de convoitises dissimulées, d'entreprises louches, de crimes même. Ce choix est presque exclusif ; l'amour, ou bien n'aura point la place qu'il a d'ordinaire dans le roman, ou bien il sera aussi maltraité que les autres sentiments ; rien ne sera solide devant le besoin et la passion de l'argent. On informera minutieusement le lecteur du budget des héros, et s'ils sont engagés à une dépense non prévue de 20 francs ou de 1000 francs, il faudra dire comment ils y pourvoient et quelles conséquences cela entraîne pour eux. Dès lors l'individu compte bien peu ; on le fera autant connaître par la description de la maison qu'il habite, par le portrait des gens qu'il fréquente, y compris sa concierge, ses fournisseurs et sa bonne, que par les événements de sa propre existence. En un mot, les observations et leur mise en œuvre seront conduites à un point de vue strictement matérialiste ; elles iront surtout à ce qui est tangible ou aisément constatable, non à ce qui se devine ; l'intérêt suffira à expliquer la plupart des actions, sans qu'il faille faire intervenir le sentiment.

Il y avait, dans l'œuvre de Balzac, des idées plus suggestives peut-être, mais assez confuses, et dont l'effet ne fut pas aussi sensible d'abord ; du moins il est difficile de le déterminer. La préface de *la Comédie humaine* (1842) annonçait un plan gigantesque et le justifiait par des conceptions sociologiques et de grandes analogies entre la société et la nature. La plus visible de ces analogies est celle qui invite à déterminer des espèces sociales : il faut entreprendre de les décrire toutes, et c'est pourquoi Champfleury, en 1856, se croyait obligé à « sortir de la bourgeoisie, pour prendre l'armée, la finance, le grand monde... toutes classes, ajoutait-il avec inquiétude, que je connais à peine » ! Un roman sera, par exemple, l'étude de la formation et de la désagrégation, au cours du XIXe siècle, d'une famille de la haute bourgeoisie, ou bien l'histoire d'une vie de commerçant ; les personnages qu'on y présentera ne seront que des types d'une espèce, et les conclusions du livre vaudront pour tous les types de la même espèce. C'est qu'en effet il doit y avoir, au terme de l'œuvre du romancier, d'importantes « conclusions ». L'écrivain doit déterminer « le moteur social », c'est-à-dire les lois qui régissent la société ; il sera entraîné ainsi à faire la critique des institutions, des gouvernements, des classes dirigeantes. Or, si Balzac écrit « à la lueur de deux vérités éternelles, la Religion et la Monarchie », il n'en est guère embarrassé dans sa besogne de réformateur, et il fait figure, auprès de ses contemporains, plutôt de démolisseur et de révolutionnaire que de conservateur. Quoi qu'il en soit, le roman, tel qu'il le pratiqua, on peut le suggérer, embrasse tout : la science, la sociologie, la politique ; son réalisme est si ample, si complexe, qu'il peut donner naissance à plusieurs écoles réalistes, au besoin contradictoires.

IV

Après une influence aussi évidemment prépondérante, il peut paraître inutile d'enregistrer des influences secondaires, et qui d'ailleurs se sont comme absorbées dans celle de Balzac. C'est ce qui advint notamment à Henry Monnier. Bien que ses premières *Scènes populaires* datent de 1830, et qu'il soit, par la date au moins, un des plus authentiques précurseurs du réalisme, il ne fut découvert qu'après 1850 ; jusque-là il semble qu'on l'ait plutôt considéré comme un caricaturiste, comme un amuseur de salon, et un habile acteur, un auxiliaire de la troupe romantique, qui, par des charges dessinées et parlées, s'était donné mission de combattre le bourgeois philistin. « C'est un dessin habillé, vivant, un dessin qui marche, parle et fait rire », dit Jules Janin, — un « Brahma comique, dit Th. Gautier ; il a le don de s'incarner dans toutes sortes de personnages grotesques ». Évidemment on loue la vérité de ses personnages, mais on ne lui en fait pas toujours grand mérite : « Le célèbre caricaturiste, écrit Champfleury en 1846, a créé, *sans s'en douter*, la plus grande figure du XIXe siècle (M. Prudhomme). »

Vers 1855, on s'avisa que ces *Scènes populaires*, qui continuaient d'ailleurs à paraître assez régulièrement, étaient proprement l'idéal d'un certain réalisme.

Balzac les connut, s'enthousiasma et représenta Henry Monnier dans plusieurs de ses romans ; il ne dédaigna pas d'entrer en concurrence avec lui, sans réussir d'ailleurs à autre chose qu'à copier quelques-uns de ses types, et à en déformer d'autres par les habituels grandissements de son imagination. La fortune d'Henry Monnier accompagne celle de Balzac. En 1855, Th. Gautier lui restitue sa vraie originalité : « Bien avant le daguerréotype et l'école réaliste, il a poursuivi et atteint dans l'art la vérité absolue. *Rien n'est beau que le vrai, le vrai seul est aimable* est une devise qu'il pourrait faire graver sur son cachet comme la sienne, car il s'y est toujours conformé.... Ce n'est plus de la comédie, c'est de la sténographie. » Mirecourt, en 1857, constate que, à son propos, la comparaison : « c'est de la photographie littéraire » devient banale ; il y a là, dit-il, un « cachet désespérant de réalisme ». Champfleury commence par l'imiter et collabore avec lui. Au lendemain de sa mort, il écrira, en l'honneur de celui dont le talent offre tant d'analogies avec le sien, un volume très diligent d'informations et de bibliographie.

Les bourgeois des *Scènes populaires* sont de la même espèce que ceux de Champfleury et de Duranty, et aussi que M. Homais. Ils sont présentés avec toute leur famille, la mère, le petit garçon et la « demoiselle », la bonne, la femme de ménage, le chien, les fournisseurs ; avec tout leur entourage immédiat, les locataires de la maison à tous les étages, les ménages pauvres, la vieille fille, le vieux célibataire, parfois la grisette, toujours la majestueuse portière ; avec leurs relations habituelles, les commerçants amis, les collègues du bureau, le docteur qui vient pour un malade, et même le rapin, dont on a besoin pour un portrait. Sauf de rares exceptions, les personnages sont choisis parmi les moins riches, ceux qui ont tout juste de quoi vivre, et dont tous les actes et toutes les paroles révèlent la gêne incessante. Les scènes de leur existence ordinairement dépeintes sont les plus communes, celles où précisément il ne se passe rien de remarquable, et où il ne se dit rien d'intéressant : mauvaises humeurs conjugales, algarades à la bonne, toilette des enfants, aboiements du chien familier, soins du ménage, préparation du dîner ; les grands événements sont un repas prié, un enterrement, une partie de campagne, les visites du nouvel an ; les événements tout à fait extraordinaires, un déménagement, un voyage en diligence.

Il va de soi que l'art, au sens le plus général du mot, n'a rien à prétendre dans ces dialogues sténographiés, dessinés et mimés ; pas de style, pas le moindre métier ; ni composition, ni intrigue, ni effets ménagés.

La plupart des personnages sont copiés d'après les originaux, et il s'agit que la reproduction soit aussi exacte que possible. Encore ne possédons-nous qu'un texte revisé ; la première rédaction de Henry Monnier était, paraît-il, si abondante que ses amis devaient y faire de larges coupures. A part le personnage de Joseph Prudhomme, devenu, à force de retouches et de recommencements, une sorte de synthèse de la petite bourgeoisie, on ne conserve vraiment le souvenir d'aucune figure particulière, parce qu'il n'y en a pas. La seule image qui soit nette, c'est celle du milieu social où vivent les personnages. Impossible de pousser plus loin que Henry Monnier l'indifférence à l'art, d'accuser plus cette manière grise et monotone ! C'est ce que Victor Hugo entendait dire, en affirmant plus tard : « Il n'y a jamais eu qu'un seul naturaliste, c'est Henry Monnier, et il en est mort, lui et son œuvre. » C'est pour cela précisément qu'il fut cher aux réalistes vers 1855.

Évidemment, il y a beaucoup de caricature dans les *Scènes populaires*. Tous les détails sont vrais, mais il y a eu un choix préliminaire, qui a écarté toutes les caractéristiques abstraites des personnages, difficiles à saisir, toujours contestables. Henry Monnier s'est borné aux gestes et aux détails matériels, le plus souvent ridicules ; c'est un parti pris de tous les moments contre la bourgeoisie, un esprit de révolte sociale, qui deviendra un des aspects essentiels du réalisme et du naturalisme. On ne manquera pas, si différentes que soient l'œuvre de Flaubert et celle de Henry Monnier, de voir dans M. Homais une variété de M. Prudhomme. Les critiques conservateurs ne cesseront d'assimiler réalisme et démocratie, et ils en voudront surtout au réalisme de ce qu'il a introduit le démocratique mépris des proportions sociales et littéraires, et « sous le nom inexact de réalisme, installé le sentiment de l'égalité absolue ».

Certes les *Scènes populaires* de Henry Monnier n'en sont point responsables, ou bien faiblement ; il n'a pas enseigné le mépris du bourgeois, mais il l'a réalisé en une amusante charge, et les jeunes romanciers réalistes s'en sont amusé, et quelquefois l'ont recommencée.

Il suffira maintenant, pour terminer cette revue rapide des tendances, qui, aux environs de 1850, pouvaient favoriser la naissance des doctrines réalistes, de mentionner quelques influences littéraires moins directes, et évidemment moins bien définissables. Le roman romantique lui-même, si proche alors de ses années de gloire, et que la nouvelle école allait prendre vivement à partie, avait peut-être acheminé, par moments, le public et les écrivains vers des sujets nouveaux ; on a pu parler, avec beaucoup de vraisemblance, de ce que le roman réaliste dut aux romans historiques. Le roman socialiste d'Eugène Sue avait introduit les personnages populaires, les ouvriers et les petites gens, les « classes dangereuses », la « démocratie littéraire » ; il ne lui sera pas difficile de prendre la nouvelle étiquette et de se dire réaliste. Quelques écrivains connurent Dickens : « Qu'ils sont heureux, note en 1852 Gérard de Nerval, les Anglais, de pouvoir écrire et lire des chapitres d'observation dénués de tout alliage d'invention romanesque !... L'intelligence réaliste de nos voisins se contente du vrai absolu. » Les rédacteurs de *Réalisme* rangent Dickens parmi les ancêtres de la doctrine, mais, en même temps, ils gémissent qu'il soit si peu connu. « N'est-il pas honteux pour nous... que les vingt-cinq gros volumes de Ch. Dickens soient depuis longtemps populaires jusqu'au fond de la Russie, tandis que son nom est à peine connu chez nous des hommes du métier ! » Plaintes exagérées peut-être, mais dont il faut admettre le bien fondé; d'ailleurs, il ne semble pas qu'on puisse signaler chez les romanciers réalistes de traces réelles de son influence. Sa fortune littéraire grandira avec la nouvelle doctrine ; il n'est vraiment populaire qu'à partir de 1857.

On croirait volontiers que Mérimée, l'ami et l'éditeur de Stendhal, cet esprit si observateur et si peu sentimental, dont Sainte-Beuve, en 1853, signalait une fois de plus le goût pour « l'étude et la réalité », ait servi de modèle aux jeunes réalistes. Duranty a évidemment une sécheresse de manière qui peut rappeler celle de l'écrivain à qui la tradition veut qu'il ait dû beaucoup. Mais il ne paraît pas qu'on se soit réclamé de lui comme précurseur, même au *Réalisme*, et l'on ne constate point de traces sensibles de son influence.

Peu importe d'ailleurs. Toutes les influences ont cédé devant celle de Balzac, et personne ne fit de difficulté à reconnaître, entre 1850 et 1860, que les diverses écoles réalistes, celle de Flaubert comme celle de Champfleury, n'étaient autre chose que « l'école de Balzac ».

V

Toutefois ce n'est pas sur la scène littéraire que la doctrine réaliste parut d'abord, et quand elle y vint, ce n'est point de Balzac ou d'Henry Monnier qu'elle se réclama surtout. La chose et le mot lui-même furent au début la propriété des peintres. Les contemporains l'ont constaté : « *Réalisme* est un mot nouveau qui, comme tant d'autres, n'a été employé dans les lettres qu'après avoir passé par les arts.... Ce mot de réalisme a été inventé de nos jours, où l'on a inventé tant de choses. Il s'est introduit comme une nouveauté dans le domaine des arts, et il est devenu soudain le mot d'ordre de toute une école de peintres et de romanciers qui a reconnu Balzac comme Dieu, et dont M. Champfleury est un des prophètes. » Pour mieux dire, le réalisme s'incarna d'abord en Courbet, et Champfleury n'eut d'autre rôle, pour commencer, que de marcher bruyamment devant ce nouveau « buffle des buffles »; on affirma qu'il y eut « dans le principe entre Champfleury et Courbet une *association sérieuse*, formée dans le but coupable d'amener le triomphe du réalisme ». Même après les premières batailles littéraires, Courbet continua quelque temps à être considéré comme la personnification même du vrai réalisme.

Si les œuvres de Courbet firent tant de tapage à leur apparition, et si ce tapage eut, sans tarder, son retentissement dans les œuvres littéraires, c'est qu'on s'en prit beaucoup moins à sa manière qu'à ses sujets. Ils révoltèrent les habitudes du public, c'est-à-dire les habitudes que les critiques d'art lui prêtaient. Vers 1848, il semble qu'il se soit fait une manière de conciliation entre le vieil académisme et le romantisme assagi. La critique était « juste milieu » ; il y eut, en tout cas, entente contre le réalisme, dès qu'il parut. L'ennemi était encore celui qu'on avait tant honni vers 1830, « le laid »; mais on le définissait autrement ; ce fut « le vulgaire », « le moderne », et non plus « le gothique » ou « la couleur ». Deux principes sont alors nettement affirmés par les critiques : 1° le but de l'art est d'inspirer de belles pensées par la vue de belles images ; 2° toute image qui éveille dans l'esprit de celui qui la contemple, une pensée vulgaire, un sentiment bas, est par cela même mauvaise, quelque vraie qu'elle puisse paraître ; ainsi un vêtement rapiécé, des mains sales, une bretelle retenue par d'insuffisants boutons. Champfleury, Feydeau et les Goncourt se sont amusés à pasticher l'article classique d'éreintement réservé aux nouvelles tentatives : « Comment l'auteur... n'a-t-il pas compris que la grande peinture était incompatible avec la vulgarité, la réalité commune du moderne.... Peindre de tels sujets, c'est manquer à la haute et primitive destination de la peinture.... Les barbares sont aux portes de l'art, ne l'oublions pas ; et il importe à tous ceux dont c'est la charge, à la critique, dont c'est la mission, au gouvernement, dont c'est le devoir, de redoubler d'encouragements pour les talents purs, honnêtes, se vouant dans l'ombre à la peinture sévère,... défendant la tradition, disons-le, la religion de cet art élevé dont l'École de Rome est le sanctuaire, l'asile et le palladium » (les Goncourt). Et, de fait, l'exposition universelle de 1855 fut le triomphe des pures images d'Ingres, des poèmes militaires de Vernet, du lyrisme orageux de Delacroix et de l'Orient pittoresque de Decamps ; Courbet se vit en somme refuser le droit même d'y entrer.

A partir de 1848, Courbet mena campagne contre cette conception spiritualiste de l'art. Il peint bruyamment « le vulgaire et le moderne », et signe : « Courbet sans idéal et sans religion ». En même temps, il édifia de confuses théories, où il amalgamait singulièrement toute sorte d'affirmations sociales, littéraires, esthétiques, pour la plupart empruntées à ses compagnons de bohême ; ses contemporains, et même ses amis, se sont amusés de la vanité naïve qu'il avait en exposant ces étranges théories. Autour de lui se groupèrent un certain nombre d'artistes et de littérateurs, presque tous du monde de la bohême ; on se réunissait dans une brasserie de la rue Hautefeuille, qui, en 1856, était encore la maison commune des réalistes : on l'appelait « la Brasserie ». C'était « le véritable atelier de Courbet... ; on venait demander au maître la permission de faire son portrait et sa biographie ; on sollicitait l'honneur de défendre la doctrine nouvelle.... Le prêche se faisait le plus habituellement à midi ; pendant le déjeuner, le maître exposait volontiers son système aux visiteurs ». Parmi les assidus, Champfleury, Duranty, Max Buchon, Baudelaire, Monselet, Duchesne, Delvau, Proudhon, qui découvrit la philosophie sociale enfermée dans les tableaux de Courbet, Castagnary, qui devint le critique officiel de l'art réaliste, Émile Montégut, Jules Vallès, Lorédan Larchey, Gustave Planche, Jules de la Madelène, Théophile Silvestre, Decamps, Daumier, Bonvin, Français, Hanoteau, Corot, Barye, Préaut, etc. La bohême y retrouvait son café Momus ; on y faisait de ces plaisanteries et de ces mascarades chères aux héros de Murger ; on y causait de tous les arts et de toutes les sciences ; on y avait des opinions violentes ; « après le repas, chaque soir, c'étaient des conférences sur la poésie, qui hérissaient les cheveux des poètes attachés aux anciennes méthodes. L'église n'admettait pas la rime ». On y clamait des chansons qui étaient comme des hymnes guerriers contre les classiques et les romantiques :

> Tous les garçons chantaient
> Le soir au cabaret qu'ils étaient réunis.
> Tous les garçons chantaient
> Répétant ce refrain :
> Tra, la, la, la, la, la, la, la, la, la, etc.

Ou bien *la Soupe au fromage*, « Marseillaise du réalisme », paroles de Max Buchon, musique de Schanne; ou surtout cette amusante *Chanson de la femme du roulier*, qu'on pouvait entendre encore cinquante ans après dans quelques milieux d'étudiants parisiens, et qui donna à Champfleury la matière d'un de ses premiers manifestes en l'honneur du réalisme.

Ce sont les expositions successives de Courbet qui marquèrent les premières étapes de la doctrine réaliste. En 1849, le peintre exposa sept tableaux, parmi lesquels *Une Après-Dînée à Ornans* et *Vendange à Ornans*, qui eurent du succès, mais ne scandalisèrent point ; ils lui valurent une médaille et un achat de l'État; le critique de la *Revue des Deux Mondes* se borna à regretter que l'*Après-Dînée à Ornans*, où la vérité était si « triviale », les attitudes si familières et les modèles si rustiques, eût de telles dimensions : il eût voulu cette toile minuscule ! Champfleury fit l'éloge de Courbet (il l'avait déjà fait l'année précédente), mais sans l'accompagner du moindre manifeste. Au salon suivant (1851), trois des tableaux qu'exposait le grand-prêtre de « la Brasserie » soulevèrent une vive rumeur et posèrent la question du réalisme. Il s'agissait uniquement des sujets et des intentions secrètes qu'on croyait deviner dans cette nouvelle peinture. *Les Paysans de Flagey revenant de la foire* ne tiraient-ils pas un cochon attaché par un pied de derrière! Les *Casseurs de pierre* étalaient un spectacle de misère et d'esclavage social qui fit crier à la « peinture socialiste ». *L'enterrement à Ornans* surtout, où Courbet avait fini par peindre presque tous les gens de son village, irrita parce qu'il choquait violemment le parti pris général de spiritualisme ; il heurtait même « la morale publique et religieuse » ; la mort et la religion, au lieu d'évoquer de hautes pensées, n'étaient qu'un prétexte à peindre avec exactitude des trognes grotesques ou repoussantes, des costumes ridicules.

Champfleury, qui, jusqu'alors, n'avait guère publié que des fantaisies romantiques, se chargea de définir le *réalisme* de Courbet, tel qu'il se présentait en 1851 ; et ce sera presque aussitôt le sien dans le roman : la peinture des bourgeois de petite ville. « Est-ce la faute du peintre si les intérêts matériels, si la vie de petite ville, si des égoïsmes sourds, si la mesquinerie de province clouent leurs griffes sur la figure, éteignent les yeux, plissent le front, hébètent la bouche? Les bourgeois sont ainsi. M. Courbet a peint des bourgeois.... Le réalisme apparaît sérieux et convaincu, ironique et brutal, sincère et plein de poésie. »

Des tournées en province prolongèrent l'effet de cette première manifestation. *Les Demoiselles du village*, l'année suivante, accentuèrent ce parti pris de vulgarité et ces intentions de satire sociale. Le réalisme existait dès lors comme dogme ; on le combattit violemment dans la personne de Courbet. C'est ainsi que « le maître d'Ornans, élève de la nature », parut, sous le nom de *Réalista*, dans *le Feuilleton d'Aristophane* (26 décembre 1852), pour exposer ses théories ; il y était bafoué et... mis dehors vilainement.

RÉALISTA.

Je suis Réalista !

ARISTOPHANE, *saluant*.

Monsieur.

RÉALISTA.

L'art, c'est moi !

ARISTOPHANE

Bah !

RÉALISTA.

Je suis un réaliste,
Et contre l'idéal j'ai dressé ma baliste.
J'ai créé l'art bonhomme, enfantin et naïf.
Sur les autels de qui j'égorge le poncif.
Rubens, poncif ! Rembrandt, Poussin, poncif ! Corrège
Et Raphaël, poncif qu'on ânonne au collège !
Hors moi, tout est poncif...
Faire vrai, ce n'est rien pour être réaliste :
C'est faire laid qu'il faut ! Or, Monsieur, s'il vous plaît
Tout ce que je dessine est horriblement laid ;
Ma peinture est affreuse, et, pour qu'elle soit vraie,
J'en arrache le beau, comme on fait de l'ivraie !
J'aime les teints terreux et les nez de carton,
Les fillettes avec de la barbe au menton,
Les trognes de tarasque et de coquesigrues,
Les durillons, les corps aux pieds et les verrues !
Voilà le vrai !

Mais c'est en 1853, avec *les Baigneuses*, que le scandale du réalisme devint énorme ; toute la critique officielle s'indigna contre ces nudités grasses, qu'elle déclara repoussantes ; on mit du patriotisme à défendre la beauté de la femme française ! On colporta des propos indignés de l'Impératrice ; la caricature s'en mêla. Aussi, lors de l'Exposition universelle, en 1855, on interdit aux *Baigneuses* l'entrée de l'exposition rétrospective de peinture.

Cette proscription fut pour Courbet une très admirable réclame. Il ouvrit, à côté de l'Exposition, avenue Montaigne, une exposition particulière de ses tableaux, et il y déploya hardiment le pavillon du réalisme. Voici, en effet, les déclarations qu'offrait à tout venant le catalogue-prospectus de cette exhibition.

LE RÉALISME.

Le titre de réaliste m'a été imposé comme on a imposé aux hommes de 1830 le titre de romantiques. Les titres, en aucun temps, n'ont donné une idée juste des choses ; s'il en était autrement, les œuvres seraient superflues.

Sans m'expliquer sur la justesse plus ou moins grande d'une qualification que nul, il faut l'espérer, n'est tenu de bien comprendre, je me bornerai à quelques mots de développement pour couper court aux malentendus.

J'ai étudié, en dehors de tout esprit de système et sans parti pris, l'art des anciens et l'art des modernes. Je n'ai pas plus voulu imiter les uns que copier les autres ; ma pensée n'a pas été davantage d'arriver au but oiseux de *l'art pour l'art* ! Non ! j'ai voulu tout simplement puiser dans l'entière connaissance de la tradition le sentiment raisonné et indépendant de ma propre individualité.

Savoir pour pouvoir, telle fut ma pensée. Être à même de traduire les mœurs, les idées, l'aspect de mon époque selon mon appréciation, en un mot faire de l'art vivant, tel est mon but.

Cette profession de foi, — peut-être écrite en collaboration avec Champfleury, — est évidemment sans clarté. Il semble que le « réalisme » y soit ramené à trois formules essentielles : 1° le droit pour l'artiste de faire ce qu'il veut ; 2° le droit de choisir des sujets contemporains ; 3° le droit de représenter avec vérité les mœurs actuelles, pour en laisser un document. C'est cette conception du réalisme que développait, sous forme ironique, la préface des *Aventures de Mlle Mariette* (1853) ; et c'est bien ainsi que les Goncourt en ont parlé dans *Manette Salomon* ; leur peintre Coriolis, qu'ils ont d'ailleurs, à plusieurs reprises, distingué de Courbet, compose précisément pour le salon de 1855 un *Conseil de revision* et un *Mariage à l'Église* ; ces deux toiles prétendent affirmer un « réalisme » qui n'est que le « vrai moderne ».

On peut clore avec l'année 1855 la campagne proprement dite de Courbet : ses toiles devinrent moins tapageuses ; il fut médaillé ; la critique se montra plus bénigne, et d'ailleurs il s'adonna surtout aux paysages et aux représentations d'animaux, qui prêtaient moins au scandale. La bataille réaliste continua cependant après 1855 ; mais le premier rôle fut dévolu à d'autres, à Champfleury surtout, qui, depuis six ans, avait été un loyal second, et que nous allons voir maintenant manifester pour son propre compte. Il a transposé de l'art à la littérature la doctrine de Courbet, sans peut-être beaucoup l'éclairer ni l'approfondir. Deux écrivains se chargeront plus tard d'y découvrir toute une philosophie : Castagnary, qui d'abord témoigna peu de sympathie à Courbet, finira par faire de lui le chef de l' « école naturaliste » (il préfère ce mot à réaliste et lui donne d'ailleurs un sens philosophique et social), et aussi le premier des peintres socialistes. Proudhon le représentera comme « un puissant idéalisateur »; il donnera comme devise à l'œuvre de Courbet : « Hommes, connaissez-vous vous-mêmes et amendez-vous » ; il interprétera ses tableaux comme « de la morale en action » ; « son œuvre, conclura-t-il, coïncide avec la philosophie positive d'Auguste Comte, la métaphysique positive de Vacherot, le Droit humain ou Justice permanente, etc. ; il est le chef de l'école réaliste, c'est-à-dire « critique, philosophique, analytique, synthétique, démocratique » ! Chez Castagnary comme chez Proudhon, la doctrine de Courbet n'est plus reconnaissable ; et d'ailleurs ces deux interprétations, ne fût-ce qu'à cause de la date tardive où elles ont été pleinement connues, sont négligeables dans l'histoire de la doctrine réaliste.

CHAPITRE IV

LA CAMPAGNE RÉALISTE *(Suite)*

II. — La campagne de Champfleury et de Duranty (1852-1857). — La résistance au réalisme.

I

Champfleury ne fut d'abord considéré que comme « le Courbet de la littérature »; on ne lui reconnut, dans les premières années, que le mérite de « *faire* du réalisme en littérature à peu près de la même façon que M. Courbet en fait en peinture ».

Ces expressions peu aimables disaient exactement la vérité. En 1849, Champfleury n'était encore qu'un petit rédacteur au *Corsaire*, fort besogneux, très ignorant, assez modeste et peu connu ; il cherchait péniblement le succès par de minuscules compositions aux sujets étranges ou macabres ; il décrivait aussi les bohèmes excentriques de sa connaissance. Et sans doute cela l'entraînait vers un certain réalisme : « Champfleury, écrit alors son ami Baudelaire (1848), osa, pour ses débuts, se contenter de la nature et avoir en elle une confiance illimitée. » Il commençait même, nous l'avons vu, à se réclamer de Balzac. Mais ses idées n'étaient point du tout nettes ; à vrai dire, il n'avait point pris parti.

Il fut entraîné par Courbet, son camarade de bohême, et devint son principal prôneur ; il aida sans doute le peintre à concevoir quelques-unes de ses idées générales, ou du moins à les exprimer. Peu à peu, il s'accoutuma à faire tapage pour son propre compte, à parler avec autorité de lui-même, et non plus seulement du grand ami ; il lança des préfaces, des articles, des romans ; on finit par l'étiqueter lui aussi « réaliste » ; alors il chercha, consciencieusement, à dégager le sens que ce mot, avec le temps, avait fini par prendre pour lui, et il tâcha de formuler quelques axiomes qui ressemblassent à un système. Il y réussit plutôt mal ; ses écrits critiques ne révèlent point un goût marqué pour l'analyse exacte, ni pour la discussion bien conduite. Mais ils sont, somme toute, assez nombreux, pour qu'on puisse en tirer une manière de doctrine.

Les manifestations de Champfleury se suivirent de fort près et se ressemblèrent.

En 1852, après *l'Enterrement à Ornans*, Champfleury, pas encore bien hardi, se plaignait d'être appelé réaliste : « C'est, écrivait-il, un grelot qu'on attache de force à mon cou » ; mais il ne se défend que contre le mot, et d'ailleurs les événements l'entraînèrent presque aussitôt. En 1853, la question étant très nettement posée par les toiles de Courbet, il écrit « la préface tapageuse » des *Aventures de Mlle Marielle*, où, sous couleur de composer l'article d'un critique exaspéré contre le réalisme, il donne comme unique définition de cette doctrine : le choix des sujets modernes et populaires. La même année, Ampère publie un rapport officiel sur la chanson populaire ; il a occasion d'y parler de cette fameuse

Chanson de la femme du roulier, qui, depuis deux ans, était un des airs de guerre de *la Brasserie* ; Champfleury en prend occasion pour déclarer qu'elle est un admirable échantillon d'art vrai, et il annonce une attaque prochaine et furieuse de la part du réalisme. L'année suivante, il découvre, sur les quais, un roman du XVIIIe siècle tout à fait ignoré ; sous prétexte de faire connaître le livre et l'auteur, il lance sa « préface de Cromwell, c'est-à-dire l'exposition du réalisme ». Le romancier inconnu est loué de son ignorance, de son style plat, de sa sincérité ! Entre temps, Champfleury commence à s'affranchir de la tutelle trop assujettissante de Courbet, en affirmant que la peinture est un art inférieur à la littérature, et que le romancier dispose de moyens bien supérieurs à ceux du peintre. Mais il n'abandonne point encore son allié. George Sand déclare-t-elle, en 1855, n'aimer point le réalisme de Courbet? Aussitôt Champfleury s'empresse de lui faire, dans une lettre ouverte, l'éloge des tableaux rassemblés à la porte de l'Exposition.

En 1856, il fonde, pour défendre ses idées, une *Gazette* dont il est le seul rédacteur. « Une génération jeune et indisciplinée, annonce-t-il, s'avance de toute part. Ce que veut cette génération, ses pensées, ses croyances, ses aptitudes nouvelles, ses désirs, ses aspirations, je m'efforcerai de le démêler à travers la lutte. Je ne crains pas de me faire momentanément quelques ennemis.... Dans ma jeunesse, j'avais pris une devise que je reprends aujourd'hui : ne craindre ni amis ni ennemis ». Mais la *Gazette de Champfleury* n'eut que deux numéros ; ce fut une mauvaise entreprise de librairie, et elle ne contient rien qui soit intéressant.

Enfin, en 1857, au lendemain de *Madame Bovary*, Champfleury se décide à faire lui aussi une exposition démonstrative de son œuvre ; de même que Courbet avait réuni, en 1855, ses tableaux les plus remarqués au cours des dernières années, et prétendait qu'on tirât de leur succession un enseignement sur sa manière et sa doctrine, de même Champfleury rassemble ses principaux articles en un volume, sur lequel il met la même enseigne que Courbet : *le Réalisme.*

Voilà, semble-t-il, un remarquable batailleur, occupé à faire manifestation sur manifestation, et bien désireux de devenir chef d'école ! En réalité, Champfleury, quoiqu'il hausse quelquefois le ton, n'a ni la brutalité de Courbet, ni cette admirable confiance en soi qui emplissait le maître d'Ornans. Dans ses lettres il abîme son allié, comme il convient ; c'est, dit-il, un malin et un naïf, tout à la fois ; sa campagne est une « comédie » ; la réaction contre lui est toute légitime. Si même, publiquement, il est louangeur, il tient à ne pas se laisser tout à fait compromettre. Il se donne l'air de n'avoir pas de système, de tenir les écoles en horreur, surtout quand elles ont pour chef un autre que lui-même; il affecte par moments de ne trouver aucun sens au mot réalisme ; il est ennuyé que ce vocable soit attaché à son nom ; il se compare énergiquement à un « chat qui se sauve traînant à sa queue la casserole du réalisme que des polissons y ont attachée ». Plus tard même il finira par dire que les réalistes ont été simplement la jeune génération de 1850, et que la jeunesse fut la seule vraie caractéristique du réalisme, comme elle l'avait été du romantisme, en 1830 ; beaucoup plus tard, il se défendra comme d'un ridicule d'avoir voulu être, en son temps, chef d'école.

A travers ces audaces et ces timidités, qui traduisent surtout une pensée passablement inconsistante, une doctrine se fait jour, assez informe, mais qui satisfit Champfleury, qui lui valut des disciples et des ennemis ; il fut combattu comme un adversaire dangereux qui avait des idées et de l'influence, sinon du talent. Cette doctrine, qu'il réalisa tant bien que mal dans ses romans à la même époque, le situe, lui et son groupe, d'une part à l'égard de Murger et de la bohême, d'autre part à l'égard de Flaubert, dont le succès de *Madame Bovary* faisait, au même moment le chef récalcitrant d'un autre réalisme.

La formule essentielle, c'est « la sincérité dans l'art ». Champfleury entend par là que l'écrivain doit représenter uniquement ce qu'il a vu, sans la moindre altération : « *Ce que je vois* entre dans ma tête, descend dans ma plume et devient *ce que j'ai vu*. La méthode est simple et à la portée de tout le monde. Mais que de temps il faut pour se débarrasser des souvenirs, des imitations, du milieu où l'on vit et retrouver sa propre nature! » Peu importe qu'on accuse l'écrivain de se borner au daguerréotype et à la sténographie. « La reproduction de la nature par l'homme ne sera jamais une *reproduction*, une *imitation*, ce sera toujours une *interprétation*.... L'homme n'étant pas *machine* ne peut pas rendre les objets *machinalement*. » Surtout il importe de ne pas laisser la vision spontanée qu'on a eue des choses s'altérer sous l'effet de préjugés artistiques, sentimentaux ou sociaux ; il ne faut pas s'interdire tel personnage, tel spectacle ou telle partie d'un spectacle parce qu'ils choqueront telle portion du public. Il faut tout montrer, sans atténuation de politesse ou de prudence, et ne « pas dire à celui qui est monté sur un âne : Quel beau cheval vous avez là ! » L'écrivain réaliste se donnera donc souvent, et sans que ce dessein soit prémédité, figure de moraliste et de satirique. Un passage inédit de Champfleury institue, sous le titre « La grande danse réaliste », une manière de dialogue fantastique, où « le Réalisme » dit leur fait à tous ses adversaires, et ces adversaires sont justement ceux qui ne vivent que de conventions sociales et mondaines : l'avare usurier, le précieux, la femme poète, le noble financier, Tartuffe, le cuistre (en l'espèce le normalien), le danseur Rigolboche, le magnétiseur, le marchand sophisticateur. Tous passent successivement devant le dieu, et, par peur, ils le désavouent brutalement ; mais il arrache la défroque qui les pare et prononce sur eux le jugement définitif et démolisseur.

Pour parfaire ce programme de sincérité, il faut s'obliger à un art très simple, ou plutôt renoncer à tout ce qui dans la littérature, en général, est un effort d'art. Pas de descriptions, pas de portraits, pas de paysages ; cela n'est bon que pour la poésie lyrique. Surtout pas de style, pas d'harmonie, pas de plastique, pas d'art pour l'art ; la forme, qui n'est qu'une esclave plus ou moins soumise de la pensée, doit suivre le maître « avec une entière complaisance » ; peu importe qu'on la dise « plate » ou « grise ». Quant à la correction de la phrase, il n'y faut point porter une attention trop absorbante ; si l'on vous accuse d'y manquer, — comme il arriva souvent à Champfleury, — il suffira, pour se disculper, de chercher des fautes de français dans la prose de ceux qui vous attaquent !

La matière de la nouvelle littérature est infinie. « Les mœurs de la famille, les maladies de l'esprit, la peinture du monde, les curiosités de la rue, les scènes de la campagne, l'observation des passions appartiennent également au réalisme.... Les hautes classes, l'élégance, les charmes subtils de la civilisation ne sont pas repoussés. » Mais il est préférable d'entreprendre d'abord les pauvres gens, la petite bourgeoisie parisienne et provinciale ; ce sont les seules parties de la société que les nouveaux romanciers aient pu étudier, et où ils aient chance d'être « sincères » ; en outre, « logiquement,... il valait mieux peindre d'abord les basses classes où la sincérité des sentiments, des actions et des paroles, est plus en évidence que dans la haute société ». Il faut plaire au très grand public : « Le public du livre à vingt sous, c'est le vrai public. » Et cela est de conséquence : la qualité des héros influe naturellement sur l'esprit du roman ; le réalisme enfermera « une aspiration démocratique latente et inconsciente », et ce sera un de ses mérites essentiels.

Les Goncourt, dans le roman si curieusement documentaire, où ils ont représenté les hommes de lettres qu'ils connurent lors de leurs débuts (*Charles Demailly*), ont peint Champfleury sous le nom peu aimable de Pommageot ; et ils lui ont prêté des propos qui glissent vers le grotesque, mais résument assez convenablement ses affirmations, aux environs de 1855 :

Je pense que toutes les vieilles blagues du romantisme sont finies ; je pense que le public en a assez des phrases en sucre filé ; je pense que les amoureux de mots et les aligneurs d'épithètes corrompent la moelle nationale ; je pense que le vrai, le vrai tout cru et tout nu, est l'art ; je pense que les portraits au daguerréotype ressemblent.... Je pense qu'il ne faut pas écrire, là !... Je pense que Hugo et les autres ont fait reculer le véritable roman, le roman de Rétif de la Bretonne oui ! Je pense qu'il faut se relever les manches et fouiller dans les loges des portiers et l'idiotisme des bourgeois ; il y a là un nouveau monde pour celui qui sera assez fort pour mettre la main dessus ; je pense que le génie est une mémoire sténographique....

Les Oies de Noël (1850) furent le premier roman où Champfleury se soit conformé à cette esthétique. Les personnages les plus importants y sont un vendeur d'almanachs, un tonnelier, un geôlier ; les héros s'appellent Guenillon, Picou, Grelu et Cancoin ; les grands événements sont l'incendie d'une masure, une saisie, une escroquerie, un repas de Noël. Le roman, par lui-même très quelconque, est un document fort intéressant sur les principales habitudes, les costumes et les propos des humbles gens de province vers 1830. Les romans qui vont suivre seront tous de la même inspiration ; Champfleury délaissera seulement les personnages populaires pour se borner à la petite bourgeoisie qu'il connaît mieux.

II

L'histoire de la campagne réaliste ne s'arrête pas après l'échec de la *Gazette de Champfleury*. Les disciples, car il y en avait déjà, prirent la parole à leur tour.

Quelques *jeunes* publièrent une revue qui s'appela bravement *Réalisme* et, avec des interruptions, dura près d'un an. Ils étaient une douzaine, dont les noms n'importent guère, sauf trois : Duranty, le principal inspirateur, la tête du journal, bientôt romancier lui-même ; J. Assézat, qui s'y préoccupa surtout de critique littéraire et de critique dramatique ; H. Thulié, qui, depuis, fut président du conseil municipal de Paris. La plupart des collaborateurs n'avaient pas vingt-cinq ans; ils bataillèrent avec une très sympathique ardeur, un irrespect complet à l'égard des réputations toutes faites et, par moments, une délicieuse injustice. Ils osèrent s'affirmer carrément les amis de Courbet et de Champfleury, de Champfleury surtout ; ils chantèrent sa louange, l'égalant à Molière et à Balzac ; ils estimèrent son œuvre la plus belle entreprise littéraire qui eût été tentée depuis 1850. Seuls les besoins de leur cause peuvent expliquer le cas qu'ils firent des si curieuses, mais si médiocres *Aventures de Mlle Mariette.*

C'est, disaient-ils, un des livres les plus singuliers et les plus originaux de notre époque ; il sort de toutes les habitudes littéraires, il s'écarte de toute espèce de tradition. Il n'y a pas je crois, d'exemple d'œuvre produite avec une telle indépendance, un tel mépris des formes et des règles reçues. On ne peut y découvrir trace d'aucun procédé, d'aucune préoccupation.... ; tout est simple, tranquille, tout y découle comme dans la vie, et cela doit plaire à tous les gens que l'humanité intéresse.

Ils allaient même, dans leur admiration, jusqu'à prétendre, avec quelque mollesse, il est vrai, que Champfleury écrivait bien et sans incorrection !

On leur reprocha de n'être que ses doublures. « M. Champfleury, expliquèrent-ils, n'est pas *le réalisme*; c'est *un réaliste* », qui se borne à peu près exclusivement à la peinture des paysans et des bourgeois, parce qu'il les connaît ; mais on n'est point obligé à se borner comme lui. Duranty fut très net :

Les idées de M. Champfleury ont eu une grande influence sur moi, avant que je le connusse personnellement. Depuis j'ai trouvé en lui un des dix hommes intelligents qu'il y ait en France en tout genre, et ce côté *intelligent*, dégagé de tout alliage littéraire, l'élève à mes yeux au-dessus de sa propre valeur comme romancier. Je le vois plein de bon sens, d'indépendance, de cœur et de générosité, simple, chercheur et jugeur. Je le vois arriver avec des idées *personnelles*, ce qui froisse naturellement ceux qui n'en ont pas ; réussir contre vents et marée, ce qui contrarie les gens qui ne réussissent pas. Je lui vois un courage et une constance de fer, et il me paraît la physionomie la plus réellement et la plus profondément littéraire de ce temps.

Je suis devenu son ami parce que toutes ces qualités m'ont attiré.

J'ai alors fondé, *sans lui en parler*, le journal *Réalisme*, pour exposer une manière de voir qui me semble très féconde.

A l'heure où *tout le monde* attaque M. Champfleury, il n'est peut-être pas mauvais que paraisse cette déclaration d'un homme *honnête*, pouvant revendiquer un certain rang social, une certaine éducation et certaines relations qui font de lui un réaliste pas encore trop boueux.

En somme, Duranty se proposait de mener le même combat que Champfleury, et il l'appréciait surtout comme le représentant le plus typique de cette « sincérité dans l'art », qu'il voulait, lui aussi, faire triompher. Il retenait quelques-unes de ses formules ; mais il n'adhérait point expressément à sa doctrine. *Réalisme* fut d'ailleurs fondé plus encore pour permettre à ses collaborateurs de se constituer une doctrine que pour répandre un *Credo* préalablement juré. La polémique leur donna des idées ; leur pensée devint plus ferme, à chaque numéro du journal ; et leur doctrine finit par être bien plus nette que celle de Champfleury ou de Courbet.

La première intention de Duranty et d'Assézat était de publier trois fois par mois un journal de quatre pages, vendu 0 fr. 15 le numéro, et dont ils eussent été les seuls rédacteurs. Il ne parut qu'un seul numéro de cette série, daté du 10 juillet 1856; et la tentative ne fut reprise, un peu modifiée, que quatre mois après. Le 15 novembre 1856, *Réalisme* réapparaissait sous un format plus petit, mais sous un volume plus considérable (16 pages) ; il paraissait le 15 de chaque mois. Il fut publié effectivement pendant cinq mois (novembre 1856 à mars 1857) ; au mois de mai il y eut un numéro de 8 pages seulement et daté d'avril-mai. Duranty annonçait que « des circonstances personnelles à quelques-uns *des* rédacteurs ont exercé sur eux une pression qui les oblige de cesser de travailler à cette œuvre, au moins sous cette forme ». Apparemment les fonds avaient manqué ! Cette calamité ne décourageait point Duranty ; il prophétisait le triomphe prochain du réalisme et, principalement, la disparition progressive des poètes : « *Réalisme* est mort, criait-il, vive le Réalisme ! » ; et dans un « Dernier petit discours », il traçait un programme formidable des projets qu'avait faits la rédaction, au temps où elle espérait plus longue vie pour son journal ; il énumérait les vingt ou trente manières dont le combat aurait été poursuivi : histoire littéraire, critique, littératures étrangères, art, sciences, histoire, architecture,... tout y passe. Ce programme témoigne à tout le moins d'une grande curiosité d'esprit.

La collection de *Réalisme* n'atteint pas 100 pages : elle est riche d'idées et de promesses. On n'a pas fait grand cas de cette publication, et il semble bien qu'elle ait été vite oubliée, comme tant d'autres petits journaux, éclos et disparus alors. Tout au plus pourrait-on citer l'article que Zola lui consacra quelque vingt ans après, article très sympathique, mais fait à bon compte, et où ni l'intérêt vrai, ni l'originalité de la campagne de Duranty ne sont bien compris. Bornons-nous à l'essentiel, en dégageant des articles les plus significatifs de *Réalisme* d'abord les principes généraux d'art et de littérature, ensuite une conception particulière du roman.

Ces jeunes gens en veulent furieusement au romantisme, et en général à tout ce qui est poésie ; leur mauvaise humeur à l'égard des vers les conduit à imprimer comme de la prose ceux qu'ils sont obligés de citer. Ils prodiguent aux poètes les épithètes désagréables. « V. Hugo est un esprit difforme, un *monstre* ; Béranger n'est autre chose qu'un *journaliste* ; Lamartine une créole ; Musset, une ombre de Don Juan qu'il a pris au sérieux ; de Vigny un hermaphrodite » ; ailleurs V. Hugo est traité de « comédien de poésie », de « clown littéraire » ; ses œuvres sont faites avec cent mots, dont quelques-uns reviennent cinq à six cents fois, et trente *gros* adjectifs ! Leconte de Lisle lui-même et Baudelaire ne trouvent point grâce ; l'un est trop érudit ; l'autre trop exclusivement préoccupé du laid. C'est une proscription générale : « A quoi sert donc Charenton ? » On devrait l'ouvrir aux poètes ! L'extinction de la poésie est une des conditions nécessaires absolument au triomphe du réalisme ; il ne faut plus *chanter* ni « mettre en musique », il faut *peindre*. Champfleury lui-même n'allait pas si loin !

Ces exécutions débarrassent les jeunes écrivains d'un bien grand nombre d'ancêtres incommodes. Où chercher la tradition de la nouvelle littérature ? Les ancêtres ne manqueront point, pas plus qu'ils n'avaient manqué, un quart de siècle avant, aux romantiques : ce sont bien souvent les mêmes : Shakespeare, les Espagnols, Pascal, Molière, Gœthe, etc. D'autres choix sont plus significatifs : Diderot, l'abbé Prévost, Rétif de la Bretonne, qui « le premier a cherché à peindre le peuple » ; Stendhal, « presque un des parrains du réalisme » ; Benjamin Constant, à cause d'*Adolphe*, « histoire vraie, étude simple, vigoureuse, réaliste » ; Balzac, qui « est réaliste parce qu'il a montré que *tout* pouvait entrer dans l'art », et qui ne l'est point parce que, « tourmenté par une foule de rêves personnels, qu'il est obligé d'écrire pour se soulager,... il n'a pas pris le temps de voir et de décrire juste ». On pourrait se réclamer aussi d'un Fielding et d'un Dickens. Tous ils ont « reflété leur temps », et c'est là ce qui les rend intéressants pour la jeune littérature réaliste. Les écrivains, en effet, doivent se proposer uniquement pour but l'étude de l'époque contemporaine, parce que c'est la seule qu'on puisse connaître et représenter avec exactitude. De ce point de vue, il n'y a pas de sujets *laids* ou de sujets *beaux*, il n'y a que des sujets vrais. On reconnaît là les moins confuses des idées que Courbet avait fait entrer dans sa doctrine ; elles sont essentielles ; pour la majorité des écrivains et des critiques, entre 1850 et 1860, le mot « réalisme » n'a pas de sens bien précis, sinon tout simplement : modernité et vulgarité des sujets.

Mais voici qui est plus particulier à Duranty et à ses collaborateurs : il faut envisager « le côté *social* de l'homme, qui est le plus visible, le plus compréhensible et le plus varié,... reproduire les choses qui touchent à la vie du plus grand nombre » ; il faut représenter le peuple, et non pas en se bornant aux habituelles aventures sentimentales, ou même aux tracas d'argent, comme faisait Balzac ; qu'on nous montre l'ouvrier au travail, le commerçant dans son magasin, toutes les manifestations de l'activité sociale. L'œuvre la plus populaire sera la meilleure ; « la tradition des érudits, des professeurs, des collèges » est impuissante. Mais ce n'est pas assez de peindre la société, il faut l'instruire ; l'art a un but, non pas avant tout artistique et littéraire, mais pratique ; — c'est apparemment du Proudhon. « Le réalisme attribue à l'artiste un but philosophique, pratique, utile, et non un but divertissant, et par conséquent le relève.... Demandant à l'artiste le vrai *utile*, il lui demande surtout le sentiment, l'observation intelligente qui *voit* un enseignement, une émotion dans un spectacle, de quelque ordre qu'il soit, bas ou noble, selon la convention, et qui tire toujours cet enseignement, cette émotion de ce spectacle, en sachant le représenter *complet* et le rattacher à l'ensemble social. » L'art devient « un instrument d'intelligence et d'éducation pratique, positive, propre à faire de nous des hommes sans peur et sans reproche ». En un mot, l'écrivain doit propager une doctrine philosophique et politique, libérale, passablement républicaine et anticléricale. Zola s'exprimera de la même manière ; avant lui, presque tous les romanciers réalistes ont tendu vers ce but, mais chez aucun l'on ne trouve l'affirmation consciente et nette que Duranty a écrite dans son journal.

Quant au style, c'est une préoccupation extrêmement secondaire : — cela, c'est du Champfleury ; il suffit qu'il soit simple et vrai ; il est vain d'essayer de lui faire rendre des effets de lignes et de couleurs, comme à un tableau, ou de musique, comme à une harpe.

Ces affirmations générales sont déjà d'une bien satisfaisante netteté ; les idées sur le roman sont plus précises. L'un des rédacteurs, H. Thulié, les a exposées en quatre articles. Sur cette question, le groupe ne se réclame de personne, ni de Balzac, encore qu'on en use largement, ni de Champfleury, ni même de *Madame Bovary*, qui paraît précisément à ce moment-là. Le romancier doit agir à la façon des « naturalistes », qui ne reculent devant aucun spectacle et « font aimer le mieux la réalité » ; il doit se borner à l'époque contemporaine ; le roman historique est « une farce ». Point de descriptions ; le réalisme descriptif d'un Gautier ou d'un Flaubert est un effort sans intérêt. *Réalisme* publie contre *Madame Bovary* un réquisitoire violent où apparaissent tout à fait en lumière les différences fondamentales entre les deux traditions réalistes de l'époque, celle de « la sincérité dans l'art » et celle de « l'art pour l'art » : il vaut la peine de reproduire ce jugement :

Madame Bovary, roman par Gustave Flaubert, représente l'obstination de la description. Ce roman est un de ceux qui rappellent le dessin linéaire, tant il est fait au compas, avec minutie ; calculé, travaillé, tout à angles droits et, en définitive, sec et aride. On a mis plusieurs années à le faire, dit-on. Et en effet les détails y sont comptés un à un, avec la même valeur ; chaque rue, chaque maison, chaque chambre, chaque ruisseau, chaque brin d'herbe est décrit en entier ; chaque personnage, en arrivant en scène, parle préalablement sur une foule de sujets inutiles et peu intéressants, servant seulement à faire connaître son degré d'intelligence. Par suite de ce système de description obstinée, le roman se passe presque toujours par *gestes* ; pas une main, pas un pied ne bouge, pas un muscle du visage qu'il n'y ait deux ou trois lignes ou même plus pour le décrire. Il n'y a ni émotion ni sentiment, ni vie dans ce roman, mais une grande force d'arithmétique, qui a supputé et rassemblé ce qu'il peut y avoir de gestes, de pas ou d'accidents de terrain, dans des personnages, des événements et des pays *donnés*. Ce livre est une application littéraire du calcul des probabilités. Je parle ici pour ceux qui ont pu le lire. Le style a des allures inégales, comme chez tout homme qui écrit *artistement* sans *sentir* : tantôt des pastiches, tantôt du lyrisme, rien de personnel. Je le répète : toujours *description* matérielle, et jamais *impression*. Il me paraît inutile d'entrer dans le point de vue même de l'œuvre, auquel les défauts précédents enlèvent tout intérêt. Avant que ce roman eût paru, on le croyait meilleur. Trop d'*étude* ne remplace pas la spontanéité qui vient du sentiment.

Donc pas de descriptions, ou celles seulement qui peuvent nous informer très directement sur les personnages ou l'action. « En décrivant un intérieur, on raconte souvent la vie privée d'un individu et d'une famille. » Le but essentiel est psychologique, c'est l'étude des caractères (et il semble bien que Stendhal ait passé par là), mais des caractères en fonction des milieux et de l'état social ; à vrai dire, on entend par là surtout la connaissance des antécédents :« l'éducation, l'entourage, les intérêts », les croyances de « chaque classe », ses vertus, ses vices, ses préjugés. Il faut arriver à décrire « les caractères typiques », non pas en les imaginant ou en les reconstituant, par synthèse, mais en les découvrant ; car ils existent : certains épiciers, notaires ou bottiers résument « les allures, les idées, les préjugés des différents bottiers, épiciers ou notaires qu'on avait vus précédemment ». C'est sans doute par l'étude de ces *types* qu'on pourra aboutir aux conclusions sociales et philosophiques, terme dernier de toute activité littéraire, y compris celle du romancier.

Telle est la doctrine de *Réalisme*; elle est un amalgame ingénieux, au total assez nouveau, d'aperçus stendhaliens, de théories balzaciennes, d'affirmations de Champfleury, et elle tend à instituer un roman qui n'est ni du Stendhal, ni du Balzac, ni du Champfleury ; un roman psychologique, social, sincère, vrai, — ce qui comporte une dose raisonnable d'émotion et de sentimentalité ; un roman à prétentions un peu scientifiques et très philosophiques. Cette conception, Duranty essaya, quelques années après, de la réaliser dans *le Malheur d'Henriette Gérard*; c'est, comme on le verra, un livre fort attachant et, en tout cas, original.

III

Ces campagnes littéraires et artistiques étaient menées à vive allure, et sur un ton singulièrement agressif. C'est que les adversaires étaient installés en de bonnes positions, et très d'attaque eux aussi. Les doctrines de la veille se défendaient plus énergiquement alors qu'aujourd'hui contre celles du lendemain. La critique traditionaliste, un peu désemparée après 1830, avait fini par reprendre le ton et la confiance qu'elle avait eus vers 1825 :

Le triomphe de la révolution littéraire de 1830 a été de peu de durée, observaient très justement les Goncourt en 1860. Une fois faite la trouée des têtes de colonnes, l'armée, la victoire se sont débandées. Les classiques se sont reformés et ont repris le champ de bataille.... Tout a conspiré pour eux : la fatigue du public, l'énervement qui suit les grandes luttes, a pacification des âmes.... ; puis encore leur influence personnelle, leur position officielle dans la littérature, la somme de publicité, d'appuis, de recommandations,... de coups d'épaule et d'apostilles dont peut disposer un parti qui fait profession de réaliser en lui « l'honnête homme » du XVIIe siècle. Quelque chose encore aida les classiques à reconquérir le terrain perdu : ce fut cette suspicion d'en haut, déjà remarquée par Mme de Staël, ce préjugé gouvernemental contre la passion des œuvres littéraires et la vivacité des épithètes.

De fait, il y eut contre la bohême et le réalisme, avant même qu'ils se fussent manifestés par des œuvres et qu'ils eussent pris conscience d'eux-mêmes, une sorte de coalition quasi unanime : les critiques en renom, les revues importantes, les grands périodiques, les gouvernements, et principalement le Second Empire, dans ses premières années, organisèrent contre les tendances nouvelles une très solide obstruction ; non content de discuter âprement sur les idées, on chercha plus d'une fois à inquiéter les réalistes dans leurs intérêts matériels et dans leur liberté ; on chargea les magistrats de faire, au tribunal, de la critique littéraire ; les amendes et les confiscations tinrent lieu quelquefois d'arguments.

Cette réaction datait de quelques années ; elle s'était manifestée, pour la première fois, lors de l'apparition du roman-feuilleton, et quand il sembla que la presse quotidienne et à bon marché allait, en peu de temps, révolutionner le monde de la littérature. Sainte-Beuve, tout le premier, se rallia au « parti de la résistance », et inaugura une critique dogmatique et « de répression », à laquelle il resta assez longtemps attaché. En 1839, il jetait un premier cri d'alarme : il constatait l'avènement de « la littérature industrielle » : le mercantilisme et la démocratie envahissaient tout, et principalement les œuvres d'imagination ; devant la critique indifférente, « le niveau du mauvais gagne et monte » ; il fallait rassembler les bonnes volontés et lutter. Il s'y employa avec conviction.

La *Revue des Deux Mondes* mena le combat avec obstination ; le 15 septembre 1839, elle publia, sous la signature de Sainte-Beuve, un véritable manifeste de Brunswick.

La prétention de la *Revue des Deux Mondes*... serait de... maintenir publiquement certaines traditions d'art, de goût et d'études.... Les conditions de la littérature périodique, en effet, ont graduellement changé, et notablement empiré depuis 1830.... Il s'est élevé depuis lors toute une race sans principes, sans scrupules, qui n'est d'aucun parti ni d'aucune opinion, habile et rompue à la phrase, âpre au gain, au front sans rougeur dès la jeunesse, une race résolue à tout pour percer et pour vivre, pour vivre non pas modestement, mais splendidement ; une *race d'airain qui veut de l'or*.... La *Revue* voudrait, contre les excès de tout genre, établir et pratiquer une critique de répression et de justesse, de bonne police et de convenance.

Pendant vingt ans, la *Revue des Deux Mondes* poursuivit rigoureusement, avec une mauvaise humeur inlassable, ce programme ; même après le triomphe du réalisme, elle ne désarmera point et se bornera à de petites concessions ; elle se retrouvera toute prête à attaquer la dernière incarnation du réalisme, le naturalisme. Buloz en voulait personnellement à Balzac; il déchaîna ses rédacteurs, et principalement Limayrac, contre ce «fétiche littéraire»; il fit attaquer A. Dumas, George Sand, à l'occasion, et Eugène Sue ; la *Revue* exalta Sandeau, et plus tard Feuillet, à cause de leur «fidélité aux grandes pensées qui relèvent l'humanité». L'un après l'autre, tous ses rédacteurs, C. de Mazade, G. Planche, Ch. de Rémusat, Saint-René Taillandier, A. de Pontmartin, E. Montégut, etc., développèrent le lieu commun sur «la littérature mercantile», sur «les tendances tristement réalistes», sur l'absence de tout idéal, sur la disparition de l'instinct du beau, sur l'envahissement de la médiocrité, sur la décadence des mœurs des gens de lettres !

Ce fut là, plus ou moins, le ton de tous ceux qui, à un titre quelconque, faisaient métier de critique. Les universitaires H. Rigault, Cuvillier-Fleury, G. Merlet, G. Vapereau ne le cédaient pas en intransigeance ; Nettement, par passion de la légitimité, était plus sévère encore; la *Revue contemporaine* avait presque autant de scrupules que la *Revue des Deux Mondes* ou le *Correspondant*. L'Institut se mettait de la partie : l'Académie des sciences morales et politiques donnait à étudier, pour 1856, «l'influence qu'a pu avoir en France sur les mœurs la littérature contemporaine, considérée surtout dans le roman», en avertissant que l'examen provoqué par elle devait porter particulièrement «sur les erreurs morales et les fausses doctrines qu'avait pu émettre ou propager la littérature»; et elle couronnait le mémoire d'un magistrat qui est un violent réquisitoire contre les romanciers modernes, contre Balzac et Stendhal entre autres. Au congrès scientifique de France de 1864, un prêtre, parlant au nom de la religion et de la morale, s'écriera : « Non, non, le réalisme ne régnera pas dans la patrie de Pascal et de Bossuet ! » ; et il condamnait toute une série d'œuvres, après avoir eu soin de faire d'abord une déclaration inquiétante : « L'habit que je porte dit assez que je ne connais point suffisamment ces écrits pour en parler au long. » L'Académie française tenait le roman en suspicion. Elle attendit jusqu'à 1863 pour admettre un romancier qui ne fût que romancier ; encore fit-elle choix d'Octave Feuillet.

On pourrait multiplier les faits de ce genre ; mais il suffit de quelques-uns pour bien marquer la coalition à laquelle le réalisme dut se heurter. Sainte-Beuve, quand il viendra au réalisme, devra prendre d'infinies précautions.

De fait, vers 1850, le roman n'avait plus la même faveur que quelques années auparavant ; il est peu probable, d'ailleurs, que la campagne des critiques ait eu cet effet ; mais les circonstances politiques, la révolution de 1848 surtout, n'avaient point été favorables au marché du roman. On produisit à ce moment-là de curieuses statistiques : A. Dumas et George Sand, qui se tiraient à 2 000 exemplaires vers 1835, ne sont plus tirés qu'à 700 ; « les ouvrages de pure imagination ont perdu, de 1842 à 1850, environ moitié du débit qu'ils trouvaient de 1830 à 1842 ». La critique s'en réjouissait comme d'un symptôme favorable ; mais, après ce répit, l'ennemi réapparut plus vigoureux, sous un autre aspect ; le roman-feuilleton devint le roman réaliste.

IV

Alors le gouvernement et la législation arrivèrent à la rescousse ; et, sous prétexte de réglementer les journaux politiques, on établit une législation qui est « un modèle à suivre par ceux qui voudraient annihiler la presse et les publications »; le roman ou la critique, attendu qu'ils paraissaient au feuilleton du journal politique, se trouvèrent tout naturellement ressortir à la loi du 16 juillet 1850 et au décret du 17 février 1852. La loi du 16 juillet 1850 visait spécialement le roman-feuilleton : « Tout roman-feuilleton publié dans un journal ou dans son supplément sera soumis à un timbre de un centime par numéro » (art. 14). Ce timbre était « prohibitif ». « Le but de cette disposition de loi est de frapper une industrie qui déshonore la presse. » Quant au timbre proprement dit du journal, les journaux exclusivement littéraires et scientifiques en étaient dispensés, mais sous réserve qu'ils ne s'occupe raient jamais, même accidentellement, sous peine de poursuite et de contraventions, de politique et « d'économie sociale » ! Le décret du 17 février 1852 « ne visait que le journalisme politique, écrira plus tard Maxime Du Camp, mais, par ricochet, il frappait, il ruinait les écrivains qui vivent du journal par la critique, par la critique d'art, par le roman, par le compte rendu scientifique.... Bien des petits journaux où l'on ne s'occupait que d'art, de science et de littérature, tentèrent de subsister, et ne réussirent pas.... La quantité d'humbles feuilles qui ont disparu de la sorte est considérable.... Si l'on écrit plus tard l'histoire de la littérature sous le Second Empire, si l'on se demande pourquoi elle a été indécise, un peu sénile..., sans originalité, en un mot, on trouvera la réponse dans le décret du 17 février, qui a frappé les lettres mêmes, et les a énervées ».

Nécessité d'une autorisation préalable et d'un cautionnement considérable pour imprimer un journal ou une revue, l'autorisation dépendant du ministère de la Police générale (décret du 22 mars 1852), et plus tard du ministère de l'Intérieur ; — droit de timbre élevé ; — interdiction de rendre compte des délits de presse ; — envoi en police correctionnelle des délinquants ; — droit de suspension du journal par décision ministérielle, sans intervention du tribunal, après deux avertissements administratifs ; — droit de suppression du journal par mesure de sûreté générale, par un simple décret du chef de l'État, telles étaient les dispositions essentielles. Les avertissements furent légion ; les suppressions nombreuses ; l'administration prenait n'importe quel prétexte pour intervenir. Maxime Du Camp, dans ses *Souvenirs*, en rapporte d'amusants exemples : critiquer le jeu d'une actrice de la Comédie française, c'était mettre en cause le ministère de l'Instruction publique !

Le roman n'échappait point à ces dangereux avertissements. Les œuvres de Champfleury, pour si innocentes qu'elles pussent paraître, suscitèrent la méfiance des bureaux et firent fonctionner la machine à répression. « A diverses reprises, écrit Champfleury dans ses *Souvenirs*, de 1852 à 1860, je fus obligé, bien contre mon gré, de faire antichambre au ministère de l'Intérieur, pour donner des explications sur la nature de mes publications dans les journaux ». *Les Amoureux de Sainte-Périne*, par exemple, avaient pour cadre l'Institut de Sainte-Périne, qui dépendait de l'Assistance publique. Ce fut assez pour que l'on convoquât l'auteur au ministère de l'Intérieur ; ordre formel : « terminer tout de suite, en un numéro, le jour même, la publication de ce roman dans la *Presse*.... Il faut couper et trancher dans le vif, sans avoir le droit d'en informer le public ». En 1859, même mésaventure à propos de *la Mascarade de la vie parisienne*, qui contient trop d'allusions aux faits et aux personnalités du jour. Pour d'autres romans, ce fut le préfet de Laon qui s'émut, ou le procureur impérial. Presque tous les romans de Champfleury, entre 1852 et 1860, furent menacés de poursuites. Dans de telles conditions, un auteur devenait vite suspect aux directeurs des journaux, soucieux d'éviter les deux avertissements qui suffisaient à la disparition de leur feuille ; il ne lui devenait guère commode de placer sa copie ! La *Revue des Deux Mondes* constatait avec satisfaction, le 15 décembre 1852, que le roman-feuilleton avait dû reculer devant une législation aussi bienfaisante.

Quant aux œuvres publiées en volumes, l'article 8 de la loi du 17 mai 1819 « sur la répression des crimes commis par la voie de la presse, ou tout autre moyen de publication » donnait toutes les armes désirables ; cet article atteignait aussi le journal et le feuilleton. « Tout outrage à la morale publique et religieuse ou aux bonnes mœurs... sera puni d'un emprisonnement d'un mois à un an, et d'une amende de 16 à 500 francs » ; en outre on saisissait le corps du délit et on le détruisait ; les complices étaient punis de la même peine que les auteurs.

Les mots *morale publique et religieuse*, note un commentateur de la loi de 1819, n'ont pas cette précision rigoureuse si nécessaire dans les lois ; ils n'ont pas un sens clair et familier, présentant sur le champ une idée nette à tous les esprits. Voici comment s'est exprimé M. Serre.... « La morale publique est celle que la conscience et la raison révèlent à tous les peuples comme à tous les hommes, parce que tous l'ont reçue de leur divin auteur, en même temps que l'existence ; morale contemporaine de toutes les sociétés, tellement que sans elle nous ne pourrions pas les comprendre, parce que nous ne saurions les comprendre sans la notion d'un Dieu vengeur et rémunérateur du juste et de l'injuste, du vice et de la vertu ; sans le respect pour les auteurs de ses jours et pour la vieillesse, sans la tendresse pour ses enfants, sans le dévouement au prince, sans l'amour de la patrie, sans toutes ces vertus qu'on trouve chez tous les peuples et sans lesquelles tous les peuples sont condamnés à périr. » — M. de Broglie, rapporteur à la commission de la chambre des pairs, a dit que l'article « a voulu punir ces attaques gratuites et brutales, heureusement rares dans ce siècle, et que l'imprudence ou l'impiété dirigent contre des objets respectables, uniquement parce qu'ils sont respectés ». Puis, expliquant l'intention renfermée dans *morale publique*, il a ajouté : « Le mot était nouveau, il pouvait être critiqué, mais il avait au moins *l'avantage de ne rien exclure* et de ne rien désigner, de remettre seulement aux mains de la société, représentée par plusieurs jurys successifs, *une arme pour se défendre précisément sur le point où elle se sentirait menacée.* »

C'était bien ainsi que les magistrats impériaux entendaient l'expression « morale publique et religieuse » ; et c'est ainsi que les Goncourt allèrent s'asseoir sur les bancs de la correctionnelle (février 1853), qui les acquitta mais blâma leurs « images évidemment licencieuses » ; que Flaubert dut subir la même aventure (février 1857) ; et que Baudelaire, quelques mois après, passa par les mêmes transes, et s'en tira moins avantageusement, puisqu'il dut y abandonner quelques-unes de ses « Fleurs du mal ». Zola put croire, et peut-être espérer que la *Confession de Claude, Thérèse Raquin* et *Madeleine Férat* auraient le même sort que *Madame Bovary*.

Les magistrats tenaient l'emploi de critique littéraire. Le procureur impérial accuse Baudelaire de *réalisme* ! Le substitut Pinard « stigmatise le réalisme ». Le jugement, qui acquitte Flaubert, condamne sa doctrine littéraire au nom d'une autre doctrine d'art :

.... L'ouvrage déféré au tribunal mérite un blâme sévère,

car la mission de la littérature doit être d'orner et de recréer l'esprit en élevant l'intelligence et en épurant les mœurs, plus encore que d'imprimer le dégoût du vice en offrant le tableau des désordres qui peuvent exister dans la société....

.... Il n'est pas permis, sous prétexte de peinture de caractère ou de couleur locale, de reproduire dans leurs écarts les faits, dits et gestes des personnages qu'un écrivain s'est donné mission de peindre ; ... un pareil système, appliqué aux œuvres de l'esprit, aussi bien qu'aux productions des beaux arts, conduirait à un réalisme qui serait la négation du beau et du bon, et qui, enfantant des œuvres également offensantes pour les regards et pour l'esprit, commettrait de continuels outrages à la morale publique et aux bonnes mœurs.

La législation du colportage offrait encore au gouvernement de bien précieuses ressources, puisqu'elle dispensait de s'adresser aux tribunaux, et de courir le risque d'acquittements, malgré tout désagréables. En outre, le mot « colportage » avait un sens assez large, puisqu'on y faisait rentrer les cabinets de lecture, les libraires étalagistes (circulaire du 11 septembre 1853) et les bibliothèques des gares ! En 1852, une circulaire (28 juillet) interdit de distribuer les écrits non frappés d'une estampille sur chaque exemplaire par le préfet du département où ils se vendent, estampille qui, bientôt après (11 septembre 1854) dut être renouvelée tous les ans. Une commission était instituée pour établir la liste des ouvrages autorisés. La Commission examina 3 649 ouvrages et en élimina 556 ; ses principes de choix étaient parfaitement nets :

La commission du colportage ne pouvait avoir qu'une doctrine, celle de toutes les consciences honnêtes, c'est-à-dire le respect de Dieu et de la société. Les lois divines et humaines sont inviolables et sacrées. Les premières représentent les devoirs de la conscience et la destinée immortelle de l'homme. Les secondes représentent le patriotisme du citoyen, les intérêts de la société et le progrès de la civilisation. Tout ce qui est conforme à ces vérités d'ordre supérieur en quelque sorte et par conséquent d'authenticité incontestable, la commission l'accepte ; tout ce qui leur est contraire, elle le repousse...

Ainsi la commission n'a pas hésité à rejeter du catalogue des livres autorisés les ouvrages blessants pour les mœurs injurieux pour la religion et ses respectables ministres, mensongers envers l'histoire. Elle a cru même devoir écarter des livres qui, sans attaquer l'origine et la vérité des dogmes de l'Église, contiennent des controverses dont le ton et l'esprit ne peuvent qu'affaiblir le sentiment religieux dans les intelligences peu habituées à ces polémiques ardentes, et par conséquent plus faciles à leurs entraînements et à leurs erreurs....

La Succession Le Camus de Champfleury se vit refuser l'estampille nécessaire à la vente dans les bibliothèques des gares, parce que des enfants s'y amusaient à barbouiller de confiture la statue d'un curé ! Champfleury put même craindre d'être poursuivi à cause d'un portrait de magistrat qu'on aurait taxé d'offense à la magistrature. *Les Amis de la nature* furent également interdits ; il fallut des démarches pénibles pour obtenir la revision de ces interdictions.

Les préfets étaient invités à surveiller particulièrement les romans :

M. le préfet, écrivait Billaut, ministre de l'intérieur, dans une circulaire du 1er juillet 1860, ce n'est pas seulement pour le maintien de l'ordre que l'administration a reçu de la loi sur la presse des pouvoirs spéciaux, c'est aussi pour la défense de la morale publique. Le roman-feuilleton, qui, dans les colonnes inférieures d'un journal, blesse les sentiments honnêtes, fait autant et peut-être plus de mal que les excitations qui, dans les colonnes supérieures, tentent d'agiter les esprits. — Cette littérature facile, ne cherchant le succès que dans le cynisme de ses tableaux, l'immoralité de ses intrigues, les étranges perversités de ses héros, a pris de nos jours un triste et dangereux développement. Envahissant presque toutes les publications périodiques, profitant de cette périodicité même pour tenir chaque jour en suspens et pour aiguillonner sans relâche l'ardente curiosité du public, c'est à profusion qu'elle ne cesse de répandre les inépuisables fantaisies de l'imagination la plus déréglée. Les journaux sérieux se sont laissés aller à lui donner asile ; elle pénètre avec eux jusque dans l'intimité du foyer domestique, et, une fois admise ainsi dans la famille, ni la jeunesse ni l'innocence n'y sont à l'abri de sa contagion.... J'appelle donc sur ce point, M. le préfet, votre plus vigilante attention ; contre les feuilles politiques le décret de 1852, contre les autres les lois sur la distribution et le colportage des imprimés fournissent tous les moyens d'une répression efficace. D'ailleurs, pour les journaux qui ont le sentiment de leur dignité, de leurs obligations envers l'honnêteté publique, l'avis que vous leur donnerez suffira, j'en suis certain. Quant à ceux, s'il en est, qui, par l'amour d'un gain plus facile, ou par l'impuissance de s'élever plus haut, persisteraient dans de telles publications, usez envers eux de toutes les sévérités administratives, et, s'il le faut, vous rappelant qu'il est des lois pénales protectrices de la morale publique, livrez-les en vertu de ces lois à la justice des tribunaux.

Le nombre des cabinets de lecture parisiens, étroitement surveillés, diminua d'un quart de 1850 à 1870 ; d'autres causes, il est vrai, et de plus générales, y concoururent. Quand les « bibliothèques populaires » se développèrent, le gouvernement projeta de mettre la main sur les catalogues, de décider lui-même de l'achat des livres, ou du moins de le contrôler.

A côté de la menace et du châtiment, le gouvernement fit miroiter la récompense. Dès 1851, on instituait des prix de 5 000 et 3 000 francs en faveur des ouvrages dramatiques qui auraient « satisfait à toutes les conditions désirables d'un but moral et d'une exécution brillante », qui seraient « de nature à servir d'enseignement aux classes laborieuses par la propagation d'idées saines et le spectacle de bons exemples ». On songea à étendre cette manière de faire et à « diriger » la littérature tout entière. Sainte-Beuve, qui avait été chargé des rapports sur ces prix de vertu littéraire, proposait à l'empereur de « coordonner... la littérature avec tout l'ensemble des institutions de l'Empire, afin que cette seule chose ne reste pas livrée au pur hasard ». V. de Laprade, dans une vigoureuse satire (1861), entrevoyait le

> .... jour, rêvé par Sainte-Beuve,
> Où les Muses d'État, nous tenant par la main,
> Enrégimenteront chez nous l'esprit humain.

Il est possible que, au total, ces mesures, coercitives ou alléchantes, soient restées tout à fait inefficaces, en ce qui concerne la littérature. Parfois même, indirectement, elles devenaient favorables aux écrivains : le procès de *Madame Bovary* fit en quelques semaines la fortune littéraire de Flaubert. Les fonctionnaires devenaient eux-mêmes sceptiques : « Nous vous préparons un succès », disait à Champfleury un de ses censeurs. D'ailleurs, avec le temps, il fallut céder. Les lois du 2 juillet 1861 et du 11 mai 1868 adoucirent un peu le décret du 17 février 1852. Vers 1864, il y eut une détente sensible. Mais, pendant de longues années, l'existence des romanciers réalistes fut tracassée par toute sorte de vexations ; on chercha par tous les moyens à les réduire au silence. Le réalisme, sous toutes ses formes, artistique ou littéraire, ou philosophique, fut en butte aux suspicions et à l'hostilité d'en haut ; bon gré, mal gré, et souvent contre son gré, il fut considéré comme une littérature d'opposition, comme une des manifestations les plus dangereuses de l'esprit de libéralisme, comme « une des têtes de l'hydre du socialisme ».

Il était utile, avant de commencer l'étude des principaux romans réalistes qui parurent alors, de décrire brièvement cette atmosphère de trouble et d'inquiétude. C'est là peut-être, parmi beaucoup d'autres, une des raisons qui donnèrent au réalisme son caractère de « littérature démocratique »; une doctrine, en apparence purement littéraire, put s'affirmer comme une forme commode du libéralisme ; elle concréta des désirs d'affranchissement philosophique et politique, qu'il était malaisé d'exprimer autrement. Cela contribue, en tout cas, à expliquer une des causes du succès grandissant du réalisme et le tour qu'il prit d'une façon de plus en plus marquée avec les années. Champfleury, lui-même, finissait par croire de bonne foi qu'il passait son temps à « faire sauter des préjugés, des choses convenues et admises par la société ». Le naturalisme continuera et développera les traditions libérales et républicaines du réalisme.

CHAPITRE V

LES ROMANS DE CHAMPFLEURY (1850-1865)

I

Champfleury a publié de 1850, date à laquelle il donna *les Oies de Noël*, la première œuvre où sa manière se soit nettement affirmée, jusqu'à 1865, où il parut qu'il abandonnait les romans pour des travaux d'art et d'érudition, une quinzaine de romans ou de recueils de nouvelles. Quelques-unes de ses œuvres firent du bruit au moment de leur publication et furent souvent rééditées : *les Aventures de Mlle Mariette*, *les Souffrances de M. le professeur Delteil*, *les Bourgeois de Molinchart*, *M. de Boisdhyver*, *les Amoureux de Sainte-Périne*, *la Succession Le Camus*, *la Mascarade de la vie parisienne*, *le Violon de faïence*. C'est à peine si l'on se souvient aujourd'hui, même dans le public lettré, de deux ou trois de ces titres. Un grand silence descend sur l'œuvre de Champfleury ; ce silence est troublé de temps en temps, et de plus en plus rarement, par des plaquettes de curiosité bibliographique et surtout par les souvenirs que publie l'inlassable M. Troubat. L'oubli sera bientôt complet. Le nom de Champfleury n'a pas été retenu par les auteurs d'histoires de la littérature au XIXe siècle ; on ne pourra donc même pas parler de lui sans l'avoir lu.

Son œuvre n'est pourtant pas tout à fait méprisable, et l'on a vu qu'il eut un rôle dans les querelles littéraires du Second Empire. Ses romans sont, après tout, la réalisation la plus complète, sinon la plus intéressante, de l'idéal que poursuivit l'école de « la sincérité dans l'art », issue du groupe de la bohême Cela déjà mériterait considération ; il y a aussi que ces romans, mal venus pour la plupart, ont aujourd'hui un vif intérêt documentaire : on y peut trouver une image, détaillée jusqu'à la minutie, de la vie que menait la petite bourgeoisie provinciale de France, aux environs de 1830.

L'œuvre a une tare originelle : l'insuffisance absolue de culture première chez l'auteur. Jamais, et malgré un gros et méritoire effort de travail, Champfleury ne put la réparer. « Tout était à faire, écrivait-il à sa mère, aux approches de la trentaine, alors qu'il commençait seulement à vouloir se cultiver ; car tu sais quelle singulière éducation j'avais reçue au collège et dans les cafés. » *Les Souffrances de M. le professeur Delteil*, où il a raconté sa vie d'enfant au collège de Laon, nous édifient sur ce qu'il y put apprendre ! il n'y fit pas d'ailleurs de bien longs séjours. A vingt ans, ce fut la vie de bohême, l'existence tracassée et misérable d'un petit écrivailleur de lettres ; « c'est la vie la plus amère que de ne pas dîner, de n'avoir pas de bottes et de faire là-dessus des quantités de paradoxes ». Rien d'étonnant qu'il lui ait été plus tard si désagréable d'être appelé « roi de la bohême ». Pourtant il se montrait alors méthodique et rangé ; il fuyait les camarades trop amis du désordre et de la dissipation. Peu à peu il comprit que le labeur régulier lui donnerait une issue honorable. « J'entrai dans la vie avec cette idée : ne jamais avoir besoin de cent sous.... Le positif de la vie parisienne m'enseigna, vers l'âge de trente ans, que la meilleure condition de l'art est le travail, et que le travail ne doit être coupé par aucune course à l'argent. » De vingt à trente ans il avait été trop occupé de « courir à l'argent » pour pouvoir travailler.

Aussi était-il, vers trente ans, d'une très piteuse ignorance ; il le confessait gentiment aux siens : « Je ne sais rien, ni philosophie, ni géographie, ni grammaire, ni histoire, ni sciences » ; il ne savait même pas le français : il s'étonna modestement de devenir néanmoins critique dans un journal qu'on fondait : « On m'a donné la critique littéraire à moi qui ne sais pas le français ! » Longtemps, il garda un penchant déplorable à l'incorrection ; cela fit la joie méprisante de ses adversaires, cela avait fait d'abord celle des siens ; écrivait-il un article à peu près correct, sa mère ou son père affirmait que cet article était l'œuvre d'un autre, ou du moins qu'un ami l'avait très soigneusement revu !

Champfleury se mit résolument à la besogne : « J'étudie beaucoup ; je lis six heures par jour ; pendant trois mois, je m'entoure de livres religieux ; trois autres mois de philosophie ; trois autres mois d'histoire, et les trois derniers de belles lettres. Depuis que je suis à Paris, j'ai fait d'énormes progrès et beaucoup d'études, mais au hasard. » La méthode était en effet dangereuse ! Il passait la matinée à la bibliothèque, l'après-midi aux cours de la Sorbonne, du Collège de France ou du Muséum ; il fréquenta les salles de dissection et les cliniques des hôpitaux, avec le dessein ambitieux, assura-t-il plus tard, d'écrire des romans où il partirait « de l'homme extérieur pour arriver à la connaissance de l'homme intérieur ».

Ce gros effort donna très vite à Champfleury toute la confiance nécessaire en lui-même, et il ne le poursuivit pas bien longtemps. « J'ai énormément travaillé, énormément réfléchi, énormément lu. Aussi le peu que j'ai produit a-t-il été très remarqué.... Je suis à la tête de la jeune école » (1850). Et, sans désemparer, il se mit en campagne, au nom d'un réalisme, dont il ne savait pas très bien d'abord ce qu'il devait être ; les circonstances l'aidèrent, comme on l'a vu. Alors il déclara que la voie dans laquelle les événements l'avaient engagé était la sienne, de nécessité. Il précisa ses idées, il définit son idéal littéraire : une « littérature honnête, sérieuse et morale », « une tournure d'esprit mélancolique et comique à la fois », « la naïveté, qui est tout dans les arts » ; en d'autres termes, un idéal qui n'exige précisément ni études, ni culture, ni travail d'art.

Mais jamais il ne se haussa jusqu'à constituer une doctrine littéraire qui fût véritablement une doctrine, et la sienne ; c'est qu'au fond la littérature restait pour lui un gagne-pain, un métier médiocrement mais suffisamment rémunérateur. Il avait « cherché une place » pendant dix ans ; il continua à la chercher et finit par la trouver, plus tard. Dès vingt-quatre ans, il renonçait à la gloire : « Je n'ai jamais prétendu devenir un grand homme littéraire ; en travaillant, j'aurais pu avoir un nom recommandable ; mais il ne faut pas y penser, j'ai besoin de vivre. » Il fit toute sorte de petits métiers, comme écrivain, comme journaliste et aussi en marge de la littérature ; il manqua de tenir une agence théâtrale à Londres ; il fit des pantomimes « pour l'argent seulement ». Ses ambitions étaient médiocres : cinq mille francs par an lui paraissaient un « beau rêve ». « Je ne désire qu'une chose, écrit-il à vingt-cinq ans, c'est de pouvoir gagner une petite somme, juste de quoi vivre honnêtement, et tâcher de trouver une femme bien pot-au-feu qui voudra mener une vie tranquille.... Le suprême bonheur pour moi sera de mener la vie de province à Paris, c'est-à-dire la vie réglée et tranquille avec tous les avantages des relations et la fréquentation des gens intelligents. » Même quand le succès lui vint, il connut les incommodités et les empêchements de l'aisance trop juste ; en 1856, il n'avait que quelques centaines de francs devant lui ; en 1860, il établissait le bilan de ses gains littéraires : « Les quinze ans que j'ai traversés jusqu'ici ont été quinze ans de privations qui ont tout au plus donné 40 000 à 42 000 francs, ce qui fait 3 000 francs par an, lesquels 3 000 francs sont venus, tirés par la queue comme le diable et irréguliers. »

De telles préoccupations, aussi permanentes, doivent peser lourdement sur les préoccupations d'un écrivain, surtout lorsqu'il s'est proposé d'avoir comme public « celui du livre à vingt sous », et qu'il n'a pas conquis une notoriété suffisante pour vendre cher sa signature aux éditeurs ; il lui faut sans cesse prendre le vent, chercher les bénéfices, petits ou gros, de l'actualité, faire vite.... Malgré tout le tapage qu'il avait mené autour du *réalisme*, Champfleury était prêt à le lâcher le jour où il ne « rendrait » plus ; en 1856, au plus beau moment de sa campagne, il constate avec beaucoup de résignation et de bonne volonté : « *Les Paysans* que je viens de lire, un nouveau roman, *Madame Bovary*, ce que j'entends dire à propos de *Monsieur de Boisdhyver* et de *la Succession Le Camus*, semblent montrer que le public est fatigué des romans d'observation. *Madame Bovary* sera le dernier roman bourgeois. Il faut trouver autre chose. » S'il ne chercha point cette « autre chose », c'est apparemment qu'il s'aperçut vite que ses pronostics alarmistes étaient extrêmement prématurés !

Nous avons un témoignage amusant de la conception bourgeoise — terriblement bourgeoise — que Champfleury se faisait du métier d'homme de lettres. En 1860, il dédia à son disciple Duranty des « Conseils à un jeune écrivain », qui dataient de 1850, c'est-à-dire du moment où sa fortune littéraire commençait tout juste à s'esquisser ; dix ans après, il ne trouvait rien à y retoucher. A côté de quelques belles admonestations, — mais un peu banales, — sur l'indépendance de caractère et sur la sincérité nécessaires à l'écrivain, on peut y lire de minutieuses recommandations sur l'emploi du temps, la méthode de travail et même l'hygiène indispensables en littérature. En voici quelques-unes :

> Refuse toute partie de plaisir aujourd'hui si elle doit empiéter sur cinq minutes de demain.... Je te permets toutes les passions de dix-huit à vingt ans ; pour peindre l'amour, il faut avoir aimé.... Mais il faut prendre garde que les passions ne s'accrochent à vous pour la vie.... La bibliothèque doit être pleine de dictionnaires et non de curiosités.... Que ta nourriture soit simple et réglée.... Si tu travailles longtemps, il faut marcher longtemps.... Jette un coup d'œil chaque jour sur les gazettes et les revues ; il est bon de connaître ce qui se produit dans les lettres, les arts et les sciences.... Use des excitants avec discrétion.... Il reste beaucoup à dire. Je n'ai plus qu'un conseil à te donner. Tiens-toi le ventre libre et les pieds chauds.

Il faut relire ces conseils avant d'entreprendre quelque roman de Champfleury ; bien des bizarreries apparentes s'en trouveront expliquées ; il n'est pas mauvais de savoir, pour les comprendre, qu'ils furent écrits par un petit bourgeois casanier et méticuleux, qui avait plus de besoins d'argent que d'idéal esthétique, et qui croyait devoir enseigner qu'une des conditions nécessaires de l'œuvre d'art est de se tenir « le ventre libre et les pieds chauds ».

II

Les romans de Champfleury sont si délaissés aujourd'hui, et les exemplaires de quelques-uns d'entre eux commencent à devenir si rares qu'il faut bien d'abord passer en revue les principaux, résumer leur donnée et présenter leurs personnages essentiels. C'est d'ailleurs déjà les étudier en eux-mêmes, puisque, au rebours de ce que veulent certaines doctrines d'art, le sujet y compte comme élément primordial et de même les événements de l'intrigue et la qualité des personnages.

Les Souffrances de M. le professeur Delteil sont un roman laonnois, — la scène y est proprement à Laon, — si bourré d'allusions locales que le préfet du département crut devoir intervenir, lorsque l'œuvre parut dans le *Journal de l'Aisne*. Les aventures tournent autour du collège de Laon, vers l'année 1830, à l'époque où Champfleury y faisait figure de polisson. Le collège, qui dépérissait, devient prospère dès l'arrivée d'un nouveau principal, qui sait habilement exploiter la vanité des habitants et leurs querelles. D'ailleurs, les élèves y sont plus préoccupés d'élever des vers à soie, ou de faire de la cuisine dans leurs pupitres que de travailler ; leur grande préoccupation est d'inventer sans cesse de nouvelles farces, et leur souffre-douleur est le régent de septième, M. Delteil, un brave homme de savant minable et grotesque. Il a pris pension chez les demoiselles Carillon, qui sont modistes ; il y connaît leur vieil ami le docteur Triballet, et le neveu de l'aînée, Sophie, auquel il s'intéresse beaucoup. Les farces sont incessantes au collège et dans la ville ; elles aboutissent à un véritable scandale, dont le poids retombe sur le pauvre régent. Malade, il est soigné avec dévouement par les modistes ; il devient amoureux, mais tout à fait timidement et sans oser le dire, de l'aînée. Une catastrophe bouleverse cet humble intérieur : la plus jeune des sœurs se fait enlever par un bellâtre ; on va quitter Laon; Sophie épousera le bon docteur Triballet, à qui elle avoue que son neveu est en réalité un fils qu'elle a eu d'une liaison ancienne. Quant à M. Delteil, qu'on vient de destituer, il deviendra le précepteur de l'enfant.

Sainte-Beuve, paraît-il, qualifiait ce roman de chef-d'œuvre ; en tout cas, il en a parlé aimablement, alors qu'il a gardé le silence sur le reste de l'œuvre romanesque de Champfleury ; il y voyait « sous l'écorce peu flatteuse des personnages des cordes morales bien démêlées, bien senties ».

Les bourgeois de Molinchart ont été composés la même année — et Molinchart, c'est encore Laon. Ce roman est une charge endiablée de Champfleury contre sa ville natale et les plus notables de ses concitoyens ; il devait d'abord s'appeler *l'Adultère en province* ; de l'aveu même de l'auteur, il fut bâclé. C'est un des plus typiques. L'intrigue y est peu de chose ; il y a surtout des scènes épisodiques et des portraits de provinciaux extravagants. Le comte de Vorges aime Louise, femme de M. Creton du Coche, avoué et membre de la Société météorologique ; Louise se défend longtemps et finit par se laisser enlever. Elle est victime d'une intrigante Mlle Chappe, maîtresse de pension, qui la fera chanter, et d'une féroce dévote, Ursule Creton, sa belle-sœur;

qui, après l'avoir obligée à l'aveu de ses sentiments, encore tout platoniques, exerce sur elle, d'accord avec son benêt de frère, une inquisition méchante et une tyrannie de tous les instants ; il y a là des scènes très bien venues. Un grand dîner de province, une séance de l'Académie racinienne, une distribution des prix à la pension Chappe, un procès minuscule qui permet aux avocats de se mettre en dépense de périodes cicéroniennes, ces épisodes et d'autres font successivement passer devant nos yeux tous les « bourgeois de Molinchart ».

Au moment où le roman parut, Flaubert, qui écrivait *Madame Bovary*, s'en inquiéta, ce qui est flatteur pour Champfleury ; il craignit que son sujet ne lui fût enlevé, mais il se rassura à peu près :

.... Il y a parité d'intentions plutôt que de sujets et de caractères.... La seule chose embêtante, c'est un caractère de vieille fille dévote ennemie de l'héroïne (sa belle-sœur), comme dans la *Bovary*, Mme Bovary mère, ennemie de sa bru, et ce caractère dans Champfleury s'annonce très bien.... Ce caractère de vieille fille est bien mieux fait que celui de ma bonne femme.... Quant au style, pas fort, pas fort. N'importe, il est fâcheux que *Madame Bovary* ne puisse se publier maintenant.

Monsieur de Boisdhyver est un roman sur le clergé et la bourgeoisie de petite province. M. de Boisdhyver, prélat d'une distinction, d'une bonté et d'une intelligence parfaites, est nommé évêque de Bayeux ; il montre une vraie ardeur de charité, multiplie les visites aux pauvres et s'endette pour eux. Il est aidé par un jeune prêtre, Cyprien, qui bientôt n'est appelé dans la ville que « le petit évêque ». Autour de M. de Boisdhyver, un certain nombre de types ecclésiastiques : prêtres maniaques, grotesques ou nuls ; d'autres haineux, d'esprit étroit ; en particulier le vicaire général, M. Ordinaire, qui ourdit de laides intrigues. Deux ou trois prêtres, à peine, peuvent apprécier le beau caractère et l'intelligence de leur évêque. Au cours de leurs visites charitables, M. de Boisdhyver et Cyprien ont été mis en relations avec quelques laïques, qui sont aussi de très belles âmes : le Dr Richard, excellent médecin, très dévoué à ses malades, athée naturellement ; Mme Le Pelletier et sa fille, pour la peinture desquelles Champfleury prodigue les comparaisons angéliques. Cyprien et Suzanne se rencontrent au chevet des malades : ils se voient souvent ; il naît entre eux un amour très pur, qui devient tout bonnement de l'amour : lettres, rendez-vous, enlèvement. Ce moment de folie passé, Cyprien reprend sa vie de prêtre ; et Suzanne épouse un bon jeune homme qui l'adorait timidement depuis des années, et qui accepte, afin d'éviter un plus gros scandale, de passer pour le séducteur. Suzanne, devenue « la belle Mme Jousselin », entendra plus tard les sermons du père Cyprien qui revient, par miracle, d'une périlleuse mission. Tous ces drames de « la vie domestique » ont, comme de juste, amené la description des milieux de petite ville et des mœurs provinciales ; des inutiles, des grotesques, quelques méchants, une vie restreinte, un étouffement général où succombent les caractères simples et francs.

Le livre eut du succès. Champfleury avait « conscience d'avoir fait d'énormes progrès, d'avoir étudié plus profondément les caractères et mieux enchaîné *son* roman » ; c'est assez exact, mais ce n'est pas cela qui fit le succès : le roman parut anticlérical ; on accusa Champfleury de vouloir recommencer *le Juif errant* ; il dut se défendre contre sa mère, contre Veuillot, ce qui était plus désagréable, mais assurait une bonne réclame.

La Succession Le Camus est peut-être le meilleur des romans de Champfleury. « Ce livre, dit-il très justement, me fait voir sous un nouveau jour. J'ai peint pour la première fois de beaux et grands caractères en province ; le côté comique et satirique ne vient qu'en seconde ligne. » — Dans la petite ville d'Origny — c'est encore Laon — M. Le Camus, qui est un vieil avare, a accumulé une assez grosse fortune que les racontars de la ville exagèrent encore. Pendant des années sa succession est convoitée et recherchée, avec toute sorte de manœuvres, par la parenté : les Cretté-Cussonnière (le mari est marchand de bois) ; Cretté-Torchon, qui a épousé sa cuisinière ; Cretté-Lapoupou, qui est tout à fait innocent ; les Bonde. Seuls les May sont au-dessus de ces convoitises. Les compétitions se font plus ardentes, le jour où M. Le Camus devient paralytique. Il ne tarde pas à mourir. La maison tombe peu à peu au pouvoir de Mlle Bec, demoiselle de compagnie ; la plupart des héritiers s'efforcent de se mettre dans les bonnes grâces de cette personne, autrefois tenue en très grand mépris. Le salon de Mme Le Camus voit de nombreuses scènes de bassesse et de mesquine diplomatie. Mlle Bec, d'ailleurs, ne gère les biens de Mme Le Camus que dans son propre intérêt, et elle en tire force argent, qui est aussitôt dilapidé par son fils Simon, un mauvais garnement. Après de longues années, Mme Le Camus meurt ; elle s'était avisée des intrigues menées autour d'elle, ne donne que 500 francs à Mlle Bec et ne déshérite point les honnêtes May, comme ils avaient pu le penser. Au surplus, l'héritage avait été passablement amoindri par la demoiselle de compagnie.

Les Amoureux de Sainte-Périne ont pour cadre l'institut de Sainte-Périne, un très authentique asile de vieillesse ; moyennant une pension de 700 francs, on y recevait des hommes et des femmes, qui avaient été autrefois des bourgeois aisés, et qui gardaient encore quelques ressources. Champfleury fait défiler, dans des aventures généralement ridicules, quelques-uns des pensionnaires, leurs jalousies, les petites intrigues, les principales aventures de cette vie commune.

En 1860, après cinq ou six grands romans, Champfleury cessa le gros effort de travail et de progrès, qui, de son aveu, avait mis « une différence immense entre *ses* premiers livres et *ses* derniers ». *La Mascarade de la Vie parisienne* n'est qu'un très ordinaire roman-feuilleton d'actualité, où une intrigue commode permet de promener de vagues héros à travers les milieux contemporains et d'évoquer, parmi les événements récents, ceux qui ont causé quelque scandale. *Le Violon de faïence*, apprécié agréablement par Sainte-Beuve, n'est qu'une très brève esquisse d'excentrique. D'ailleurs, à ce moment même, presque au sortir de sa grande campagne réaliste, Champfleury commençait à se détourner du roman, et il publiait coup sur coup plusieurs volumes d'art, d'érudition et de bibliographie.

Il a expliqué plus tard que les tracasseries de la police impériale furent la seule cause de cette décision : « J'en arrivai, dit-il, à me demander comment je pourrais suffire honnêtement à ma vie modeste, s'il fallait briser ma plume. Ce fut alors que, par un brusque soubresaut, je me plongeai dans l'érudition, pour échapper aux dangers de mon imagination, qui avait failli faire suspendre deux importants journaux. » Et il est possible, il est probable même que cette considération a pesé d'un grand poids sur la direction de son activité. Mais il y avait une raison plus profonde à ce renoncement : Champfleury avait tout bonnement épuisé la veine qu'il avait découverte dans le roman quelque dix ans auparavant. Il était resté « enfermé dans le cercle trop restreint des bourgeois de province » ; lui-même s'en avisait ; « il serait temps de sortir de la bourgeoisie pour prendre l'armée, la finance, le grand monde. Voilà ce qui m'inquiète le plus ». Il avait raison de s'inquiéter, puisque c'était là des terres inconnues que, faute de loisir, faute d'argent surtout, il ne pourrait explorer. Quant à faire dépense d'imagination, il n'y pouvait songer ; il ne savait que mettre en œuvre ses propres observations, son expérience de la vie de province. Elle était usée absolument en 1865; à moins de recommencer éternellement le même roman, — sur un fond de vie provinciale, avec des personnages d'excentriques, une aventure sentimentale, très pâlotte, — il ne pouvait que s'arrêter.

III

« Il m'a fallu, écrivait Champfleury, vers 1848, un grand sentiment de vérité et une tournure d'esprit mélancolique et comique à la fois, pour me lancer sans instruction et sans études. » C'est, en effet, cela essentiellement qu'a été son œuvre, malgré les théories plus reluisantes qu'il a parfois fait flotter au-dessus comme pavillon : un mélange assez peu définissable de « daguerréotype », comme on disait alors, de comique, de vague sentimentalité, où la plus forte part revient au comique. C'est en tout cas le meilleur biais pour envisager ses principaux romans ; on sera sûr ainsi de n'y rien laisser échapper d'essentiel.

Il entendait la « sincérité » à sa manière :

Josquin — c'est lui — ne comprenait pas qu'un auteur pût songer un instant à enchaîner des faits, sans y avoir été mêlé ; pour décrire une passion, il fallait l'avoir éprouvée ; un chagrin, il fallait en avoir été mordu.... Sa religion était la sincérité. A tout propos, le mot *sincérité* revenait dans sa bouche ; c'était une manie, et ceux qui le voyaient pour la première fois, et qui ne pouvaient plonger dans ses délicatesses infinies, le trouvaient certainement fatigant. Il ne disait pas dix paroles que le mot de *sincérité* ne revînt.... Josquin en était arrivé à n'étudier que lui et à croire que la fine observation dont il était doué ne pouvait s'appliquer qu'à l'*étude extérieure de ses actions et au ramonage intérieur de ses propres sensations.*

Nous voilà bien avertis, mieux en tout cas que par ses affirmations doctrinales, sur la manière dont Champfleury entend la « sincérité » : sa documentation est très strictement personnelle ; et lorsqu'il écrit, en tête d'un roman : « Ce roman ne comporte que des faits », il faut compléter : « ... et des faits auxquels j'ai pris part » ! Cela est de conséquence ! Aucun autre réaliste, aucun naturaliste n'a poussé jusque-là le respect de la vérité.

Ce ne sont point, de sa part, des propos exagérés ; sauf de très rares exceptions, — et le résultat fut alors déplorable, — Champfleury a composé ses intrigues et ses héros avec la matière que lui donnait sa propre existence.

Il a fait d'abord passer dans son œuvre toute sa famille. Les déclarations de sa correspondance sont là-dessus d'une ravissante ingénuité ; sa mère lui reprochait de ne pas témoigner assez d'affection à ses parents : il lui promit, le 1er janvier 1849, en guise de souhaits de nouvelle année, de mettre un jour, « dans un drame bourgeois, une partie de *sa* vie et de celle de *son* père ; tu verras alors, ajoutait-il, si je comprends et si je sens ! » Il tint sa promesse avec *la Succession Le Camus* : M. et Mme May y sont ses père et mère, et si la mère n'avait point trop à se plaindre du portrait, le père eût pu s'en fâcher ; il se contenta de composer contre son fils des vers satiriques ; celui-ci s'applaudissait : « Il a eu de l'esprit de bien prendre son portrait, j'en étais certain d'avance. » — Mme Le Camus n'est autre que sa tante ; son oncle est tout bonnement appelé *Friponneau* ! Cela fut extrêmement pénible à la mère de Champfleury, et son fils lui promit de supprimer cette épithète, ce qu'il ne fit point ; il avait en effet conscience d'avoir affaibli les portraits ! Le nom même de Le Camus n'était pas absolument imaginaire : « Je ne regrette qu'une chose, écrivait Champfleury en réponse aux reproches de sa famille, c'est d'avoir donné pour titre *la Succession Le Camus* ; car je croyais tous les Le Camus morts ! » Sans doute, un érudit laonnais pourra s'amuser un jour, s'il ne l'a déjà fait, à retrouver, dans ce roman ou dans d'autres, toute la parenté de Champfleury ; ses cousins ou ses oncles doivent être en bonne place dans la galerie qu'il a constituée de ridicules et d'excentriques.

Lui-même, il ne s'est point négligé ; il figure, dans tous ses romans, sous les traits d'un jeune homme intelligent, ambitieux, travailleur, plein d'avenir, doué d'une sensibilité exquise et d'une aimable timidité devant les femmes. Tout a été utilisé, jusqu'aux lointains souvenirs d'enfance. La vision qu'il eut, à cinq ans, d'un chevreuil, qui fit une entrée désastreuse dans la boutique de jouets tenue par sa mère, est devenue la première scène des *Bourgeois de Molinchart*. Ses gamineries de collégien ont donné toute la matière des *Souffrances de M. le professeur Delteil*. Sa vie de bohème parisien tient une grande place dans *la Succession Le Camus* : il y a quasi recopié la correspondance qu'il échangeait avec les siens, les inquiétudes qu'on manifestait sur son avenir, les arguments par lesquels il essayait de persuader à sa famille que de grands succès lui étaient réservés sous peu ; il y a parlé longuement de ses dettes de jeu dans les cafés de Laon. Ses débuts littéraires sont contés dans les *Aventures de Mlle Mariette* ; il s'y nomme Gérard ; il se nomme Édouard May dans *la Succession Le Camus* ; il est aussi Cyprien, « le petit évêque », dans *Monsieur de Boisdhyver* ; Bida, le poète populaire de *la Mascarade de la vie parisienne*. Il donne, par surcroît, quelques-uns de ses traits à des héros secondaires ; pas un jeune homme timide et sentimental, et c'est un type auquel il revient souvent, qui ne soit fait un peu à son image.

Pour compléter le personnel de ses romans, Champfleury a utilisé les fréquentations de sa famille et les personnages notables de la ville de Laon. Après la publication des *Souffrances de M. le professeur Delteil*, il annonce qu'il aurait le courage, néanmoins, de « traverser la ville », s'il avait occasion d'y aller ; mais il préfère sans doute n'en avoir pas l'occasion ! Après *la Succession Le Camus*, de graves inimitiés, et apparemment non sans cause, se lèvent contre sa famille ; lui-même il espère que « le séjour de Laon ne *lui* sera pas interdit à tout jamais à cause de son livre ». Là-dessus, les documents manquent ; mais il est probable qu'on pouvait mettre, à l'époque, un nom sur la plupart des « bourgeois de Molinchart » que Champfleury a introduits dans ses principales œuvres.

Et puis c'est tout. Sorti de Laon et des trente à quarante personnes qu'il y a connues, en dehors de ses rares fréquentations parisiennes, il est tout à fait désemparé. Il y a une bien grande différence entre les personnages qu'il a copiés d'après des originaux et ceux qu'il a imaginés ; ceux-ci sont dessinés à bon compte, avec trois ou quatre lieux communs et la psychologie conventionnelle à l'usage des romans-feuilletons. Champfleury n'est même pas capable de se documenter; s'il sait utiliser des faits, il est fort maladroit quand il lui faut partir en quête de faits nouveaux ; d'ailleurs, il n'a pas le temps, et il n'y apporte aucune méthode ; il écrit ingénûment :

> Je suis effrayé des études que chaque roman nécessite. *Le Miroir du faubourg Saint-Marceau* (il lui donna comme titre *la Mascarade de la vie parisienne*) m'a déjà pris un temps considérable, et je ne suis qu'au début des renseignements. Pour le roman de *Monsieur de Boisdhyver*, il est utile de fréquenter des prêtres. Lire les œuvres de Saint-François de Sales.... Si j'écris le conte du Botaniste, professeur au Jardin des Plantes, je devrai suivre des cours d'histoire naturelle. Cette méthode de bases positives est-elle bonne?

Il est évident que cette méthode est un peu hésitante, et l'on ne voit pas bien en quoi les œuvres de Saint-François de Sales pouvaient aider à peindre le diocèse de Bayeux, aux environs de 1830 ! Champfleury s'effraye aussi très vite devant le travail nécessaire au romancier. Il estime que c'est un grand effort déjà que d'aller passer quelques jours dans la ville où sera situé son roman ; mais il ne faut pas que cette visite dérange l'idée qu'il s'en était faite par avance. De Bayeux, qu'il décrivit dans *M. de Boisdhyver*, il dit : « J'ai trouvé la ville assez ressemblante par l'esprit plutôt que par les détails » ! A Toulouse, il va chercher « de vieilles maisons, de vieilles façades, de vieux marteaux de portes » ; mais, affirme-t-il, « mon roman était presque fait avant de partir de Paris, et, chose merveilleuse, la réalité n'a pas été au-dessous de ce que j'imaginais.

Il ne m'a manqué que des études de femmes du pays, et c'est fâcheux ; mais je suis capable de retourner exprès » ! Le projet d'aller passer « l'automne et l'hiver en Algérie, pour y étudier les Arabes et principalement les militaires » resta à l'état de projet.

La documentation coûtait décidément trop cher et prenait trop de temps ; encore Champfleury ne se voyait-il acculé à de pareilles entreprises que parce que son magasin d'observations anciennes était absolument vidé. Il se nomme quelque part un « chercheur de réalité » ; ce « chercheur » n'aimait pas beaucoup à chercher. Ailleurs il compare sa besogne à celle d'un bûcheron qui « enfonce coins sur coins » ; cela n'exige point d'initiative, ni de grands déplacements, mais de l'obstination.

Quoi qu'il en soit, les principaux romans de Champfleury ne sont que la mise en œuvre de documents recueillis par une expérience très personnelle. Ces documents sont présentés surtout sous forme de portraits ; l'auteur les fait minutieux. « Le parfait réaliste devrait donner le portrait physique d'un individu, la description de ses habits, la taille exacte de l'homme, et même son poids. » Le cadre importe beaucoup ; l'appartement, la maison et même le « dénombrement positif des habitants de la rue » où habite le personnage. L'avarice d'un Le Camus sera rendue sensible non par quelques faits bien choisis, mais par l'accumulation des détails ; nous le verrons dans son bureau d'affaires, à la cuisine, en train de gronder la cuisinière, qui fait trop grande dépense de beurre, à la cave où il s'occupe à remplir les tonneaux de bon vin avec du vin ordinaire ! Cette minutie et ce goût de la précision éveillent quelquefois chez Champfleury des velléités scientifiques. Il subit l'influence de Balzac, dont il avait failli devenir le successeur patenté ; il a retenu aussi quelques bribes des cours du Muséum ; gravement il se promet de ne jamais prêter à une blonde les sentiments que « la physiologie » démontrerait être ceux d'une brune ! Après que la doctrine de Taine a commencé de se répandre, il songe à mener le roman sur le territoire de la science ; il se propose d'étudier cette « question physiologique : *Comment pousse un homme de génie ?* » ; et c'est sans doute ce livre qu'il donne dans *les Demoiselles Tourangeau* (1864), où il représente la famille de Courbet ; en tout cas, la préface donne à entendre que le roman enferme le secret d'une loi relative aux rapports du physique et du moral, aux liens de race et de parenté !

Ces velléités n'ont aucune importance ; elles signalent seulement un effort de Champfleury pour tenir son œuvre au courant, pour hisser son médiocre réalisme jusqu'à celui de Taine, une timide orientation vers le naturalisme. Mais il est modeste et n'insiste point dans un effort où peut-être il ne serait point suivi par les lecteurs ordinaires des romans-feuilletons de *la Presse* ; il se déclare prêt à accepter leur jugement, « aussi sévère qu'il soit, dût-il détruire en quelques heures ce qui a demandé à l'auteur quelques années de réflexion ».

Il reste que la peinture de la petite bourgeoisie provinciale et de la vie à Laon, vers 1830, est assez minutieuse, assez abondante, assez précise pour qu'il vaille la peine, même aujourd'hui, de rouvrir des œuvres si piètres. On pourrait, avec trois ou quatre de ces romans, et surtout en les illustrant avec des gravures de modes, des caricatures et des estampes du temps, reconstituer une image passablement concrète de la vie provinciale en France, il y a trois quarts de siècle. Aspects des vieux salons aux meubles couverts de housses, aux pastels de famille fanés sur le mur, aux bougies enfermées sous des globes allongés, aux vieilles pendules de Sèvres; vision des grands dîners de famille, où, comme pièce de luxe, on plaçait sur la table, en manière de surtout, un pain de sucre enveloppé dans son papier bleu, et où l'on introduisait les petits au dessert pour leur permettre de goûter les compotes, les crèmes et les tartes; souvenirs des greniers pleins de vieilles ferrailles, d'habits anciens, de défroques mystérieuses, reliques de plusieurs générations, et qui transformaient les soupentes en paradis pour les enfants; réunions de société où l'on joue à des jeux innocents, délicieusement puérils et vieillots, celui du *Chevalier gentil*, du *Jardin de ma tante*, de *l'Amour voleur* ou de *Je vous prends sans vert*; processions de la Fête-Dieu parcourant les rues de la ville et s'arrêtant aux reposoirs dressés par les paroissiennes, devant les maisons ornées de tapis, de rideaux et au besoin de torchons pendus aux fenêtres; long cortège de prêtres, de jeunes filles de la Congrégation de la Sainte-Vierge, de vieux chevaliers de Saint-Louis, de bourgeois et de marchands, parmi des fleurs et des envols de colombes; cabinets de lecture où s'entassent les volumes devenus crasseux de Ducray Duminil ou de Pigault Lebrun, et où la patronne joue le rôle d'un véritable confesseur à l'égard des clientes, tant le choix des livres et les préférences littéraires révèlent les secrètes dispositions, les désirs mal comprimés; cafés de province où les militaires et les rentiers entraient par la porte de la façade, où les jeunes gens n'osaient pénétrer que par la porte de derrière; miroirs placés au premier étage de la maison, « espions » permettant à la femme, qui travaille près de la fenêtre, de voir, sans se faire voir, tout le mouvement de la rue ; élèves du collège en frac bleu, à collet et parements bleu de ciel, faisant leur promenade hebdomadaire, sous la conduite du principal, au bruit du tambour, et précédés par le tintamarre d'un orchestre; distribution des prix dans la pension de jeunes filles à la mode, où l'on expose les bretelles, les pantoufles, les bonnets grecs en tapisserie, œuvres des élèves, et leurs dessins qui représentent des *Mazeppa* ou des *Giaour*, et où dix élèves à la fois récitent en anglais un chapitre du *Vicaire de Wackefield*, pour ensuite jouer une comédie où *Miss Rhétorique* converse avec *Miss Syntaxe*, où *M. Subjonctif*, *M. Prétérit passé* et *M. Que retranché* disputent à qui mieux mieux, etc.

Peu importe que ces visions amusantes soient entassées sans art, que les effets ne soient jamais ménagés, que la composition du roman soit sans cesse défaillante. Champfleury se vantait, hélas ! de ne s'être « jamais prosterné aux pieds de l'*intérêt*, une fausse idole à laquelle il est temps d'échapper », de n'avoir pas voulu sacrifier « à la facile méthode des romanciers dits *habiles* ». C'est précisément parce qu'il n'a pas su ouvrer les matériaux accumulés dans quelques-uns de ses livres que ceux-ci réservent aujourd'hui d'agréables surprises. On a l'impression de faire une fouille archéologique.

IV

« Imagine seulement, écrivait Champfleury à sa mère en 1850, qu'avec un esprit naturel qui pouvait faire de moi un vaudevilliste de drôleries, j'ai voulu arriver plus haut. » Et, en effet, il se haussa de quelques coudées ; mais il avait trop longtemps cultivé cet « esprit naturel » de drôleries pour s'en défaire vite;

jeune, il avait mis beaucoup d'application à devenir un « farceur » redoutable, et l'âge mûr venant, il recommença quelquefois les grosses mystifications qui avaient amusé sa jeunesse, ou les déguisements dont il avait tiré quelque réputation. Il eut beau s'efforcer à mettre dans son œuvre « en seconde ligne... le côté comique et satirique », pour se borner à la peinture de « beaux et grands caractères en province », il n'y put parvenir ; « l'esprit naturel » fut le plus fort. Champfleury ne comprit jamais qu'on pût conter une histoire sans y mêler le récit de quelque farce, sans y introduire au moins des incidents propres à susciter de gros éclats de rire. C'est de ce côté-là qu'il dérivera finalement après un bel effort vers une littérature de meilleure qualité. *Les Enfants du professeur Turck*, ou *le Secret de M. Ladureau*, sont de ces livres qui font pouffer de rire, dans un coin du wagon, le voyageur peu exigeant qui, sur l'appât de leur titre, vient de les acheter à la bibliothèque de la gare. Ce sont, je crois, les seuls livres de Champfleury qui se vendent encore.

Son maître, sur ce point, fut Paul de Kock. On l'aurait deviné s'il ne l'avait pas dit ; mais il l'a dit expressément : ce fut un des auteurs favoris de sa jeunesse :

Quand ma petite bourse le permettait, je courais au cabinet de lecture et j'en revenais les poches bourrées de volumes.... Paul de Kock, le professeur de bonne humeur, était alors classique dans les collèges. Le romancier me divertissait plus encore que Molière, et je trouvais qu'il n'avait pas assez conté de dîners sur l'herbe, de culottes crevées et d'histoires de seringue.

Une force comique considérable, qui fait oublier l'insuffisance de la forme, circule dans l'œuvre du romancier.... Plus d'un écrivain en vogue aura disparu du monde de la célébrité avant que soit éteinte la mémoire de ce jovial conteur, qui eut en partage la première des qualités littéraires, la santé.

Sans doute Champfleury eût accepté pour lui-même les termes de cet éloge. Si, dans ses meilleurs romans, il ne va point jusqu'aux « histoires de seringue et de culottes crevées », il s'y achemine ; il aime à faire tomber ses personnages au milieu d'objets hétéroclites qui se cassent à grand bruit, pendant que la lumière s'éteint ; il aime les distractions dont les conséquences sont plaisantes, les cacophonies d'orchestre, les événements grotesques qui troublent la belle ordonnance d'une cérémonie ; il ne craint pas de mettre aux mains de ses héros un verre à surprise, qui, dès qu'ils veulent y boire, verse son contenu dans leur cou. Les habits invraisemblables, les digestions difficiles et leurs suites ne le laissent pas indifférent, ni les planchers dans lesquels s'ouvre une trappe inattendue ! On dresserait facilement une assez longue liste de ces divertissements ; mais à quoi bon? l'effet en est singulièrement lugubre aujourd'hui.

Ce besoin d'effets comiques n'est pas satisfait par les scènes épisodiques de « drôleries », pour si fréquentes qu'elles reviennent; il a gagné le reste de l'œuvre. Même la qualité éminente de Champfleury, son aptitude à observer, n'a point échappé à la contagion. Il ne savait rendre, nous l'avons constaté, que ce qu'il avait lui-même vu ; mais cela, il ne sait le voir que sous le biais de la caricature ; son observation, au total, est bien étroitement limitée. Chez lui, seuls les personnages grotesques ou ridicules ont l'air d'être vivants, A tout le moins, il faut qu'il puisse décrire une manie, un tic. Ainsi comprise, l'observation est facile et très vite satisfaite ; elle reste extérieure ; le réalisme de Champfleury est minutieux, mais il n'est pas poussé très loin. Il est rare que les tics d'un individu nous donnent des renseignements bien utiles sur son caractère, son existence et son milieu. Cela n'inquiète point Champfleury ; un de ses personnages sympathiques, le bon docteur Triballet, qui finira par épouser une des modistes des *Souffrances de M. le professeur Delteil*, nous est surtout montré par son embonpoint, sa « respiration d'ogre », sa figure rouge vif, sa manie de couper quelque peu de ses cheveux avec tous les ciseaux qui viennent à portée de sa main, et la perpétuelle distraction qui lui fait oublier ces ciseaux dans ses cheveux ! Psychologie bien rudimentaire, qui ne nous fait en rien connaître un caractère et qui, en tout cas, ne nous prépare nullement à la généreuse décision du docteur d'épouser une des modistes, malgré qu'elle ait été autrefois séduite et abandonnée, et qu'elle soit obligée, à cause de l'escapade amoureuse d'une de ses sœurs, de quitter la ville. Le brave homme qu'est le professeur Delteil n'apparaît guère que comme une caricature de cuistre minable et ahuri. On jugera, par ces personnages, des autres, d'autant qu'à l'ordinaire l'auteur ne prétend point les rendre sympathiques, mais seulement faire voir leurs ridicules sous tous les aspects possibles.

Il n'est que de constater comment il a compris ses *Amoureux de Sainte-Périne*. Le sujet, une étude sur un certain nombre de vieillards des deux sexes rassemblés dans une maison de retraite, est devenu pour lui la matière de bien pénibles bouffonneries. Ces vieillards, dont pas un n'a moins de soixante ans, n'ont en tête que galanterie, et il ne s'agit point de doux et profonds sentiments, d'intimités tendres, ou même d'ardeurs désordonnées et maladives ; ce sont des *flirts* sexagénaires, où un pensionnaire récite à une heure du matin, les pieds dans la neige, sous la lune, une poésie devant les fenêtres d'une dame âgée de soixante ans ; où une vieille demoiselle caresse avec volupté le crâne poli de celui à qui elle a donné son cœur.... Il est possible que certaines des scènes du roman aient été à l'origine d'authentiques anecdotes ; mais, au lieu de montrer avec pitié, ou au moins avec décence, les infortunes physiques et les dérangements d'esprit de pauvres gens qui se défendent tant bien que mal contre l'ennui d'une vie monotone et les appréhensions de la mort, au lieu d'expliquer ces faiblesses et de nous y intéresser, Champfleury n'a songé qu'à dessiner des charges, souvent très grossières.

Ce sujet tenta les Goncourt et Flaubert, et ils se fâchèrent avec raison qu' « une belle étude bien fouillée sur les vieillards des deux sexes » eût été ainsi gâchée. « Je ne vois pas, écrit Flaubert, ce qu'il (ce sujet) a de comique ; moi, je l'aurais fait atroce et lamentable. »

Où Champfleury se sent tout à fait à son aise. c'est lorsqu'il peut introduire quelque épisode de la vie laonnaise, ou un portrait de bourgeois excentrique. Ces hors-d'œuvre occupent une bonne place dans chaque roman, et ils sont détaillés jusqu'à la satiété. Champfleury triomphe quand il produit un véritable détraqué : l'horloger Bonde, que quelques mauvaises lectures scientifiques ont affolé, et qui s'emploie à rendre son fils plus sot et plus fou que lui ; M. Vote, inventeur d'une méthode musicale pour lire Racine ; l'archéologue Bonneau, un petit rentier qui s'est mis en tête de mesurer avec son parapluie tous les monuments des environs, et qui érige cela en système, qui collectionne, comme vieilleries, d'invraisemblables objets sans valeur, persuadé, par exemple, d'avoir mis la main sur un fragment de l'éperon de Charlemagne. Champfleury retrouve là ces « Excentriques » qui furent ses premiers succès littéraires, un Chien Caillou, un Jean Journet, un Carnevale, un Jupille ; et il les décrit avec d'autant plus de joie qu'il y satisfait sa haine secrète contre Laon, où il connut la gêne, enfant, et jeune homme, la mésestime. Il oublie ses prétentions de chef d'école, son désir de réaliser des œuvres plus ambitieuses ; et, comme autrefois, il se borne, ayant rencontré sur sa route des cas étranges et des personnages extraordinaires, à faire métier de reporter et de sténographe.

V

Il ne vaut guère la peine maintenant d'insister sur la « tournure d'esprit mélancolique » que Champfleury se reconnaissait ; elle ne pouvait produire, on s'en doute, que des effets bien passagers dans une œuvre si chargée d'autres effets. Il s'est pourtant cru « poète » par moments ; il a aimé « les vagues mélancolies des poètes du Nord », la sentimentalité des « *lieds* allemands » ; il se haussait parfois jusqu'à dire sa « certitude que la poésie est au-dessus de la réalité ». Mais ce qu'il entendait par poésie, c'était un vague et facile attendrissement, très rapide, en face de certains spectacles ; comme à M. Poirier, la peinture d'un chien qui, sur le rivage désert, aboie après le chapeau d'un marin, lui eût mis la larme à l'œil ; il eût parlé de la poésie du tableau ! Il s'émeut devant les misères domestiques et les dévouements discrets ; il plaint la fille séduite, la mère abandonnée par un fils ingrat ; il encourage les fiançailles timides et chastes, les amours rougissantes ; il apprécie la fidélité des vieux domestiques.... On a déclaré, sans malice, que tel de ses romans eût mérité un prix de vertu. La censure impériale s'est grandement méprise en faisant la vie dure à Champfleury ; on eût pu l'employer, moyennant quelques bons procédés, à l'exaltation des vertus utiles à la société. Il y a dans ses romans des personnages à qui le lecteur peut donner sa sympathie, encore qu'ils soient bien laids, sans risque de se méprendre sur les intentions de l'auteur ; les bons sentiments sortent indemnes des aventures où ils sont mis à l'épreuve. C'est sans doute ce que Sainte-Beuve voulut dire un jour, en écrivant, pour lui : « Champfleury ne croit pas que ce soit une supériorité en littérature que d'être cruel, inhumain et dépravé ». Mais l'éloge est mince ; et c'est plutôt une façon indirecte d'attaquer les romanciers qui, comme Flaubert ou Feydeau, font de la « littérature brutale ».

On voit qu'il y a loin de l'œuvre de Champfleury à quelques-unes de ses théories. Il a été « sincère », oui : mais il n'a point joué, comme il le prétendait, le rôle d'un moraliste, à moins qu'on ne veuille entendre que les journaux de caricature sont un appoint utile à l'action morale. Il a affirmé que le domaine du roman réaliste était extrêmement étendu, mais il s'est obstinément enfermé dans un petit coin de ce domaine. Il a assuré que le réalisme devait s'adresser au très grand public, mais il n'a pas songé, en réalité, comme Duranty le voulait et comme lui-même l'a laissé croire, à entreprendre l'éducation de ce public. Il s'est borné à reproduire dans son œuvre, à bon nombre d'exemplaires, les personnages et les scènes auxquels une longue expérience garantit le succès ; il y a mélangé, suivant les doses ordinaires du roman-feuilleton, le sentiment et le comique.

Champfleury a été très attaqué entre 1850 et 1860 ; mais il faut reconnaître que ses adversaires lui ont fait une belle réclame, qu'ils ont été fort courtois de s'en prendre à ses idées plutôt qu'à ses romans, et de vois dans son œuvre surtout un effort, plus ou moins heureux, pour réaliser des idées. Ils lui ont reproché de mal écrire ; ils ont relevé quelques-unes de ses incorrections ; la liste eût pu être interminable. Champfleury souhaite lui-même, dans ses notes intimes, d'avoir à son service un secrétaire, homme de goût, qui se chargerait de la revision de ses œuvres : ce n'eût point du tout été une sinécure ! Mais aucun critique ne l'a *nié* purement et simplement ; presque tous l'ont proclamé chef d'école. Or on est bien obligé de constater qu'il a été à lui seul toute son école, qu'il n'a pas eu vraiment d'influence ; Duranty a répété quelques-unes de ses idées, mais ses romans ne ressemblent point du tout à ceux de Champfleury ; et si vers 1860 le réalisme triomphe, ce n'est point comme Champfleury l'entendait.

Il n'apprécia ni Flaubert, ni les Goncourt ; il ne comprit pas grand'chose à Taine ; il s'effraiera du naturalisme, tandis que Duranty s'y ralliera tout naturellement : Zola, qui a parlé des deux, fait bien de la différence entre eux ; il est tout juste poli pour Champfleury. Le réalisme que représentaient *les Bourgeois de Molinchart* — celui de la bohême — a été, à vrai dire, comme frappé de stérilité dès l'origine : Champfleury était incapable de mener à bien les idées intéressantes qu'il a eu la chance de formuler ; à supposer même qu'il eût appris à écrire, il n'eût jamais pu composer la grande œuvre nécessaire au triomphe de sa manière, puisque sa doctrine l'obligeait à peindre strictement ce qu'il avait vu, et que la médiocrité de sa vie l'avait condamné à ne presque rien voir.

CHAPITRE VI

LES ROMANS DE DURANTY (1860-1862)

On parle encore assez souvent des « romans » de Champfleury, sans préciser, pour opposer sa manière à celle d'autres romanciers ; il arrive qu'on joigne au nom de Champfleury celui de Duranty : c'est déjà de l'érudition ! Mais on se borne au nom et l'on ne fait aucune allusion à l'œuvre. Ces manières de s'exprimer sont significatives. Aucune méfiance gouvernementale, aucun coup d'épaule de la critique n'a aidé Duranty : un article de Barbey d'Aurevilly, au début de sa carrière, un article de Zola, peu de temps avant sa mort, voilà, je crois, les seules mentions de conséquence qui aient été faites de lui. Il a eu, dans les dernières années de sa vie, une petite célébrité, bornée au milieu restreint des jeunes romanciers naturalistes, flattés qu'un vétéran des batailles réalistes d'autrefois leur apportât des encouragements, au plein de leur bataille à eux. Mais ce fut une bien médiocre renommée : P. Alexis put, avec piété et sans mentir, dédier un de ses livres « à la mémoire de Duranty mort... pauvre, impopulaire et fier ».

On ne sait à peu près rien de son existence. Né en 1833, il serait fils naturel de Mérimée ; il eut une aisance au moins relative, qui le dispensa de gagner, comme Champfleury, son pain par la littérature ; son œuvre invite à supposer qu'il a vécu longtemps en province, ou du moins qu'il y fit de longs séjours il commença à faire parler de lui en 1856, de la manière qu'on a vu ; il publia quelques romans ; il fit du théâtre, très peu ; il collabora, comme critique littéraire et comme critique d'art, à un certain nombre de revues et de journaux ; il est mort en 1880, à quarante-sept ans, laissant, pour défendre son nom, une dizaine de volumes.

Duranty, tel qu'il nous apparaît au travers de son œuvre, est une figure sympathique et vraiment originale ; son réalisme est plus intéressant, plus « intelligent » que celui de Champfleury ; peut-être a-t-il exercé, vers 1880, une petite influence sur le jeune naturalisme. En tout cas, il est légitime de donner à son œuvre une place convenable dans cette étude sur les principales tendances réalistes vers 1860. On n'en peut d'ailleurs parler que très brièvement, tant les renseignements manquent.

Duranty a publié trois romans de 1860 à 1862 ; — un roman et trois recueils de nouvelles de 1872 à 1877. C'est surtout de la première œuvre que l'on doit s'occuper, tant à cause de sa date qu'en raison de sa valeur.

Le malheur d'Henriette Gérard (1860) est essentiellement, au dire même de l'auteur, l'histoire d'une famille « dont les troubles intérieurs et les catastrophes ont beaucoup préoccupé le pays, d'autant que, sous des apparences presque patriarcales, la malignité provinciale eut quelque peine à démêler les plaies et les désordres.... La famille seule, par sa force d'organisation et par la puissance de l'habitude, maintenait réunis la plupart des personnages... que divisait au contraire profondément la lutte des passions et des caractères ». Le sujet, c'est proprement la dissociation, sous l'effet d'un événement assez quelconque de cette famille — la famille Gérard.

Ni le père, ni la mère n'ont la dignité de vie, ou la fermeté de caractère qui pourraient leur donner une autorité morale sur leurs enfants. Leur fille, Henriette, est bien supérieure, et elle a honte d'eux ; elle ne manifeste d'ailleurs pas des qualités remarquables de cœur, d'intelligence ou d'énergie ; seules les circonstances et le mépris qu'elle a des siens la grandissent un moment. A un bal, elle rencontre un petit employé de préfecture, Émile Germain, timide, faible, inconsistant ; il devient passionnément amoureux d'elle, et Henriette se laisse aller à aimer un peu, et très innocemment, ce bon jeune homme ; peut-être voit-elle surtout dans cet amour une sorte de relèvement moral, une occasion d'affirmer sa dignité et l'indépendance de son caractère. Elle accepte de se compromettre par des rendez-vous et des aveux. La famille surprend vite ce secret mal gardé ; on écarte le maladroit garçon et, moitié pour punir Henriette, moitié pour réaliser une belle affaire d'argent, on décide de la marier à un vieillard fort riche, qui la convoite avec une passion imbécile. Henriette met tout son orgueil et tout son amour à résister ; elle fait dès l'abord un esclandre en révélant au vieillard ses vrais sentiments ; mais celui-ci s'obstine à la vouloir. Henriette se fatigue de la guerre incessante que lui font les siens ; elle se déprend d'Émile, qu'elle ne peut plus voir ; elle ne lutte guère que par l'estime qu'elle a d'elle-même ; peu à peu elle cède ; elle feint d'accepter, se réservant de causer un gros scandale, au moment du mariage; en effet, deux jours avant, elle tente de fuir, mais son courage tombe aussitôt. Le mariage a lieu, et le jour même Émile Germain se tue. Henriette chasse violemment sa famille, brutalise son mari qu'accable une attaque d'apoplexie ; il meurt quelques mois après. Henriette se remariera à quarante ans; les autres personnages continuent leur vie vulgaire.

A vrai dire, ce résumé dénature un peu le roman, car il lui donne une suite dans les événements que le livre n'a point. *Le Malheur d'Henriette Gérard* n'est qu'une succession d'épisodes dont beaucoup ne se rattachent que de très loin à la donnée et qui ont surtout pour dessein de faire connaître les mœurs de la bourgeoisie de province ; il y a des invraisemblances, c'est-à-dire des décisions peu expliquées, des événements mal amenés. Duranty, évidemment, ne fait point cas de l'intrigue, ni même de la composition.

Il pousse tout à fait au premier plan l'étude des caractères, dont Champfleury n'avait guère souci. Il songe sans doute à ce point de vue « social » qu'il avait défini assez vaguement dans *Réalisme*, et qu'il affirma de nouveau en tête de son roman; ici, c'est tout bonnement le fait que les personnages appartiennent presque tous à la même famille, et qu'ils vivent enfermés entre les murs d'une même maison ; de là des influences et des réactions incessantes, par lesquelles Duranty satisfait sa théorie. Mais il est attiré surtout par les minuties de l'analyse psychologique ; il a dessiné une série de portraits, faits de retouches progressives, très bien venus ; ou plutôt c'est une succession de petits faits rendus visibles, analysés et commentés, des conversations, des réflexions intimes, des soupçons, des velléités, des contradictions, etc., par quoi peu à peu sont dégagés les ressorts essentiels qui meuvent les personnages.

La mère, Mme Gérard, a passé la quarantaine ; elle est intelligente, ou plutôt elle « a de la tête » ; très autoritaire, très pratique, elle n'a point d'affection pour les siens : c'est une maîtresse femme, aussi habile à mener un procès qu'à diriger sa maison. Sa vie sentimentale a été également très bien réglée : le mari a accepté presque officiellement l'amant de sa femme, — un ancien amant, qui, quelquefois, se voit remis en titre ; — c'est un familier de la maison, le président Moreau de Neuville, magistrat cultivé et spirituel, mais que la personnalité trop envahissante de son amie a un peu diminué. Le père, Pierre Gérard, est violent et peu intelligent ; il ne compte pour rien dans son intérieur et n'a d'autorité ni sur sa femme ni sur sa fille ; ses complaisances fâcheuses l'ont amoindri ; il ne sait que se venger par de dures et inutiles ironies ; il fuit toutes les responsabilités, évite toutes les explications et s'intéresse seulement à poursuivre la réalisation de coûteuses fantaisies agricoles. Le fils aîné, Aristide, est un grand garçon vulgaire, sot et méchant, férocement jaloux de sa sœur, à qui les parents ont toujours marqué un peu de préférence ; il ne sait que s'amuser à de grosses plaisanteries, qui lui valent l'approbation de la cuisinière et du domestique ; l'occasion venant, il aura plaisir à tourmenter durement Henriette. L'oncle, Corbie Gérard, est un bonhomme grotesque, inintelligent et vaniteux, très timide amoureux de sa nièce. Le curé Doulinet, confesseur de Mme Gérard, s'est donné pour mission de combattre le péché dans cette maison ; mais « le péché ne reculait pas devant lui, et le pauvre curé ne pressait pas bien vivement Mme Gérard d'y renoncer » ; en réalité, il assiste, à demi contrit, à la faute de sa pénitente ; il est séduit par elle, maîtrisé ; et il finit par l'admirer même en tant que pécheresse. Du reste, c'est un timide, et qui cherche surtout à contenter tout le monde dans cette maison, où il conçoit quelque orgueil d'être familièrement reçu.

Les membres de cette famille sont donc des méchants, des médiocres ou des grotesques ; leur entente n'est faite que du silence prudent où ils se tiennent sur toutes les questions dangereuses à leur repos, du respect qu'ils marquent aux conventions les plus exigeantes du monde, de la morale et de la religion. Le mari d'Henriette, Mathéus, un vieillard gâteux ; — son amoureux, Émile Germain, un bon jeune homme timide, sentimental et facilement veule ; — la mère d'Émile, une brave vieille femme maladroite et gémissante ; — des provinciales dévotes, prétentieuses et insignifiantes, acharnées à médire les unes des autres, complètent cet ensemble. C'est une uniforme médiocrité d'intelligence, de cœur ou de volonté, et l'on comprend qu'il n'ait pas été besoin, pour rendre Henriette sympathique, d'en faire une jeune fille très intelligente, très tendre, très énergique ; ce n'est point du tout une héroïne de roman ; elle est mieux que ceux qui l'entourent, qui sont très mal ; son malheur ne vient que de là.

On voudrait savoir jusqu'à quel point ces personnages sont des fictions, s'ils ne sont pas tout simplement la copie, plus ou moins retouchée, d'originaux ; c'est probable ; ce serait en tout cas conforme aux théories de l'auteur ; Pierre Gérard, le curé Doulinet, l'oncle Corbie sont des *cas* remarquables, des *types* ; et *Réalisme* avait professé, quelques années auparavant, que « les caractères typiques », objet essentiel du roman, ne devaient point être imaginés, mais découverts dans la réalité, où ils existent, et reproduits par l'écrivain. Il y a même tendance chez Duranty, au moins dans ce roman, à ne peindre, comme Champfleury, que des figures « excentriques ». Cela, si on pouvait l'affirmer, expliquerait à tout le moins la qualité singulière de l'observation chez Duranty : une précision minutieuse et informée, des silhouettes rapides et très accusées, l'abondance des petits faits justificatifs, l'appropriation étroite des scènes aux intentions psychologiques de l'auteur. C'est tout à fait de la psychologie stendhalienne. Stendhal, lui non plus, n'*inventait* pas ses héros.

Mais il est assez vain d'analyser les qualités d'une observation, quand on ignore absolument la matière sur laquelle elle s'est exercée. Il vaut mieux attirer l'attention sur la saveur particulière — assez âpre — de ce roman, sur les intentions secrètes qu'il enferme, sur la *manière* de Duranty. Il y a, au fond du *Malheur d'Henriette Gérard*, une hostilité déclarée contre la bourgeoisie provinciale ; l'auteur a un plaisir évident à retirer les masques, à montrer, sous les dehors honorables, les vrais appétits. On n'a qu'à constater la désorientation de toute cette petite société, le jour où un de ses membres sort des chemins convenus et veut faire acte d'indépendance, obéir à un appel qui n'est que de sentiment ; les questions d'argent que l'on n'avait pas eu besoin, jusque-là, d'évoquer au grand jour, tant elles réglaient silencieusement les pensées et les démarches de tous, apparaissent avec brutalité ; il ne faut pas qu'Henriette épouse Émile Germain, il faut qu'elle ait pour mari le vieux Mathéus, car celui-ci, qui est très riche, permettra à Pierre Gérard de se lancer dans de ruineuses expériences, et à Aristide de s'amuser ; il s'agit de déplacer des capitaux d'une famille vers une autre, et tout le monde s'étonne qu'Henriette se prête mal à cette opération.

On l'accuse quotidiennement, et non sans sincérité, d'égoïsme, car elle n'incline pas ses propres désirs et son amour devant les exigences de ces égoïsmes concertés.

Les mensonges et les hypocrisies de cette famille bourgeoise vont plus loin. Leur religion? elle n'est bonne que si elle ne gêne aucun des instincts ; d'ailleurs, elle s'accommode fort bien du péché ; le curé Doulinet a toutes les complaisances nécessaires ; l'adultère de Mme Gérard afflige les dévotes qui font des neuvaines pour que le Seigneur lui inspire la pensée de rompre avec son amant, mais le curé leur représente que les remords de sa pénitente l'engagent à faire don à l'église d'une chaire, de bénitiers de marbre et de tableaux ; il y a là un « système de rédemption » ! Chaque fois que Mme Gérard revient à ses faiblesses d'autrefois, elle se sent « le besoin de donner beaucoup de conseils » à sa fille ; et celle-ci sait très bien la cause de cette « saison de maximes » ! La morale? Aucun des personnages n'en a la moindre préoccupation ; il ne s'agit jamais, quand il faut prendre une décision, que d'us et de coutumes, du qu'en-dira-t-on. Henriette elle-même n'a point la conscience trop chargée de scrupules ; quand Émile lui demande un rendez-vous, elle songe seulement que, en acceptant, « elle serait maîtresse de sensations nouvelles et d'un trésor précieux de révélations. *Et qui le saurait d'ailleurs*? » souligne-t-elle dans sa pensée.

Ce ne sont pas là seulement des traits satiriques sur un milieu bourgeois, qui traduisent des souvenirs et des rancœurs de l'auteur. Toute une conception de la vie, toute une philosophie passe avec ces remarques incisives sur les motifs ordinaires qui font agir les hommes. Il faut même aller plus loin et constater le « matérialisme », ou, si l'on veut, le déterminisme de cette conception ; les actes des personnages sont expliqués principalement par les circonstances, le temps qu'il fait, l'heure de la journée, la présence ou l'absence d'obstacles matériels : un mur, une porte ouverte, etc. Les conflits, les luttes morales aboutissent à des dépressions physiques que Duranty a soin de noter ; et celles-ci, à leur tour, réagissent sur l'évolution des sentiments. Le rôle d'Henriette Gérard est, à ce point de vue, tout à fait remarquable ; rien ne la soutient dans sa lutte contre la conjuration des siens, ni son amour, bien pâle, ni même un franc désir d'échapper à son milieu ; elle a été trop longtemps encerclée par les habitudes de sa famille et les préjugés de son monde ; les scènes successives qu'elle doit subir l'épuisent ; elle se défend mal ; cette situation traîne longtemps. Enfin Henriette cède ; elle se réservait de réparer, au dernier moment, cette défaite par un acte énergique ; mais, le moment venu, elle s'aperçoit qu'elle a en réalité déjà capitulé ; elle n'a plus la force de réaliser le projet médité longuement. Elle s'est habillée pour fuir de chez elle ; elle a passé la porte, mais il fait nuit, il pleut à verse ; ses souliers sont transpercés, ses vêtements se collent à son corps ; elle se trompe de chemin, elle perd un soulier ; elle rentre chez elle, avec « une seule sensation, le bonheur d'être hors de ce terrible bois et de ce terrible temps ». Elle accepte tout désormais.

Cette belle scène, — ou plutôt car il n'y a pas de *scène* dans ce roman, — cet épisode a scandalisé Barbey d'Aurevilly ; parce qu'il voulait, comme la plupart des lecteurs d'alors, au moins un personnage sympathique, qu'il croyait le tenir avec Henriette Gérard, et que l'*héroïne* s'affalait piteusement, dans l'unique circonstance où elle devait faire preuve de courage.

Là encore, on est tenté d'évoquer le souvenir de Stendhal ; mais avec cette réserve importante que Stendhal employait cette méthode, ces procédés et cette philosophie à décrire des héros qui ne faiblissent point, au moment d'une grande scène, qui la jouent au contraire avec maëstria ; il ne désirait connaître que les ressorts qui font agir les âmes supérieures, dans les circonstances dramatiques. Duranty n'en veut qu'aux âmes médiocres et aux aventures ordinaires ; mais c'est la même exécution.

Pareillement ces deux esprits, avant tout désireux d'analyse et de précision, négligent les préoccupations des romanciers de leur temps et se satisfont vite, en matière de plan et de style. Point de descriptions dans *le Malheur d'Henriette Gérard* ; on a vu les graves reproches que Duranty adressait, de ce chef, à *Madame Bovary* ; s'il décrit très brièvement un intérieur ou un paysage, c'est que, conformément à ses théories, cet intérieur ou ce paysage expliquent d'avance, en partie, les sentiments et les actes d'un personnage. Ainsi le salon de Mme Vieuxnoir, une pecque de province, sent le moisi, et exhale une odeur de « bourgeoise maussaderie » : vingt lignes suffisent à nous le faire voir ; sans elles, l'épisode qui suit, une visite d'Aristide Gérard et une tentative de séduction sur ce benêt par la maîtresse de maison, perdrait beaucoup de sa saveur et de sa vérité.

D'une manière générale, Duranty dédaigne les habiletés du récit, la préparation et l'agencement des scènes ; les personnages et les situations piétinent sur place, comme dans la réalité, où les décisions importantes ne sont prises qu'à la suite de successifs et répétés ébranlements ; les conversations abondent, bien souvent banales, ou tout à fait vulgaires, parce que, mieux que tout autre moyen, elles nous font connaître les caractères. Même allure dans le style ; à part quelques lourdeurs, on ne s'aperçoit pas que cela soit bien écrit ou mal ; c'est une « langue administrative, aride », une « prose en location », dira Huysmans. Il faut cependant noter, par endroits, des comparaisons matérielles qui substituent à une idée abstraite une vive image concrète : « Un désir timide comme un pauvre honteux,... une activité qui se déverse comme l'eau d'une pomme d'arrosoir,... des pensées qui se lèvent comme des voleurs couchés à terre, etc. » C'est chez Flaubert, à la même époque, un procédé de style bien caractérisé, par où se satisfont quelques-unes de ses plus chères aspirations d'art ; chez Duranty, il semble bien que ce soit plutôt un effet de son goût pour l'exactitude de la pensée et de l'expression.

Ces indications, — si brèves soient-elles, — suffisent, je crois, à avertir de l'originalité de ce roman : il est si dru, si plein de choses, qu'on ne peut que signaler les essentielles, et dire la pensée vigoureuse qui l'a inspiré. Barbey d'Aurevilly a senti cela, et il l'a écrit, peu de temps après la publication du livre, en des termes fort élogieux pour Duranty ; il n'aimait guère pourtant le réalisme et ne consentait ces éloges qu'avec l'espoir d'un prochain affranchissement de l'auteur. Il détachait Duranty de Champfleury, le rejoignait à Stendhal, le rapprochait de Flaubert ; il affirmait que *le Malheur d'Henriette Gérard* était « le roman le plus fort,... le mieux *tricoté* de tous les livres de ce genre qui aient paru depuis *Madame Bovary* ». Malheureusement cette appréciation, qui n'est point exagérée, n'a point eu d'écho.

Les romans qui suivirent, encore qu'intéressants,

ne tinrent pas les promesses de ce début ; ils sont peut-être faits plus adroitement, ils témoignent d'une vraie curiosité et d'un effort pour se renouveler, l'étude des caractères y est peut-être plus minutieuse encore ; mais il y manque cette âpreté, cette vigueur de pensée, qui rend si attachant *le Malheur d'Henriette Gérard.*

La Cause du beau Guillaume est un roman rustique, à la manière de Murger, qui enferme à la fois une gracieuse idylle et une peinture assez réaliste des mœurs de village. Un jeune bourgeois de la ville, dont la jeunesse fut malheureuse, vit très isolé dans un petit village ; il s'éprend d'une jeune ouvrière qui travaillait chez lui, et en fait sa maîtresse ; la jeune fille était désirée par un braconnier, « le beau Guillaume », qui se venge en la tuant et en blessant son amant. C'est surtout l'étude lente et délicate d'un joli éveil d'amour ; le couple amoureux est gracieux, mais *flou* : il eût été bien difficile qu'il ne le fût pas, avec un pareil thème. Mais il y a plusieurs scènes rustiques intéressantes, celles surtout où se manifeste l'hostilité des paysans contre l'homme de la ville : le sermon où le curé fulmine contre le « débaucheux » et sa « déhontée », qui ont eu l'audace de paraître ensemble à la grand'messe ; un charivari nocturne sous leurs fenêtres. Il y a aussi un type amusant de paysan excentrique, ivrogne et collectionneur d'antiquités.

La Canne de Mme Desrieux, époque de 1822, est une manière de roman historique, passablement romanesque ; et cela est curieux : Champfleury et Duranty lui-même, quelques années auparavant, avaient condamné durement cette forme du roman. C'est une histoire compliquée, où il y a une jeune fille folle ; un conspirateur caché, qui se trouve finalement être le fils du chef de la police chargé de l'arrêter, et le frère de la jeune fille folle ; une canne à pommeau d'or, qui sert à faire reconnaître dans le chef de la police l'auteur d'un ancien crime impuni ; un poignard enfermé dans cette canne qui devient l'arme de la vengeance ! Plus qu'à ces aventures, assez étourdissantes, le lecteur peut s'intéresser aux tableaux rapides, par lesquels Duranty a voulu peindre « l'époque de 1822 » : les manifestations, dans un petit village, de la politique de réaction, les conspirations libérales, les procès, les hésitations des autorités, les influences occultes, etc. L'auteur n'y dissimule pas ses sympathies libérales et même républicaines.

Après ces trois œuvres, si différentes d'intentions, et qui ne se rapprochent guère qu'en ceci que toutes trois peignent des aspects de la vie de province, et que l'auteur tient avant tout à analyser les caractères de ses héros, Duranty se détourna, pendant dix ans, du roman. Il composa un « théâtre écrit » de marionnettes, et fit du journalisme. En 1873, il publiait les *Combats de Françoise Du Quesnoy*, histoire d'une femme énergique et droite, mariée à un homme peu honorable ; Duranty détaille, avec son habituelle minutie, les combats incessants de la femme contre son mari, contre sa famille, contre son entourage, contre ses propres désirs d'affranchissement. Ce livre, par la sobriété des indications, la sécheresse du style, la négligence de la composition, rappelle plus que les précédents, *le Malheur d'Henriette Gérard*. Puis ce furent deux recueils de nouvelles — un troisième posthume — qui mettent surtout en scène des milieux de province ou de bohême artistique, quelques aventures comiques, mais de préférence les existences médiocres et courageuses, les dévouements inconnus, les drames domestiques et les grandes douleurs intimes ; ce sont des histoires sentimentales et passablement optimistes, des études psychologiques ; quelques récits documentaires.

Au moment où il publiait ces nouvelles, Duranty avait apparemment renoncé à réaliser, en une grande et belle œuvre, la doctrine si curieusement essayée dans *le Malheur d'Henriette Gérard*. Il s'était rallié au naturalisme, qui faisait peur à Champfleury. Il reconnaissait en effet dans les articles retentissants de Zola les tendances essentielles, qu'il avait définies vingt ans auparavant, et même quelques-unes de ses affirmations. Cela le consolait un peu sans doute de son obscurité ; mais il ne s'illusionnait point trop sur son rôle de précurseur. « Nous, écrivait-il, qui avons été les premiers à donner la doctrine et le mouvement, les premiers à monter à l'assaut, nous avons été jetés dans le fossé, et nous avons servi de pont à ceux qui nous suivaient. Nos successeurs... ont enfin triomphé. Nous avons peut-être apporté *quelque chose* dans l'effort général de l'esprit moderne.» Il semble bien d'ailleurs qu'en écrivant ces lignes modestes il ait songé plus à sa campagne du *Réalisme* qu'à son œuvre de romancier ; il est strictement juste de rappeler, en plus, que son roman de début est de beaucoup le spécimen le plus remarquable des tentatives qu'a faites l'école de « la sincérité dans l'art », et qu'il en donne l'idée la plus favorable.

23
22
22

9
8

84

l'Artiste p. 183,
Martino

Dorothy-
Call Miss
Northup at the
Reference Desk
AWS

DEUXIÈME PARTIE

AUTOUR DE FLAUBERT ET DE TAINE

LE RÉALISME DE L'ART POUR L'ART ET LA PHILOSOPHIE DU RÉALISME

CHAPITRE I

FLAUBERT « MADAME BOVARY »

I

Au moment où *Madame Bovary* parut, deux critiques, qui n'étaient certes point du même bord, G. Planche et Baudelaire, constatèrent, — l'un avant la publication du volume, l'autre après, — que, depuis de longues années, aucun romancier n'avait su imposer véritablement son œuvre à l'attention publique ; « toute curiosité relativement au roman s'était apaisée et endormie » : O. Feuillet, E. About, H. Murger, A. Achard, de Custine, Barbey d'Aurevilly, Champfleury, Barbara, P. Féval, — ce sont les seuls noms retenus par les deux critiques, — n'avaient obtenu qu'une médiocre renommée. Flaubert, au contraire, devint brusquement illustre, grâce à *Madame Bovary* : ce fut « le léger et soudain miracle de cette petite provinciale adultère, dont toute l'histoire, sans imbroglio, se compose de tristesses, de dégoûts, de soupirs et de quelques pâmoisons fébriles arrachés à une vie barrée par le suicide » (Baudelaire).

Ce miracle évidemment doit être accepté comme

tel ; il reçoit cependant quelques explications. Il est douteux, quoi qu'en dise Baudelaire, que, sans le procès, *Madame Bovary* eût « créé le même étonnement et la même agitation » ; l'intervention du tribunal, l'émotion que cette affaire provoqua chez les gens de lettres, les sympathies qu'elle excita dans le public cultivé comptèrent pour beaucoup. Le procès eut pour effet surtout, — et cela seulement nous importe, — de consacrer le *réalisme* de l'œuvre ; les juges acquittèrent l'auteur, ils furent indulgents à l'œuvre, mais ils condamnèrent le principe dont il leur parut qu'elle se réclamait : le réalisme. Ce mot et la doctrine qu'il commençait à peine à désigner furent comme accrochés à la personne de Flaubert. Une voix unanime le déclara le chef de l'école réaliste. Sainte-Beuve signala, avec sympathie, dans *Madame Bovary*, des « signes littéraires nouveaux » ; il constatera bientôt, avec tout le monde, que depuis sa publication « la question du *réalisme* revenait perpétuellement sur le tapis ». Les adversaires se montraient plus nets encore : « Si le réalisme est une école, M. Flaubert en est le chef » (G. Merlet). Il y eut des disciples, sans tarder. Et depuis l'on a renchéri sur ces affirmations : Zola et Brunetière s'accorderont à proclamer, si éloignés qu'ils soient de s'entendre partout ailleurs, que *Madame Bovary* a été le point de départ d'une brusque évolution dans le roman, et que son auteur incarne le naturalisme français. C'est maintenant article de foi littéraire.

C'est pourtant le biais le moins favorable sous lequel on puisse envisager l'ensemble de l'œuvre de Flaubert, et peut-être la vue la moins exacte à en donner. Baudelaire s'était avisé de cela dès le premier moment ; il prétendit inutilement préserver son ami de « l'injure dégoûtante » de *réalisme*, et le révéler comme un vrai poète. La publication de la *Correspondance* de Flaubert en donna, plus tard, le soupçon ; et, aujourd'hui qu'on peut lire les œuvres inédites de sa jeunesse, on en a la certitude. L'auteur de *Madame Bovary* n'est point du tout réaliste, au sens ordinaire que ce mot a pris dans le langage de la critique ; et si l'on tient à l'employer, il faut y venir par des détours et avec des réserves qui sont de conséquence.

Flaubert ne reconnut jamais les maîtres des réalistes comme les siens. Balzac ne l'enthousiasmait point : « Quel peu d'amour de l'art !... il n'en parle pas une fois... ignorant comme une cruche... un immense bonhomme, mais de second ordre. » Il ne comprit point Stendhal ; il méprisa Champfleury ; il considérait comme une « ordure méchante » d'être appelé son disciple ! Son réalisme, en tout cas, est absolument en dehors de la tradition que nous avons étudiée jusqu'à présent. Si Flaubert a eu un maître, c'est Th. Gautier, et, par delà Gautier, V. Hugo ; il a suivi, en eux, toute la pure tradition du lyrisme romantique, ambitieux d'images grandioses, de sentiments exaltés et de vocables harmonieux. Sentir « comme un demi-dieu », écrire comme un poète musicien, voir, comprendre et expliquer la « Beauté » comme un peintre ou un sculpteur, et pour cela, épuiser toutes les ressources de « l'Art », telles ont été toujours ses aspirations les plus impérieuses : il avait trouvé son *Credo* dans *Mlle de Maupin*, — livre et préface. Quant aux qualités d'observation et d'exactitude, par quoi se définissent communément les écrivains réalistes, elles n'ont jamais été pour lui que des mérites accessoires, dont, personnellement, il ne faisait guère de cas. On ne peut certes se dispenser d'examiner en lui ces qualités mineures, puisque ses contemporains et plusieurs générations de lecteurs y ont vu la formule même de son génie ; mais il faut aussitôt corriger « réalisme »... tout court en « réalisme de l'art pour l'art », et expliquer le sens de cette expression, qui ne paraît d'abord qu'une commode juxtaposition de mots.

Jusque passé vingt ans, Flaubert fut un admirable spécimen de « la maladie romantique », un cas étonnant, en ce qu'il rassemble tous les symptômes, et à l'état aigu. La sensibilité et l'imagination ont été chez lui développées à l'extrême, la faconde lyrique a débordé : sujets atroces, visions fantastiques, images apocalyptiques, âcre pessimisme, sentiment de la solitude, exaltation continue, intempérante emphase, voilà ce qu'offrent ses premières œuvres. Il ne se satisfait qu'en rêvant : « Entre le monde et moi existait je ne sais quel vitrail peint en jaune, avec des raies de feu et des arabesques d'or, si bien que tout se réfléchissait sur mon âme comme sur les dalles d'un sanctuaire, transfiguré et mélancolique cependant, et rien que de beau n'y marchait ; c'étaient des rêves plus majestueux et plus vêtus que des cardinaux à manteaux de pourpre. Ah ! quels frémissements d'orgueil, quels hymnes ! et quelle douce odeur d'encens qui s'exhalait de mille cassolettes toujours ouvertes ! » Ces rêves — rêves d'Orient et d'antiquité surtout — lui étaient communs avec beaucoup de jeunes gens d'alors ; mais ils prirent chez lui une véritable forme hallucinatoire, tant la vision de l'esprit se faisait précise, tant il savait voir et montrer les pays où il n'était point allé, les temps où il n'avait point vécu, qu'il évoquait seulement à travers les livres. Il exprimait un appétit de jouissance, un désir de sentir, une ardeur de vivre que rien naturellement ne pouvait satisfaire, et qui sans doute étaient la cause principale de son désespoir métaphysique. A seize ans il pouvait écrire : « J'ai fini par croire que j'étais le monde et que tout ce que je voyais se passait en moi », tant il se sentait de passion et de puissance au cœur !

Ces ardeurs comprimées, cette perpétuelle excitation cérébrale, ces visions familières de volupté, de sang et de mort, traversées par des périodes de dépression et de dégoût, aboutirent à une terrible crise ; c'était là quelques-uns des symptômes d'une maladie nerveuse, dont il manqua mourir. A vingt-deux ans, il n'était plus qu'un pauvre malade, obligé à un régime très sévère, s'il voulait éviter de nouvelles souffrances, un détraquement progressif de tout l'être ; non seulement il fallait des soins matériels, mais il était nécessaire de renoncer à ces visions énervantes et dangereuses, dont sa jeunesse s'était repue ; « sanitairement parlant », les anciens sujets, qui lui agréaient, lui étaient interdits. Ce fut une belle cure de volonté, et qui réussit non pas à diminuer la sensibilité ni à réduire l'activité de l'imagination, mais à les canaliser. « Ma vie active, passionnée, émue, pleine de soubresauts opposés et de sensations multiples, a fini à vingt-deux ans. A cette époque, j'ai fait de grands progrès tout d'un coup, et autre chose est venu. » — Cet « autre chose », c'était une nouvelle théorie d'art, une nouvelle conception de l'existence : la conception de ce que j'appelle « le réalisme de l'art pour l'art ».

Cette théorie, et la crise qui l'avait précédée et produite, Flaubert les a exposées tout au long dans sa première *Éducation sentimentale* :

Jules — c'est lui — a vingt-six ans ; il a dans les manières l'air fatigué des gens qui ont éprouvé de grands chagrins, ou l'allure débraillée de ceux qui ont fait de grandes débauches.... Il vit dans la sobriété et dans la chasteté, rêvant l'amour, la volupté et l'orgie.... Ses plus grandes joies sont un coucher de soleil, un bruit de vent dans les forêts ; une tournure de phrase, une rime sonore, un profil penché, une vieille statue, un pli de vêtement lui donnent de longues extases.... Il se mêle à la foule, et il savoure la mélancolie qui s'élève des grandes cités ; il va dans les champs, sur les grèves, sur les monts, et il mêle son cœur aux brises, aux parfums, aux nuages qui courent, aux feuilles qui roulent.... Sa vie est obscure. A la surface, triste pour les autres et pour lui-même, elle s'écoule dans la monotonie des mêmes travaux et des mêmes contemplations solitaires ; rien ne la récrée ni ne la soutient, elle paraît rude, elle est froide au regard ; mais elle resplendit, à l'intérieur, de clartés magiques et de flamboiements voluptueux ; c'est l'azur d'un ciel d'Orient tout pénétré de soleil.... Elle renferme l'écho de tous les zéphyrs, de toutes les tempêtes, de tous les soupirs, de tous les cris, de toutes les joies, de tous les désespoirs ; des vertiges tournent dans sa pensée, des sentiments se meuvent dans son cœur, des lascivetés coulent dans sa chair.... L'histoire s'étale dans son souvenir, l'humanité se déroule sous ses yeux, il s'enivre de la nature, l'art l'illumine de ses clartés. A lui toutes les poésies et toutes les harmonies, la seule poésie et la grande harmonie ! A lui le chant de toutes les voix, l'hymen de toutes les âmes, la forme de tous les corps ! Il se pénètre de la couleur, s'assimile à la substance, corporise l'esprit, spiritualise la matière ; il perçoit ce qu'on ne sent pas, il éprouve ce qu'on ne peut point dire, il raconte ce qu'on n'exprime pas.... Arrêtant l'émotion qui le troublerait, il sait faire naître en lui la sensibilité qui doit créer quelque chose ; l'existence lui fournit l'accident, il rend l'immuable ; ce que la vie lui offre, il le donne à l'art ; tout vient vers lui et tout en ressort, flux du monde, reflux de lui-même. Sa vie se plie à son idée, comme un vêtement au corps qu'il recouvre ; il jouit de sa force par la conscience de sa force ; ramifié à tous les éléments, il rapporte tout à lui, et lui-même tout entier il se concrétise dans sa vocation, dans sa mission, dans la fatalité de son génie et de son labeur, panthéisme immense, qui passe par lui et réapparaît dans l'art.... Il est devenu un grave et grand artiste, dont la patience ne se lasse pas et dont la conviction à l'idéal n'a plus d'intermittences ;..... il s'est trouvé qu'il a obtenu naturellement une manière neuve, une originalité réelle.

Quant à la conception de l'existence, étroitement liée à cette nouvelle théorie d'art, Flaubert projetait de la mieux dire encore, sous forme symbolique, dans cette mystérieuse composition qui aurait eu pour titre *la Spirale*. Le héros devait renoncer à la peinture et au haschich, comme Flaubert à ses sujets préférés, à ses images favorites ; mais il ne pouvait renoncer aux visions que lui donnaient ces paradis artificiels ; bientôt, à son gré et par sa seule volonté, il pouvait avoir des heures d'illusion, qui le distrayaient de la réalité mauvaise ; peu à peu ces rêves étendent leur durée, ces états se rejoignent ; la vie du héros devient une perpétuelle hallucination, plus forte, plus réelle que les sensations véritables de l'existence ; celles-ci même n'existent plus, car elles sont immédiatement transformées en des hallucinations agréables et récréantes : les pires malheurs sont matière à de la beauté et à du bonheur. C'est là le service éminent que Flaubert attendait de l'art, puisque sa vie était brisée; il s'était détaché de la plupart de ses désirs ; ses sensations, ses observations lui paraissaient avant tout une matière à élaborer ; par elles il se constituait une seconde vie riche et aimable, infiniment supérieure à celle qu'il vivait réellement. L'art fut pour Flaubert un moyen d'oublier, un moyen de vivre ; et c'est pourquoi il l'a idolâtré. « Un livre, écrira-t-il plus tard en une saisissante formule, n'a jamais été pour moi qu'une manière de vivre dans un milieu quelconque. »

En 1860, après *Madame Bovary*, les Goncourt disaient de lui admirablement : « C'est un homme qui a eu quelque chose de tué sous lui dans sa vie.... Au fond de lui gronde et bâille la colère et l'ennui de la vaine escalade de quelque ciel. Son observation de sang-froid fouille sans vergogne, et manches relevées, l'homme jusqu'à l'ordure ; c'est comme une poigne de chirurgien qui tâte avec de l'acier un fond de plaie.... Vieille blessure que tout cela.... Le plus étrange est que, malgré tout, la grande pente de son esprit est à la pourpre, au soleil, à l'or. C'est un poète avant tout. »

Tout l'effort de ce poète tendit à créer incessamment sa « vision intérieure », sa « vision poétique », si proche de l'hallucination proprement dite. Peu importaient les moyens de la produire ; tous les sujets devenaient bons, les anciens comme les modernes ; « il n'y a pas en littérature de beaux sujets d'art.... Yvetot vaut donc Constantinople » ; Flaubert l'a expressément écrit dans la première *Éducation sentimentale* : « Jules... acquit la conviction qu'il y aura de magnifiques travaux d'art à exécuter sur le XIXe siècle. » La circonstance déterminante sera ici une banale histoire d'adultère, là une gravure grotesque, ailleurs une page de Polybe ; ce qui compte seulement pour Flaubert, c'est le rêve exquis où il vit pendant qu'il compose, l'existence multiple et diverse qu'il se donne, les sensations fortes et complexes qui l'envahissent, sans qu'il bouge de son cabinet de travail. « Mes personnages imaginaires *m'affectent*, me poursuivent, ou plutôt c'est moi qui vis en eux. » Pareillement la façon dont s'élabore et s'exprime la vision poétique ne compte guère. « Souvent cette vision se fait lentement, pièce à pièce, comme les diverses parties d'un décor que l'on pose ; mais souvent aussi elle est subite, fugace, comme les hallucinations hypnagogiques. Quelque chose vous passe devant les yeux ; c'est alors qu'il faut se jeter dessus avidement. » C'est à cela que sert uniquement tantôt l'observation scrupuleuse de la réalité, tantôt l'érudition patiente ; elles sont l'aliment nécessaire de la rêverie, les préparations utiles à créer le « mirage ». « Une rêverie, si vague qu'elle soit, peut vous conduire en des créations splendides, quand elle part d'un point fixe. Alors l'imagination, comme un hippogriffe qui s'envole, frappe la terre de tous ses pieds et voyage en ligne droite vers les espaces infinis. » Le réalisme de Flaubert, qu'il soit moderne ou « épique », n'est que cela ; on l'a dit excellemment, c'est une manière de faire, non pas une manière d'être, un procédé (H. Grappin).

Cette beauté, cette vision harmonieuse, qu'il a poursuivie dans tous ses ouvrages, il n'espérait l'atteindre que par la toute-puissance du style : « ... Il n'y a ni beaux, ni vilains sujets,... on pourrait presque établir comme axiome, en se posant au point de vue de l'art pur qu'il n'y en a aucun, le style étant à lui tout seul une manière de voir les choses. » Ne rêvait-il pas, au moment où il entreprit *Madame Bovary*, d'écrire « un livre sur rien, un livre sans attache extérieure, qui se tiendrait de lui-même par la force interne de son style, comme la terre, sans être soutenue se tient en l'air, un livre qui n'aurait presque pas de sujet, où du moins le sujet serait presque invisible, si cela se peut » ! Du moins il préférait les livres qui lui permettaient « les éperdutments de style », les « gueulades lyriques », comme étant le plus sûr moyen de se donner les voluptés d'esprit qu'il souhaitait.

Telle est, dans ses affirmations principales, la doctrine d'art que Flaubert se constitua, vers 1845, et à laquelle il garda une fidélité obstinée. Mais, comme elle ne s'étalait pas dans son œuvre, qu'elle soutenait intérieurement l'effort de l'écrivain, les contemporains ne s'en avisèrent point ; à peine si quelques confidents s'en aperçurent, par moments. On constata simplement l'exactitude des descriptions, la précision de l'image, le choix des spectacles, la minutie de la documentation ; et Flaubert fut étiqueté réaliste, parce que ces caractéristiques, en effet patentes, de son premier roman, étaient aussi celles des tentatives réalistes ambiantes. Examinons donc à ce point de vue l'œuvre de Flaubert ; s'il a obtenu et gardé, sans le vouloir, l'honneur d'incarner le naturalisme, c'est qu'il a uni en lui deux tendances : une observation minutieuse et exacte de la réalité, quelle qu'elle soit, ce que l'on résume sous le nom de réalisme ; une préoccupation des méthodes scientifiques, un besoin réglé de savoir, une certaine philosophie de la vie, que l'on résume sous le nom de naturalisme. Mais cet examen ne doit pas nous faire perdre de vue la conception d'art de Flaubert ; il faut qu'il nous y ramène. Tous ses livres pourraient porter, comme épigraphe, les paroles magnifiques qu'il écrivit au moment où il composait *Salammbô* : « Que toutes les énergies de la nature que j'ai aspirées me pénètrent et qu'elles s'exhalent dans mon livre. A moi puissances de l'émotion plastique ! résurrection du passé, à moi ! à moi ! Il faut faire, à travers le beau, vivant et vrai quand même. Pitié pour ma volonté, Dieu des âmes ! donne-moi la force et l'espoir ! »

II

Sur le réalisme proprement dit de *Madame Bovary*, on peut passer vite, car c'est à quoi tout le monde, quasi unanimement, a pris garde ; il suffirait d'ailleurs de faire appel aux simples impressions de lecture. Mais il est important d'affirmer que ce réalisme n'est nullement limité à de courts passages dans l'œuvre, comme il arrivait chez Stendhal et chez Balzac ; chez ce dernier surtout la réalité, intermittente, de l'observation ne servait guère que de tremplin à la prodigieuse fantaisie de l'imagination. De la tendance réaliste et de la passion romantique, c'était toujours celle-ci qui l'emportait. Chez Flaubert, au contraire, encore qu'il eût lui aussi à lutter contre de pareilles tentations d'esprit et de style, le souci de la réalité est constant. Cela est vrai du moins pour *Madame Bovary*, et il n'y a guère de passage dans ce roman, où un lecteur, même prévenu, puisse signaler un flagrant délit d'exagération. Relisons les scénarios successifs où Flaubert inscrivit son plan, chaque fois amélioré ; voyons les esquisses topographiques qu'il dessinait pour bien régler les entrées et les sorties de ses personnages ; consultons la curieuse étude de M. E. Bovet sur le « réalisme de Flaubert » ; nous serons vite assurés du scrupule avec lequel la suite des événements et leur vraisemblance ont été ménagées. Point de place pour le romanesque, pour un simple caprice de l'imagination chez l'auteur.

Flaubert n'a pu tenir cette espèce de gageure qu'en transportant dans son livre, telles quelles, des aventures réelles, et en *voyant* avec une exactitude minutieuse de l'imagination les personnages ou les scènes qu'il composait. On sait tout ce qu'il y a d'événements vrais dans *Madame Bovary* ; Maxime du Camp nous avait avisés dès longtemps que le roman reproduisait, dans presque toutes ses péripéties, un authentique fait-divers ; et depuis on a renchéri de précision ; on a reconstitué l'état civil des deux femmes successives de Charles Bovary ; on a nommé le clerc de notaire qui a fourni le modèle du personnage de Léon ; et de même les trois ou quatre personnages que Flaubert a sans doute fondus pour composer le portrait de Rodolphe ; on a retrouvé le voiturier de l'*Hirondelle* ; on a même interviewé, à l'âge de quatre-vingts ans,

Félicité, la petite bonne de Mme Bovary ! Flaubert n'a point eu à imaginer la biographie de ses héros ; il les a fait vivre et mourir à peu près exactement comme les personnages originaux. Sans trop exagérer, on a pu écrire que *Madame Bovary* était une manière de roman à clefs.

En outre de nombreux épisodes du livre, qui ne se rattachent point au fait-divers initial, ont été « vus » par Flaubert, et copiés d'après la réalité : la noce normande, les comices agricoles, le bal au château de Vaubyessard, etc. Il suffit de feuilleter sa correspondance pour y trouver l'origine de telle circonstance du roman, ou de tel propos des personnages. Par exemple, les opinions de M. Homais sur la vie des étudiants parisiens sont celles d'un bon curé de Trouville, avec lequel Flaubert déjeuna un jour. La douleur de Charles Bovary, au moment de la mort de sa femme, est celle d'un ami de l'auteur :

Comme il faut du reste *profiter de tout....* je trouverai là peut-être des choses pour ma *Bovary* ; cette exploitation à laquelle je vais me livrer et qui semblerait odieuse, si on en faisait la confidence, qu'a-t-elle donc de mauvais ? Il faut que mon bonhomme (c'est un médecin aussi) vous émeuve pour tous les veufs. Ces petites gentillesses-là ne sont pas besogne neuve pour moi, et j'ai de la méthode en ces études. Je me suis moi-même franchement disséqué au vif en des moments peu drôles. Je garde dans mes tiroirs des fragments de style cachetés à triple cachet et qui contiennent de si atroces procès-verbaux que *j'ai peur* de les rouvrir, ce qui est fort sot du reste, car je les sais par cœur.

Quand ses tiroirs étaient insuffisants, Flaubert savait les remplir ; il se lançait à la chasse au document, et il y associait ses amis ; il consultait un avocat sur les embarras financiers de *Madame Bovary* ; il s'informait sur les pieds bots, sur les effets de l'arsenic, sur le cérémonial funèbre, etc. Ce souci n'a fait que grandir par la suite : la soif de la documentation est devenue chez Flaubert une sorte de besoin physique.

Ces dispositions de chercheur s'accordaient tout naturellement avec la puissance de vision plastique, dont nous avons vu que les écrits de son adolescence étaient marqués. « Il voit les yeux fermés trop d'objets, rapporte Taine à la suite de conversations avec Flaubert ; il imagine aussi nettement la moindre fêlure du parquet que les grandes lignes de la chambre.... Tout ce qui n'est pas une forme physique minutieusement vue par une vision de visionnaire est pour lui non achevé, vague. » Grâce à cette aptitude, qu'entretenait et qu'aidait le goût du document, il pouvait donner à ceux de ses personnages qu'il inventait, je veux dire qu'il ne copiait pas sur un original, mais qu'il composait à l'aide d'observations diverses, le même caractère de réalité qu'à ceux qu'il avait transportés directement de la vie dans le roman. « Il se figurait Homais, ajoute Taine, avec des marques de petite vérole et a été tout étonné quand on lui a dit que cela n'était pas dans le livre. » Cet aveu dit tout.

Mais il faut aller plus loin ; le simple mot de réalisme, — au sens fondamental de reproduction exacte de la réalité, — est insuffisant à caractériser la façon dont Flaubert entend la vérité. Sa doctrine d'art, purement esthétique à l'origine, s'est nuancée, avec le temps, d'un peu de philosophie scientifique ; son dessein est resté toujours d'atteindre la beauté par le style, et d'exalter en lui-même l'illusion d'une vie multiple et forte ; mais pour créer cette illusion, pour lui donner l'objectivité nécessaire, il ne s'en remit pas à l'imagination seule ; il recourut à l'observation et à la méthode. Il n'est pas très exagéré de dire que Flaubert a conçu l'activité littéraire, dans ses modes sinon dans son principe, comme fort semblable à l'activité scientifique, telle surtout qu'elle se manifestait de son temps dans les sciences de la nature. Or cette formule, avec les conséquences qu'elle entraîne, est en réalité la formule la plus claire du naturalisme ; elle pourrait résumer l'essentiel de la doctrine de Zola. Chez Flaubert, comme chez Leconte de Lisle à la même époque, « l'art pour l'art » a rejoint la science, ou plutôt l'a prise pour auxiliaire ; et des disciples ont pu s'imaginer que cet élément second était l'essentiel.

Flaubert était poussé dans cette voie par la discipline intellectuelle qu'il reçut jeune homme ; fils et frère de médecin, il vécut sa jeunesse à l'Hôtel-Dieu de Rouen ; on a pu écrire une thèse de médecine pour prouver que tout s'expliquait par là dans sa vie et dans son œuvre : il aurait été tout bonnement un médecin manqué, qui aurait satisfait dans le roman sa vraie vocation. Le point de vue est faux, parce qu'il est trop systématique, mais il renferme bien un peu de vérité. Flaubert put connaître et apprécier, de bonne heure, la certitude que l'on acquiert par des observations répétées, la toute-puissance de l'expérience ; il disséqua et lut de nombreux livres de médecine. « C'est une chose étrange, écrit-il en 1859, comme je suis attiré par les études médicales. » Il s'habitua, en tout cas, à mettre au premier plan, en matière de psychologie, les questions de santé, à ne point discuter la prééminence du physique sur le moral. Il a constitué préalablement, pour les héros de *Madame Bovary*, une sorte de fiche médicale, relatant leurs antécédents héréditaires et leurs antécédents personnels, les manifestations symptomatiques de leur tempérament, les maladies successives qui les frappent et les reliquats de ces maladies. Cela donne une belle armature à la construction littéraire d'un personnage.

Au fond, il procède chaque fois comme s'il s'agissait d'une étude physiologique ; il a recueilli, ou bien il recueille de nombreux renseignements sur une matière donnée ; il ne retient que les plus caractéristiques et les plus généraux ; il en fait la synthèse ; c'est, si je puis dire, un cas type. Homais est un exemple remarquable de cette méthode : Flaubert a fondu en lui les traits qu'il connaissait d'un peu partout sur la demi-instruction du bourgeois de province, sur sa solennité satisfaite. Il se rend d'ailleurs fort bien compte de la méthode qu'il emploie, puisque, par analogie avec les sciences naturelles, il l'appelle *induction* ; il prétend, lui aussi, remonter des cas particuliers à des cas généraux, et c'est là-dessus qu'il fonde la possibilité de faire du *vrai* :

> Tout ce qu'on invente est vrai,... la poésie est une chose aussi précise que la géométrie ; l'induction vaut la déduction, et puis, arrivé à un certain point, on ne se trompe plus quant à tout ce qui est de l'âme ; ma pauvre Bovary sans doute souffre et pleure dans vingt villages de France à cette heure même.

Et il généralise :

> Plus l'art ira, plus il sera scientifique.... La littérature prendra de plus en plus les allures de la science, elle sera surtout *exposante*, ce qui ne veut pas dire didactique ; il faut faire des tableaux, montrer la nature telle qu'elle est, mais des tableaux complets, peindre le dessous et le dessus.

Comme le savant, Flaubert s'applique, au cours de cette activité de documentation et de synthèse, à ne jamais intervenir de sa personne. « Je crois, dira-t-il, que le grand art est scientifique et impersonnel. Il faut par un effort d'esprit se transporter dans les personnages, et non les attirer à soi ». « L'impartialité de la peinture » doit atteindre à « la précision de la science ». C'est devenu chez lui un dogme qu'il n'a cessé d'affirmer, et qu'il défendait avec intransigeance, quelques années avant sa mort, contre sa vieille amie George Sand. Ses lettres renferment fréquemment des plaintes, qui disent combien cette attitude de l'esprit était voulue, imposée. Évidemment la marque de Flaubert, sa conception de la vie et de l'art est empreinte à toutes les pages de ses romans ; mais jamais on ne voit, comme chez tant d'autres romanciers, même naturalistes, un héros changer soudain d'attitude parce que l'auteur se met à agir et à parler pour son propre compte ; jamais l'auteur ne s'installe en scène pour donner son opinion.

Il va de soi que cette méthode est commandée par des tendances générales, par des principes d'allure scientifique ; et, tout naturellement aussi, elle tend à des conclusions générales. Comme Balzac, comme Stendhal surtout, Flaubert ne met pas en doute la prédominance du physique sur le moral, la toute-puissance des causes extérieures, le rôle des hasards, l'action du vent qui se lève, l'excitation d'une matinée de printemps, l'impulsion d'une rencontre ; et de même la pression sur l'individu du milieu social auquel il appartient. Tout cela, qui est matériel, peut être observé scientifiquement, et, dans une certaine mesure, évalué ; cela peut donc permettre de formuler des lois ; le roman et la critique peuvent prétendre à devenir une science de l'âme. « Quand on aura, pendant quelque temps, traité l'âme humaine avec l'impartialité que l'on met dans les sciences physiques à étudier la matière, on aura fait un pas immense... Eh bien, je crois cela faisable ; c'est peut-être, comme pour les mathématiques, rien qu'une méthode à trouver. » Cette méthode sera essentiellement la logique, et un roman où les événements se succèdent sans logique n'est point bon.

A partir du tremblement de terre, dit Flaubert, critiquant une œuvre oubliée, il me semble que le roman ne se tient plus sur les pieds. Je veux dire que les événements *ne dérivent plus* du caractère des personnages, ou que ces mêmes personnages ne les produisent pas. Car c'est l'un ou l'autre (et même l'un et l'autre) dans la réalité. Les faits agissent sur nous, et nous les causons. Ainsi à quoi sert la Révolution de Sicile? Déborah n'avait pas besoin de cela pour s'en aller et Pipinna pour mourir. Pourquoi ne pas leur avoir trouvé une fin *en rapport naturel* avec tous leurs antécédents? Cela est de la fantaisie et donne à une œuvre sérieusement commencée des apparences légères. Le roman, selon moi, doit être scientifique, c'est-à-dire rester dans les généralités probables (1866).

Déterminisme dans la conception, logique dans l'exposition, ce sont là des nécessités essentielles. Flaubert condamna lui-même sa première *Éducation sentimentale*, parce qu'il y avait manqué :

Il faudrait.... récrire ou du moins recaler l'ensemble, refaire deux ou trois chapitres, et, ce qui me paraît le plus difficile de tout, écrire un chapitre qui manque, où l'on montrerait comment fatalement le même tronc a dû se bifurquer, c'est-à-dire pourquoi telle action a amené ce résultat dans ce personnage plutôt que telle autre. Les causes sont montrées, les résultats aussi, mais l'enchaînement de la cause à l'effet ne l'est point. Voilà le vice du livre (1852).

Qui songerait à faire pareil reproche à *Madame Bovary*? La destinée d'Emma Rouault est décidée par ses antécédents, par son état de santé, par la lente poussée des événements ; le dénouement ne pouvait guère être autre qu'il n'est, d'autant que

Flaubert ne l'imaginait pas et qu'il s'est surtout appliqué à le rendre plus normal. On pourra suivre, si l'on veut, dans les scénarios de *Madame Bovary*, les modifications successives du plan, l'élimination des circonstances qui n'expliquent rien, qui ne rejoignent pas les « résultats » aux « causes ».

Cette besogne scientifique dispense le romancier des autres, — de celles que le jugement du tribunal déclarait être son « devoir » : « orner et récréer l'esprit en élevant l'intelligence, et en épurant les mœurs », idéaliser les sentiments, prêcher la morale, etc. Le romancier se borne à instruire, en montrant ce qui est, au moyen d'observations bien faites, rigoureusement reproduites, méthodiquement interprétées, et présentées logiquement. Tant pis pour la morale « publique et religieuse », tant pis pour toute espèce de conséquence sentimentale ou philosophique qu'on en voudrait tirer !

Seulement il y a ici un leurre. Flaubert, certes, ne formule pas de conclusions de ce genre ; il les jugerait inutiles et sottes ; mais son œuvre enferme des conclusions latentes, que l'on ne peut pas ne pas lire, si l'on a quelque familiarité avec elle. Tout le travail de sa pensée l'a amené, dès sa jeunesse, à prendre une certaine attitude à l'égard de la vie ; il a peur de vivre, la vie le dégoûte, et en même temps elle le passionne ; il veut la sentir intensément, et l'étudier avec froideur, sans parti pris. Les grands élans de l'enthousiasme rendent plus amères les constatations de l'esprit critique. Il est devenu banal de parler du pessimisme de Flaubert et de chercher à définir sa nuance ; le mieux est sans doute de s'en remettre à lui-même ; il écrivait, en 1852, au moment où il composait *Madame Bovary*.

Si la *Bovary* vaut quelque chose, ce livre ne manquera pas de cœur. L'ironie pourtant me semble dominer la vie. D'où vient que quand je pleurais, j'ai été souvent me regarder dans la glace pour me voir? Cette disposition à planer sur soi-même est peut-être la source de toute vertu. Elle vous enlève à la personnalité loin de vous y retenir. Le comique arrivé à l'extrême, le comique qui ne vous fait pas rire, le cynisme dans la blague est pour moi tout ce qui me fait le plus envie comme écrivain. Les deux éléments sont là ! *Le Malade imaginaire* descend plus loin dans les mondes intérieurs que tous les Agamemnons.... C'est une chose drôle du reste comme je sens bien le comique en tant qu'homme, et comme ma plume s'y refuse ! J'y converge de plus en plus à mesure que je deviens moins gai, car c'est là la dernière des tristesses.

Cette « dernière des tristesses », c'est au fond la révolte impuissante de l'esprit devant son œuvre ; cette ironie cynique, c'est la souffrance de savoir que nous n'agissons point, mais que nous sommes agis, que nous ne sommes point responsables, et cependant que nous souffrons, que toute notre activité, imposée et douloureuse, est absolument stérile, donc ridicule. On peut trouver un peu de répit à affirmer avec violence ces conclusions ; Flaubert y met de la passion ; il développe avec une particulière joie les scènes qui montrent l'homme livré à ses instincts d'animal, et non plus intellectuel et sentimental ; ou bien celles qui amènent à réfléchir sur la fragilité du mécanisme social ; religion, justice, mariage, gouvernement, tout cela offre une façade solennelle ; mais ces belles constructions ne sont point du tout adaptées aux conditions réelles de l'existence. Cette analyse et ces conclusions se manifestent partout : l'abbé Bournisien n'est pas qu'un portrait de curé, ni Homais seulement un type de pharmacien ; les comices agricoles de Yonville ne sont pas qu'un épisode descriptif du roman. C'est de la caricature sociale, et ces personnages ou cette scène valent surtout parce qu'ils expriment les rancœurs de Flaubert, ses aspirations d'anarchiste intellectuel. Il écrivait aux Goncourt, à propos de leur *Sœur Philomène* : « ... Comme la religieuse est une *idée reçue*, je regrette (ceci est une question nerveuse et personnelle) de ne pas voir dans votre livre une petite protestation à l'encontre ; c'eût été désagréable au lecteur. » Il a cherché souvent à être « désagréable » de la sorte. Il ne fut pas d'ailleurs le seul à penser ainsi, et à se trahir dans son œuvre : sur ce point les poètes de l'art pour l'art se rencontrèrent avec les romanciers réalistes, et bientôt avec les naturalistes.

III

Cette doctrine, ou, si l'on veut, cet état d'esprit est très nettement accusé dans *Madame Bovary* ; il s'affirma plus encore au moment de *l'Éducation sentimentale*. On pourrait accumuler soit des passages empruntés aux deux romans, soit des citations extraites de la *Correspondance*, qui confirmeraient cet conception du roman réaliste et scientifique, impersonnel, et cependant plein de confidences intellectuelles. La pensée de Flaubert est forte, précise ; elle a intimement pénétré son œuvre.

Aussi ne peut-on s'empêcher de s'étonner d'abord devant quelques affirmations tranchantes qui semblent devoir ruiner ce point de vue. Au moment même où paraissait *Madame Bovary*, l'auteur assurait : « On me croit épris du réel, tandis que je l'exècre ; car c'est en haine du réalisme que j'ai entrepris ce roman » ; il jurera plus tard à Zola qu'il l'a écrit « pour embêter les réalistes ». « J'exècre tout ce qu'on est convenu d'appeler le *réalisme*, bien qu'on m'en fasse un des pontifes ; arrangez tout cela ».

« Comment peut-on donner dans des mots vides de sens comme celui-là : « le Naturalisme »? Pourquoi a-t-on délaissé ce bon Champfleury avec le « Réalisme », qui est une ineptie du même calibre, ou plutôt la même ineptie? », etc. Ce ne sont pas là de simples boutades. Flaubert a tenu à marquer sa place en dehors de l'école naturaliste, au moment même où elle se réclamait de lui sans réserves. S'il est exact de décrire le naturalisme de Flaubert, il serait faux de n'en pas marquer en même temps les limites. Les aspirations réalistes de son âge mûr n'ont point du tout incommodé la doctrine supérieure d'art qu'il avait héritée de sa jeunesse.

Tout le temps qu'il composa *Madame Bovary*, il ne cessa de se plaindre ; il se comparait à un clown qui réalise un tour de force ; c'est une « gymnastique furieuse » et la plupart du temps sans joie ; la matière est « fétide », « crapuleuse »... ! Il répète incessamment que sa vraie nature est de « gueuler » sur des thèmes lyriques ; avec quelle joie il écrivait *la Tentation de Saint Antoine*! Combien il lui tarde de se donner à nouveau de beaux rêves d'histoire truculents et farouches, et de se passionner à les décrire ! Mais il apparaît nettement, au cours de ses plaintes, que la plus vive n'est pas sur la qualité même du sujet, sur la vulgarité des aventures. Flaubert se plaît à ce minutieux récolement de témoignages, à ces études d'analyse. Le vrai grief, c'est qu'il se sent très gêné dans ce domaine nouveau ; il ne peut plus se livrer à ces orgies de style qu'il a jusque-là tant aimées ; ce sujet moderne et plat requiert un style spécial ; lequel? Cette interrogation inquiète revient à tout bout de champ. « Ce que sera le livre, je n'en sais rien ; mais je réponds qu'il sera écrit » ; il cherche, il gémit, et, par moments, n'y pouvant plus, il se laisse aller à « écrire », au sens que ce mot a pour lui : « .... Je viens de sortir d'une *comparaison soutenue* qui a d'étendue près de deux pages.... Peut-être est-ce trop pompeux pour la couleur générale du livre... mais physiquement parlant, pour ma santé, j'avais besoin de me tremper dans de bonnes phrases poétiques. » Tout son tourment est là ; il veut « fondre dans une analyse narrative le lyrisme et le vulgaire » ; et de songer que « tant de beauté » lui est confiée, cela lui donne « des coliques d'épouvante » ; quand il se relit, son inquiétude ne diminue point ; « plusieurs passages auront besoin d'être écrits et d'autres *désécrits* » ; il n'a point de règle.

Mais il n'en démord pas ; après avoir longtemps désespéré, il réalise enfin le tour de force. « J'aurai fait du réel écrit, ce qui est rare » ; et, en joignant ces deux mots « réel écrit », c'est au second évidemment qu'il donne la primauté. Ce n'est pas seulement par des images, des comparaisons, des prolongements harmonieux de phrases que Flaubert a restitué à son sujet la dignité d'art, sans quoi il l'eût abandonné ; le style et la pensée sont tout un chez lui. Telle description, tel récit lui paraissent tout d'un coup pleins d'une poésie que ses médiocres héros ne peuvent soupçonner ; il dit cette poésie ; il rêve et il dit son rêve ; la lettre du père Rouault envoyant son dinde annuel est pleine de détails rustiques et de fautes d'orthographe ; elle fait surgir dans l'âme d'Emma des souvenirs de jeunesse trop splendides pour elle. Lorsque, plus tard, elle vit par l'imagination, à côté de son mari, sa fuite amoureuse prochaine, elle la pare de tout le prestige des visions exotiques qui transportaient l'adolescence de Flaubert. Au moment où Rodolphe va l'enlever, — du moins elle le croit, — la pauvre femme aspire les sensations qui montent de la nuit ; et certes cette émotion n'est point un hors-d'œuvre, ni même tout à fait factice, mais elle traduit surtout une vision de nuit d'automne qui n'appartient qu'à Flaubert. Les phrases du rituel de l'extrême-onction, prononcées sur le corps de Mme Bovary, deviennent riches d'harmonie : elles évoquent non plus la terreur de l'enfer et du repentir, mais toutes les « somptuosités terrestres » que la mort vient d'anéantir dans ce corps de femme.... On multiplierait les exemples.

C'est pour de tels passages surtout que Flaubert a écrit *Madame Bovary*, et que, longtemps après, il se plaisait encore à l'avoir écrite. Grâce à cet effort de style, il a pu se donner souvent « la bosse de haschich », l'hallucination obstinément cherchée. Plusieurs fois, dans ses lettres, il s'incorpore à l'héroïne dont il conte la vie : ... J'irai au bal et passerai ensuite un hiver pluvieux que je clorai par une grossesse.... Je fais de l'amour platonique, je m'exalte catholiquement au son des cloches et j'ai envie d'aller à confesse » ; ce ne sont pas de pures gentillesses de style ! Il obtenait parfois cette sensation violente de réalité, à laquelle tendait tout son travail intellectuel ; il passait des journées « dans l'illusion, et complètement d'un bout jusqu'à l'autre » ; décrivant une attaque de nerfs d'Emma, il manquait d'en avoir une ; l'accompagnant dans une promenade à cheval, il se sentait à la fois « les chevaux, les feuilles, le vent, les paroles qu'on se disait, et le soleil rouge... » ; il avait dans la bouche le goût de l'arsenic dont Mme Bovary mourait ! — Quand il « ruminait », « après avoir senti ses jouissances-là », il bénissait son métier d'écrivain.

Cette préoccupation dominante du beau style

poétique en prose n'a été celle d'aucun des naturalistes, pas même de Maupassant ; quelques-uns l'ont affirmé, il est vrai, mais par déférence pour le maître, et sans conviction ; du « réel écrit » ils n'ont retenu que « le réel ». Hennequin seul a été près de la pensée de Flaubert, quand, dans une étude sur lui, il a défini le réalisme « la tendance à voir dans les objets dénués de beauté matière à œuvre d'art » ; ce n'est certes point là une définition du réalisme, et c'est pourquoi cela définit si bien *Madame Bovary*.

Flaubert, d'ailleurs, ne s'est jamais dit réaliste ; il n'a jamais admis le naturalisme ; c'était chez lui pure logique aussi bien du sentiment que de l'esprit. Certes on trouve dans sa correspondance de belles louanges adressées aux Goncourt, à Daudet et à Zola ; il était reconnaissant aux jeunes qui le vénéraient et le choyaient ; il avait l'amitié enthousiaste ; bien qu'il n'aimât point *l'Assommoir*, il regrettait de n'être pas à la première de la pièce qu'on tira du roman, pour « assommer ceux qui siffleront » ; il exalte *Nana*. Sa belle intelligence, son respect de la profession d'écrivain le poussent à bien accueillir le talent, sous quelque aspect qu'il se montre ; il adore ce qui est « râblé et bien portant ». Aussi défend-il publiquement les romans de Zola, au même titre que ceux de George Sand. Mais cette sympathie pour les œuvres et les auteurs ne le rendit jamais tendre à la doctrine ; dans ses conversations avec les intimes, ou dans des lettres, il revenait sur ses éloges ; c'est surtout en compagnie de Maupassant qu'il tenait à soulager sa sincérité ; il ne voulait point que son disciple se laissât prendre à la campagne de Zola.

Son opinion, il l'a d'abord exprimée, très vigoureusement, par l'abstention ; il n'a point récrit *Madame*

Bovary; *l'Éducation sentimentale*, la seconde, est surtout la revue des expériences intellectuelles de Flaubert; quant à *Un Cœur simple*, il avait bien raison de rester ahuri, quand on rapprochait cette nouvelle de *Germinie Lacerteux*. Quoiqu'il ne fût pas bégueule, il était un peu effaré devant la crapulerie des personnages de *l'Assommoir* et de *la Fille Élisa*. « Je vais avoir l'air d'écrire pour des pensionnats de jeunes filles. On va me reprocher d'être décent. » Même quand il admire, — par exemple *Jack* ou *Son Excellence Rougon*, — il se plaint que « le but de l'art, à savoir la beauté », soit tout à fait ignoré ; il constate avec tristesse que Zola ne goûte point comme lui la belle prose de Chateaubriand ou celle de Th. Gautier. Aussi se fâche-t-il tout à fait quand on lui parle de « son école », et qu'on le rend responsable des éloges tendancieux qu'on fait de son œuvre, responsable aussi de la doctrine qu'on croit découvrir dans ses romans.

Ceux que je vois souvent (ses amis naturalistes).... recherchent tout ce que je méprise et s'inquiètent médiocrement de ce qui me tourmente. Je regarde comme très secondaire le détail technique, le renseignement local, enfin le côté historique et exact des choses. Je recherche [par-dessus tout la beauté dont mes compagnons sont médiocrement en quête. Je les vois insensibles, quand je suis ravagé d'admiration ou d'horreur.... Je tâche de bien penser *pour* bien écrire. Mais c'est bien écrire qui est mon but, je ne le cache pas.

Quant à la doctrine naturaliste, il la juge « énorme », « puérile ». Il dénonce « l'aplomb » de Zola, son « inconcevable ignorance » ; il déclare ne pas comprendre. L'identification de la littérature et de la science, qui est le principal article du programme de Zola, lui semble évidemment une absurdité ; il aime les procédés d'investigation scientifique, et ces habitudes de minutie et de précision que l'on gagne au contact des sciences ; mais il se refuse à aller plus loin ; l'expression même : « roman expérimental » doit lui paraître inconcevable. Brunetière et, avec lui, les adversaires les plus enragés de Zola, ne pensèrent pas autrement.

Flaubert alla plus loin ; il finit par prendre en grippe cette *Madame Bovary* dont le jeune naturalisme faisait sa Bible, du consentement universel. « La *Bovary* m'embête, on me *scie* avec ce livre-là ;... je vous assure que, si je n'étais pas besoigneux, je m'arrangerais pour qu'on n'en fît plus de tirage » ; il déclara, au grand scandale de Zola, qu'il regrettait son œuvre ; il rêvait d'un coup de bourse gigantesque qui lui eût permis de retirer tous les exemplaires en vente et de les détruire ! Zola, consterné, soupçonnait un moment que Flaubert n'avait « pas eu conscience de son œuvre », qu'il n'avait ni prévu, ni désiré le naturalisme.

La vraie conclusion de Flaubert sur le naturalisme, c'est le romancier « naturaliste » qu'il a formé, son fils intellectuel, Maupassant ; or, dès 1879, avant *Boule de suif*, Maupassant faisait bande à part. Pendant dix ans, Flaubert lui avait appris à bien écrire et à observer minutieusement ; il lui avait communiqué ses jugements désabusés, sa très âpre philosophie ; mais le souci du style ne tourna pas chez le disciple à l'obsession, non plus que le besoin de documentation. Et puis Flaubert était moins difficile pour son disciple que pour lui : *Boule de suif* le ravit entièrement ; il s'y retrouvait.

Or, il est bien possible que Maupassant soit, — au sens fondamental des mots, — le plus naturaliste, le plus réaliste de nos romanciers. A ce compte Flaubert, en dépit de ses paradoxes et de ses antipathies, aurait lui-même reconnu cette paternité qu'il détestait devant un Zola ou un Huysmans.

Mais son œuvre est plus grande, plus féconde que n'a été son influence sur plusieurs générations de romanciers. Flaubert s'est mis entier dans tous ses livres ; il y a enfermé tout ce qui l'attachait à l'existence : sa réflexion éveillée si jeune et devenue vite une admirable intelligence ; son observation pittoresque et artiste de l'univers ; son amour curieux et évocateur de la vie d'autrefois ; son sens très avisé de la vie moderne ; ses méditations sur la science, ses promesses et ses limites. Rémy de Gourmont a dit cela excellemment en l'appelant « notre Homère » ; de même que *l'Iliade* et *l'Odyssée* enfermaient aux yeux des Grecs toutes leurs traditions, toute leur religion, leur politique, leur morale et leur art, de même l'œuvre de Flaubert rassemble, réalisées en une belle vision artistique, toutes les manières essentielles de penser et de sentir du XIXe siècle, toutes ses ardeurs, ses affirmations et ses inquiétudes. Cela explique qu'elle soit, entre autres choses, la plus précieuse expression de son réalisme, et sa forme la plus robuste.

CHAPITRE II

FEYDEAU

I

« Après le succès de *Madame Bovary*, après tout le bruit qu'avait fait ce remarquable roman,... il semblait que tout le monde fût d'accord et unanime pour demander à M. Flaubert d'en recommencer aussitôt un autre.... Depuis que *Madame Bovary* avait paru, la question du *réalisme* revenait perpétuellement sur le tapis.... Un écrivain de talent, mais d'un talent moindre, venu après M. Flaubert et sur ses traces, parut un moment recueillir tout cet orage de bruits et de clameurs qu'avait soulevé le premier. Il se livra autour du nom de M. Feydeau un combat très vif qui aurait dû, plus légitimement, s'engager autour d'une œuvre de M. Flaubert ; mais celle-ci manquant et se faisant attendre, la critique et le public excités se jetèrent, à son défaut, sur ce qui se présentait à sa place, et se substituait à elle en quelque sorte » (Sainte-Beuve).

C'est là la meilleure manière d'introduire Feydeau dans l'histoire du roman réaliste. Tout son succès fut de s'être substitué à Flaubert, tout son talent de l'exagérer.

L'histoire de ses débuts est amusante et significative : « Depuis l'âge de seize ans, je n'avais d'autre idée, a-t-il écrit en sa cinquantaine, que celle de consacrer ma vie à l'art littéraire.... C'était chez moi une irrésistible vocation et une passion. » Que d'hommes, au siècle dernier, ont connu cette jeune ardeur et ont composé avant leur vingt-cinquième année un volume de vers, qui se sont tu ensuite, sans plus jamais se sentir tourmentés du désir d'être auteurs, leur énergie ayant été détournée ailleurs ! Comme eux, Feydeau fit paraître, à vingt-trois ans, un recueil de vers, *les Nationales*, — patriotique, mais fort piètre d'inspiration ; comme eux, il se tut, non pas définitivement, mais si longtemps que cela pouvait donner l'illusion d'un renoncement. La passion d'écrire, ou, si l'on veut, de se faire imprimer de bonne heure et souvent, qui est le signe de la plupart des vocations littéraires, lui fut épargnée des années durant ; au moins elle fut réfrénée, et, pendant ce temps, le jeune homme fit tout autre chose que de la littérature. A vingt-quatre ans, il était « employé chez le banquier Jacques Laffitte aux appointements de 1 500 francs » ; dès lors il vécut dans le monde de la Bourse, occupé de spéculations qui l'enrichirent d'abord, et ensuite le ruinèrent. La vie lui fut aisée et douce ; il s'amusa, il se maria. Mais l'existence d'homme du monde, le métier d'agent de change n'accaparent pas absolument. Feydeau revint à la littérature, et ce fut par un détour que connaissent beaucoup d'amateurs : le goût des choses d'art ancien et moderne, la manie des collections, qui permet l'accès des cénacles de peintres, d'écrivains et de critiques, et donne à l'intrus de vives démangeaisons d'écrire, de peindre ou de juger, comme font ses amis.

« Un grand gaillard brun et grave, un homme de Bourse, toqué d'Égypte, et qui, sous le bras un plâtre d'un Cheops quelconque, expose en phrases solennelles son système de travail... », telle est l'impression que les Goncourt gardèrent d'avoir, pour la première fois, rencontré Feydeau, le 3 janvier 1857, au bureau de *l'Artiste.* Cette revue, vieille alors d'un quart de siècle, avait pour rédacteur en chef Th. Gautier, pour directeurs Ed. Houssaye et X. Aubryet ; elle partageait ses colonnes entre la littérature et les arts, mais prétendait donner plus de place à l'art, tant par le nombre des articles que par la gravure dont était accompagné chaque numéro. Les rédacteurs littéraires, Flaubert, L. Bouilhet, Arsène Houssaye, Th. de Banville, les Goncourt, Baudelaire, Fromentin acceptaient tous la profession de foi de leur maître Th. Gautier, qui de temps en temps rappelait que sa principale gloire était d'avoir « changé le dictionnaire en palette ». Dans le bureau de rédaction, où fréquentaient les peintres, c'était des causeries étincelantes, de prestigieux paradoxes sur l'art, la littérature, sur leurs rapports. Flaubert s'y passionnait; le journal des Goncourt en a conservé quelques-uns. Il y était surtout fait grande dépense de théories ; Feydeau fit emploi d'une richesse ainsi prodiguée, et il la monnaya dans ses premiers essais littéraires.

L'idée la plus chèrement proclamée dans ce groupe fut sa première inspiration. Par désir de vérité, de couleur locale, de scrupuleuse exactitude dans le costume et le décor, la nouvelle école de peinture, — les peintres orientalistes surtout, — avait goût pour les recherches archéologiques : archéologie d'ailleurs superficielle et purement pittoresque ! La représentation plastique du passé, l'évocation colorée et minutieuse des grandes visions historiques, tel était le but avoué, et le seul, de ce travail érudit. Peindre, au lieu des personnages bibliques de Poussin, conventionnels et abstraits comme des héros de tragédie, un vrai paysage d'Orient et de vrais costumes bédouins, c'était le désir de bien des peintres, et ils tentèrent cet effort pour toutes les antiquités : homérique, biblique, grecque, romaine, médiévale, etc. Les écrivains firent comme les peintres. Ce fut la théorie, le procédé le plus constant de Flaubert : fureter à travers les textes et les monuments, accumuler les détails typiques, entasser les images partielles, puis, devant l'amas des notes, « se monter le bourrichon », comme il disait, s'emplir les yeux d'un « mirage », qu'il suffira ensuite de fixer. C'est ainsi que furent écrits *Salammbô, la Tentation de Saint Antoine, Hérodias, la Légende de Saint-Julien l'hospitalier*. Feydeau n'eut pas l'envergure de Flaubert ; ses mirages furent de moindre effet, mais il appliqua la méthode du grand ami, et sa première spécialité, celle par laquelle il se fit connaître, fut celle d'un « antiquaire pittoresque », d'un « coloriste érudit ».

Il a parlé plus tard avec un peu d'orgueil de cette période de son existence intellectuelle. « Dix années de ma vie, écrit-il en 1862, passées à étudier les origines de l'art chez les anciens, me permettent peut-être de me prononcer sur la question que je soulève. Si, depuis quelque temps, il m'a plu de faire alterner mes travaux de critique et d'histoire avec des romans, je n'ai pas abdiqué le droit de donner mon opinion raisonnée sur les problèmes ressortissant à l'archéologie, et surtout je n'ai jamais voulu laisser supposer que j'avais abandonné cette science à qui je dois les satisfactions les plus nobles de ma jeunesse » ! Son bagage — ou, puisqu'il s'agit de science, sa bibliographie — n'est pas considérable ; quelques articles à *l'Artiste* et dans de grands journaux (1856-1858) sur « l'idéal égyptien », l'Inde moderne et le peuple indien, une étude d'art sur les pays bibliques, un article sur les collections du Palais Royal, plusieurs sur la crémation dans l'antiquité et sur des collections particulières de tableaux, tel était le genre de ses premiers travaux. Sa plus grande entreprise fut une *Histoire des usages funèbres et des sépultures des peuples anciens*, qu'il publia de 1856 à 1861, sous les auspices du ministre de l'Instruction publique et des cultes ; mais il s'en lassa vite, et le livre fut abandonné après le deuxième volume. Th. Gautier fit un bel éloge de cet ouvrage de poète et d'archéologue ; il remercia bientôt Feydeau, en tête du *Roman de la momie*, d'avoir « soulevé » devant lui « le voile de la mystérieuse Isis », de lui avoir ouvert son érudition et sa bibliothèque. Les archéologues de profession eurent du mépris pour leur collègue improvisé ; ils le dirent ; mais Feydeau ne s'en alarma point ; il « affirma qu'il n'y avait que quatre erreurs dans son livre et les défia de les trouver » !

Il suffirait de lire la préface : « Essai sur l'histoire des mœurs et des coutumes » pour s'aviser que Feydeau n'a point eu d'autres préoccupations que celles d'un littérateur et d'un amateur de choses d'art. Il y a remis en montre toutes les vieilles théories romantiques revernies à neuf dans les bureaux de *l'Artiste* sur l'évocation poétique du passé, — seuls, dit-il, les poètes devinent la couleur historique et font réellement revivre les siècles passés, — sur l'abondance et la richesse nécessaires des descriptions, sur l'utilisation profitable des détails en vue de la couleur locale, sur l'élimination de toute préoccupation de morale, etc. Rien ne manque à ce petit écrit, qui se donne les airs d'une *Préface de Cromwell*, des lieux communs d'esthétique littéraire qui furent le plus en faveur de 1825 à 1850. Th. Gautier, qui ne s'en prive point, les colore du moins avec verve ; à peine si Feydeau les démarque.

Et il n'est pas besoin de pousser bien avant la lecture de l'*Histoire des usages funèbres* pour se rendre compte qu'il n'y a là effectivement que de la littérature. « Tête froide et cœur chaud, voilà, disait la préface, quelles sont les deux indispensables qualités de tout historien » ; la « tête froide » s'intéressait aux monuments figurés ou aux textes, mais elle échauffait vite « le cœur » ; et il ne s'agissait plus que de descriptions et d'évocations à toute volée d'imagination, quelquefois sous la forme romanesque ; c'est ainsi que Feydeau décrit longuement un lever de soleil sur Thèbes, apparemment pour reconstituer la physionomie de la vieille ville, telle qu'elle était à l'époque de la XIXe dynastie. Flaubert n'a pas traité autrement sa Carthage, et il a vu, avec la même netteté de l'image, le soleil se coucher, ou la lune se lever sur la colline de Byrsa ! L'archéologie n'était qu'un accès à la littérature, une invitation au poème !

Feydeau ne s'illusionnait d'ailleurs pas plus qu'il n'était convenable sur la valeur de cette théorie, et surtout il ne croyait pas qu'il dût y croire longtemps ; il annonçait, en queue de préface, que sa carrière d'archéologue dépendrait du succès de son livre ; le succès fut médiocre ; Feydeau n'insista pas, il alla à d'autres inspirations ; c'est tout au plus si, en 1860, il se souviendra assez de ses études passées pour donner à un voyage en Algérie le prétexte d'une mission archéologique qui fut de pure fantaisie.

Il renouvela sa manière, ou plutôt il en prit une autre, qui fut également provisoire. L'art pour l'art, la phrase de prose belle comme le vers, le livre harmonieux comme un poème, la transformation par le style des matières les moins nobles, la dépréciation du sujet devant le prestige de la forme, etc., c'était là encore une des grandes théories sur lesquelles on bataillait dans les bureaux de *l'Artiste*. Flaubert, quand il y venait, ne manquait pas de s'emporter à propos de toutes les idées qu'il soutenait ; mais il mettait une particulière véhémence à celle-là, et, le paradoxe l'entraînant, il arrivait à rêver d'un « livre sur rien... qui n'aurait presque pas de sujet, ou du moins où le sujet serait presque invisible ». Feydeau répéta docilement ces propos : « Ce que l'un de nous trois — Gautier, Flaubert et lui — pensait sur n'importe quel sujet était invariablement le reflet ou l'écho de l'opinion des deux autres ! » Les Goncourt se sont amusés à noter le spectacle que tous trois donnaient à leurs amis, dans ces moments d'exaltation : « 11 avril 1857, cinq heures, rencontré à *l'Artiste* Gautier, Feydeau, Flaubert.... Entre Flaubert et Feydeau, ce sont de petites recettes du métier, agitées avec de grands gestes et d'énormes éclats de voix, des procédés à la mécanique de talent littéraire, emphatiquement et sérieusement exposés, des théories puériles et graves, ridicules et solennelles sur les façons d'écrire et les moyens de faire de la bonne prose : enfin tant d'importance donnée au vêtement de l'idée, à sa valeur, à sa trame, que l'idée n'est plus que comme une patère à accrocher des sonorités. » Feydeau se montra vite si virtuose que Gautier le proclama « colonel du régiment empanaché des métaphores » ; il l'invita même bientôt à se défier de la facilité qu'il avait « pour enchaîner des mots les uns aux autres ».

Le résultat de cette nouvelle initiation, ce fut un poème en prose, un poème lyrique, *les Quatre Saisons*

— dédié à Th. Gautier — empli de descriptions de nature, et dont les alinéas veulent se dérouler harmonieusement comme des strophes. Le thème en est simple : autour d'un amour qui naît, grandit, dépérit et meurt, la nature, avec l'immense cadre de ses paysages changeants, étale le rajeunissement, la maturité, le vieillissement et la décrépitude de ses propres forces. Le sujet n'est rien ; la forme est tout ; et Flaubert dut être content de son disciple, encore que celui-ci eût l'imitation intempérante, et qu'il poussât un peu loin la théorie chère au maître, que « l'illusion est la seule vérité » et que « toutes les choses, y compris notre existence, n'ont pas d'autre utilité que d'être transposées comme pour l'emploi d'une illusion à décrire », et de donner matière au travail de l'écrivain ou du peintre.

II

Tout cela — archéologie ou prose poétique — ne constituait pas à Feydeau une vraie notoriété, en dehors du petit groupe de ses amis ; dans ce cénacle, comme dans tous les cénacles, les fidèles officiaient bien tour à tour, chantant les louanges de leur voisin ; mais ces balancements complaisants de l'ostensoir, en petite chapelle, ne donnent pas longtemps l'illusion de la célébrité. Feydeau n'avait de vraie conviction littéraire que celle du succès, et il le cherchait avec l'aide d'amis plus expérimentés, impressionné surtout par les réussites brutales qui enrichissent l'auteur et le libraire. Quand *Madame Bovary* parut, avec le gros bruit de scandale qu'elle fit d'abord, Feydeau ne tarda pas à se jeter sur cette route dont le terme paraissait si facile à atteindre. Ce qui avait fait le succès du livre auprès du grand public, c'est qu'il était le premier où l'on eût parlé crûment de l'adultère ; ce qui avait encore augmenté le succès, c'est que l'auteur avait dû s'expliquer devant les magistrats de quelques scènes suspectes ; le public lettré avait apprécié, par surcroît, le travail du style et l'effort d'art. Feydeau adopta la recette, avec des perfectionnements de détail : il se hâta de faire un roman d'armature pareille ; l'adultère en était l'unique sujet, et un adultère renforcé, si je puis dire, par ceci que c'était l'amant qui se tourmentait de jalousie, et non pas le mari ; de même que Flaubert avait écrit la scène du fiacre, il écrivit la scène du balcon ; il conserva au surplus quelques-unes de ses habitudes d'antiquaire minutieusement descriptif. Et *Fanny* eut les mêmes amis et les mêmes adversaires qu'avait eus *Madame Bovary* : sa donnée émut la curiosité ; quelques pages scandalisèrent agréablement ; et tout le monde s'accorda à dire que le style était poétique, que le livre était « écrit », soit qu'on fît cette concession par esprit de justice, ou bien qu'on voulût relever la qualité du plaisir donné par ce roman équivoque.

Fanny eut trente éditions en peu de temps ; les grands critiques, bienveillants ou amers, en parlèrent ; la *Revue des Deux Mondes* le « *canonna* avec tous les honneurs du plus gros calibre » ; Sainte-Beuve l'appelait une des « Bibles de ce temps » ; Flaubert et George Sand l'admiraient complaisamment ; à en croire Flaubert, les cochers de Rouen se prélassaient sur leur siège en lisant *Fanny* ; à l'en croire toujours, un beau mariage bourgeois aurait été manqué parce que le jeune homme surprit le « livre infâme » dans la table à ouvrage de sa fiancée. « Les belles dames se cachaient pour aller acheter chez le libraire « le nouveau roman qui fait du bruit » ; elles feignaient de ne point savoir son titre, par honte, et l'emportaient discrètement, pour le lire avec mystère. Le succès parut d'autant plus grand que Flaubert, ne renouvelant pas sa tentative (il écrivait *Salammbô*), Feydeau put se croire le chef de l'école réaliste. A distance, il y a là de quoi surprendre.

Fanny est un long monologue. Le héros réfugié dans une misérable cabane sur le bord de la mer, au milieu de dunes désertes, « rumine l'amère pâture de ses souvenirs ». Il aimait passionnément sa maîtresse, et son bonheur fut merveilleux, jusqu'au jour où elle lui fit connaître son mari ; peu à peu il fut envahi par un sentiment d'atroce jalousie — l'horreur de ce partage ; après bien des alternatives et des souffrances, il voulut épier sa maîtresse dans son propre intérieur ; une nuit il réussit à gagner un balcon de sa maison de campagne ; derrière la fenêtre, il la voit qui offre ses caresses à son mari. Il a manqué d'en mourir ; et c'est pourquoi il s'est caché dans cette lugubre solitude. « Je m'établis ici pour lutter contre moi-même, pour me désespérer moi-même, pour apprendre si la guérison peut m'être apportée par un hôte moins banal que la mort. » Au bout d'un an, il se sera tué, ou bien il sera consolé ; mais au premier moment il croit que la mort sera la seule issue.

Dans une préface ultérieure, datée de juin 1870, Feydeau a donné des renseignements sur la genèse de son roman, mais la valeur en est douteuse ; l'auteur se délecte, alors qu'il touche à ses cinquante ans, à faire connaître à ses lecteurs, à ses lectrices surtout, qu'il a eu les plus belles fortunes, et nombreuses ; c'est un bavardage galantin assez insupportable. *Fanny* n'aurait pas demandé moins de quatorze années d'élaboration inconsciente ; il est vrai que l'œuvre aurait été écrite en onze jours, et le premier chapitre sous une porte cochère. Feydeau proteste que l'aventure est purement imaginaire ; mais, par la suite, il atténue cette belle affirmation, puisqu'il proclame s'être trouvé personnellement plusieurs fois dans la situation de son héros et lui avoir donné « les traits les plus saillants » du caractère qu'il avait à son âge ; l'héroïne fut composée à la ressemblance d'une femme authentique qui voulut bien relire le roman en manuscrit et retoucher un peu son propre portrait ! Quant au troisième personnage — le mari — il fut créé d'après « la loi des contrastes », aussi brutal et peu sympathique que l'amant était délicat et distingué. Tout se groupa autour du même « fait physiologique et social... l'amant jaloux du mari, le supplice secret de l'adultère ».

C'est là, évidemment, ce qui a frappé Sainte-Beuve, et d'une manière générale tous les critiques qui incorporèrent Feydeau au réalisme ; il leur parut qu'il avait analysé un « cas », étudié avec une méthode assez positive une maladie de la sensibilité et, en même temps, une question sociale. « Il est entré dans le laboratoire, dans une salle d'anatomie ; il s'est mis à la table de dissection, et sous une lampe à la Rembrandt, armé du scalpel, il a procédé à la préparation de son sujet, étudiant à fond et nous étalant sans pitié, dans son hypertrophie ou avec son polype, le viscère du cœur » (Sainte-Beuve). Mais cela n'est qu'à l'apparence. Feydeau n'a étudié ni les origines de cette situation, ni le progrès de son évolution ; il se contente de la poser ; il se borne à en varier l'expression en cent manières. De même il serait plaisant de parler des intentions morales de *Fanny*, parce que la première édition portait comme épigraphe deux passages de l'Écriture. Sur ce point il y a eu, au début, quelque hésitation dans l'accueil ;

la *Revue des Deux Mondes* a pu d'abord se laisser prendre à ces prétentions morales ; mais bientôt elle remit les choses au point ; Émile Montégut déclara — et il exprimait là une opinion générale — que si *Madame Bovary* n'était point immorale, *Fanny* était tout simplement « indécente ». En 1858, ce jugement n'était ni très exagéré, ni injuste.

C'est cette « indécence » qui constitua, aux yeux du public, le plus clair du réalisme de *Fanny* ; la « scène du balcon » révolta les critiques et fit le succès du livre : elle était assez osée pour que Feydeau, à l'en croire, eût hésité à l'écrire ; il ne s'y serait décidé que sur les conseils de Flaubert ; encore y a-t-il apporté une rigoureuse pudeur de style. Une ou deux autres scènes sont décrites avec assez de complaisance ; l'auteur cherchait évidemment le scandale. « Les poses, les attitudes secrètes des deux amants sont comme photographiées, grondait Montégut ; il y a une certaine précision plastique dans la peinture du plaisir. » Ces pages nous paraissent aujourd'hui anodines ; depuis un demi-siècle, auteurs et lecteurs ont jeté leur gourme ; la balance de la critique a perdu, depuis l'époque naturaliste, beaucoup de sa sensibilité. Et puis, il faut dire que ces scènes risquées sont un peu comme des hors-d'œuvre ; le livre lui-même n'est point « matérialiste » ou « lascif » ; il serait plutôt composé selon la recette des romans romanesques et idéalistes ; il y a, à ce point de vue, une bien grande différence entre *Fanny* et *Madame Bovary*.

La psychologie et la phraséologie amoureuse romantiques emplissent *Fanny* ; point d'événements extérieurs, rien que des propos d'amour incessamment répétés ; les deux ou trois incidents réels nécessaires au récit passent au tout dernier plan, et n'agissent guère sur les personnages. Ceux-ci ne sont pas identifiés ; ils sont des abstractions : l'amant, la femme. Le mari n'a même pas de nom, l'amant et la femme, simplement un prénom : Roger, Fanny. Pas de personnages de second plan, aucun souci de l'ambiance, du cadre. « Tout est décrit et montré, disait Sainte-Beuve ; tout est rendu visible » ; cela n'est vrai que pour une scène — un dîner — la seule que cite Sainte-Beuve, et pour quelques passages où Feydeau accumule, avec une exactitude de commissaire-priseur, ses connaissances en meubles et en étoffes. On chercherait vainement une description précise et utile, comme les voulait Flaubert ; les images successives du récit sont comme emportées, à mesure qu'elles paraissent, par la passion des héros ; rien ne distrait d'eux et rien ne les explique.

C'est qu'en réalité *Fanny* n'est pas une « étude », — c'est son sous-titre, — mais bien plutôt un poème, où Feydeau a appliqué, comme dans *les Quatre Saisons*, sa théorie du beau style et de la phrase harmonieuse; c'est un thème lyrique qu'il a traité; pas autre chose. La conception même du sujet est absolument idéale : l'amour est tiré hors des contingences réelles ; il est la passion souveraine, qui ne connaît ni les petitesses, ni les ruses, ni les mensonges, ni les compromissions ; il est, par nature, élégant et sublime ; il ne se heurte jamais à des obstacles matériels ! La forme même est significative ; les soixante-quatorze chapitres du roman, les uns de quelques lignes, les autres de quelques pages, tous très courts, sont de véritables strophes, écrites d'un style tendu et plein de métaphores ; on y sent partout le procédé et la rhétorique. Voici, par exemple, comment s'expriment, chez Roger, les toutes premières inquiétudes de la jalousie :

Dès lors, soit que, courbé devant l'âtre, dans ma chambre silencieuse, je cherchasse à donner le change à ma douleur présente, en m'efforçant de rêver aux amours passées ; soit que, lançant à fond de train mon cheval emporté à travers les plaines, je risquasse cent fois ma vie pour briser mon corps de fatigue, afin de détourner sur lui la fatigue de mon cerveau ; soit que je demandasse l'oubli à l'orgie étourdissante, buvant à larges traits le vin qui jamais ne valut une goutte de l'eau du Léthé ; soit que, sur un seul coup de dés, j'exposasse ma fortune pour souffrir au moins d'une émotion qui ne fût pas celle que j'exécrais ; soit enfin qu'enseveli dans les rideaux de mon alcôve je passasse toutes mes nuits à me désoler en évoquant les fantômes des êtres adorés que j'ai perdus ; jamais, ni dans le rêve, ni dans le danger, ni dans l'ivresse, ni dans le jeu, ni même dans le souvenir de ma mère morte, je ne pus parvenir à étouffer le serpent qui me dévorait le cœur. Avec moi, la vision fatale souriait aux amours de ma jeunesse ; avec moi, elle cravachait mon cheval épouvanté ; elle trempait, en ricanant, ses lèvres pâles dans mon verre ; dans le cornet de cuir, elle faisait sonner les dés ; avec moi enfin, elle rêvait à ma mère ! Sur la surface de tous mes souvenirs, de toutes les scènes charmantes, émouvantes, terribles, que je reconstituais dans ma mémoire, s'accentuaient incessamment, soulevés du fond de mon âme, d'autres souvenirs, d'autres images qui les effaçaient. Et il me fallait bien enfin me décider à les accueillir, ces souvenirs abominables ; à les regarder en face, ces images funestes ; car elles me violentaient. Vaincu par elles, enfin, je les envisageais ! Alors c'était horrible, humiliant et douloureux !

On peut imaginer ce que deviendra l'expression, l'ampleur que prendra la strophe, lorsqu'il lui faudra exprimer non plus des soupçons, mais toute la férocité d'une jalousie déchaînée !

En réalité, et malgré le tapage qu'elle fit, *Fanny* était une œuvre retardataire. Cette exaltation de sentiment, cette intempérance de style avaient été à la mode vingt ans auparavant : Roger n'est qu'un héros byronien, un peu déteint, un peu « dandy », mais conforme au type : « ... agitations d'une existence orageuse et tourmentée, abandon aux passions et remords de leur avoir cédé, dégoût de la vie et incurable mélancolie, haine de ses semblables et amour de la solitude, révolte contre Dieu et dérision des choses humaines, scepticisme et pessimisme universels, et sur cet amas de ruines, deux autels dressés l'un à l'amour idéal, l'autre à la nature maternelle.... Le héros byronien est mû par une fatalité interne, la tyrannie de ses passions ardentes et indomptables. Il est déchaîné à travers le monde à la façon d'une force aveugle..... Son amour est mystérieux, terrible, dévastateur « comme une coulée de lave bouillante ».... Sa tendresse est une piété, ses caresses sont une religion.... L'adoration d'une seule femme remplit son existence tout entière.... Objet à la fois d'admiration et d'horreur, « mélange inexprimable de ce qu'on doit aimer et de ce qu'on doit haïr, de ce que l'on doit désirer et de ce que l'on doit craindre » (Estève).

Feydeau se vantait de connaître Byron, de l'avoir même traduit; il y paraît. Les péripéties du banal et confortable adultère, que raconte *Fanny*, prennent, par moments, une couleur singulière. Roger, à cheval, va faire visite à sa maîtresse; il est triste : — c'est une chevauchée fantastique :

.... J'éperonnais mon cheval, qui s'allongeait au ras du sol, tour à tour rassemblé et distendu comme un grand arc tourmenté par des mains fébriles. La lune éclairait de travers la route silencieuse que je suivais, la zébrait de rubans d'argent et semblait se tourner mélancoliquement vers moi pour me suivre de ses blancs regards. Les arbres défilaient à mes côtés, rapides et noirs comme des fantômes périlleusement entraînés dans une ronde. Les chiens qui dormaient dans les cours s'élançaient en aboyant sous les portes, au bruit désordonné des fers de mon cheval s'abattant sur le pavé ! Et le vent qui me fouettait le visage murmurait à mes oreilles des paroles excitantes.

Le mari de Fanny revient de voyage :

L'orage en ce moment gronda plus fort. La foudre tomba. Une trombe de vent rugit dans le feuillage des ormes de l'avenue, soulevant des tourbillons de feuilles et de sable. Je vis alors l'ombre d'un homme s'avancer derrière la première fenêtre à ma gauche et la fermer. Il ferma un peu plus tard les trois autres. Puis la faible lueur qui éclairait le salon jaillit sur les vitres, plus rouge et plus vive ; une seconde lampe était allumée.

Après cela, plus rien. L'avenue déserte, l'orage dans le ciel devenu tout noir, moi, debout sous mon arbre, et le salon vide, avec ses quatre fenêtres flambantes. Onze heures sonnèrent à l'horloge d'une église voisine.

Tout à coup un grincement de roues rapides mordant le sable cria à mon côté.... Un coupé vide passa d'abord, pliant et rebondissant sur ses essieux par l'effet de la secousse ; puis une grande berline de voyage attelée de quatre chevaux de poste tourna brusquement sur elle-même, pendant que les deux battants de la porte cochère se renversaient à droite et à gauche, en dedans.

Je jetai un regard effaré dans la berline. Au fond était adossé un homme ; c'était lui, je le reconnus. A son côté, une femme qui lui parlait ; c'était elle.... Ce fut une vision rapide. Je ne sais s'ils m'aperçurent ; la berline s'était engouffrée sous l'arc béant de la porte, et déjà roulaient sur leurs gonds les deux lourds battants. Ils résonnèrent, en retombant sur eux-mêmes, avec un bruit lugubre et caverneux. Je venais de me garer pour laisser passer mon rival, qui rentrait en maître dans sa maison.

Flaubert a écrit de ce style ; il a mué en des rêves pareillement étranges les médiocres événements de sa vie quotidienne, ses agitations sentimentales ; mais c'était vers 1840, et il n'avait pas vingt ans.

Voilà de quels éléments se compose *Fanny* : des lieux communs romantiques, quelques scènes crues, un style intempérant et rapide, des images tantôt très précises et tantôt fantastiques ; c'est un assez bizarre amalgame ; et peut-être explique-t-il que le succès du livre ait persisté quelque temps ; il pouvait satisfaire les nouvelles curiosités réalistes et les anciennes habitudes romantiques.

En tout cas Feydeau, devant la clameur unanime de la critique et le consentement du grand public, dut se croire quelque temps le réalisme fait homme. « *Fanny*, disait-on, peut être regardé comme l'expression concentrée des tendances de la littérature de ces dernières années. Dans ce petit flacon sont renfermées toutes les essences plus ou moins empoisonnées des œuvres applaudies depuis dix ans. Tout y est : la prétention à la moralité, la crudité lascive, les peintures voluptueuses, l'idolâtrie de la matière » (Montégut). D'être tout cela à la fois, et de l'être si bruyamment, Feydeau, qui n'avait jamais douté de lui-même, devint insupportablement orgueilleux ; il pensa que « tout le génie littéraire du XIXe siècle s'était concrété en lui ». Il disait : « Nous sommes trois : Hugo, Flaubert et moi. » Un jour qu'il causait avec Flaubert, Bouilhet entra ; Feydeau le regarda et lui dit : « Ah ! c'est vous, mon bon Bouilhet, vous êtes digne de nous entendre. » — « Il m'embarrasse plus que Victor Hugo lui-même, écrivait Baudelaire, et je serais moins troublé pour dire à Victor Hugo : Vous êtes bête, que pour dire à Feydeau : Vous n'êtes pas toujours sublime. »

III

Comme il tenait le succès, il se hâta de l'exploiter. « J'hypothéquai, écrira-t-il plus tard, pour une somme de vingt-cinq mille francs mon avenir littéraire chez un éditeur en vogue. » Coup sur coup il publia *Daniel* (1859) et *Catherine d'Overmeire* (1860).

Daniel — dédié à Flaubert — est tout bonnement

en second tirage de *Fanny*, mais en deux volumes, et bien plus compacts ; le style comme la matière ont été étirés pour permettre cet allongement. Il y a une réplique de la « scène du balcon », mais moins osée : un trou dans une cloison d'hôtel permet à Daniel de surprendre le déshabillé de Louise, et de devenir passionnément amoureux d'elle. De même que pour *Fanny*, une épigraphe prétend faire de ce livre voluptueux un traité de morale ; se réclamant d'un mot célèbre de Chamfort, Feydau proclame les droits souverains de l'amour ; son livre, à ce compte, pourrait être considéré comme un plaidoyer avant la lettre en faveur du divorce ! Mais Roger, si byronien qu'il fût, respectait les convenances sociales et ne troublait pas la tranquillité des autres ; Daniel est un héros hagard lâché à travers l'existence, et sur les pas duquel s'accumulent les catastrophes : cela dérive vers la littérature frénétique et le roman macabre. On a pu, sans injustice, lors de l'apparition de *Daniel*, associer le nom de Feydeau et celui du vicomte d'Arlincourt.

Cette fois, la biographie « byronienne » du héros est complète. Daniel, orphelin de naissance, est voué au malheur ; il enferme en lui d'infinies puissances de passion qui le tuent ; il se heurte à la lâche indifférence de la foule. Sa femme, qui a un tempérament de fille, le déshonore ; il fuit le monde. Deux ans après, à Trouville, où il a fixé pour quelque temps son orgueilleuse mélancolie et sa solitude obstinée, il rencontre sur la grève, au milieu d'un orage, et dans un cadre, de lui-même très romantique, celle que le Créateur lui a réservé d'aimer. Il la sauve bientôt dans un incendie ; Louise et Daniel échangent leurs anneaux pour d'impossibles fiançailles. Une conspiration s'ourdit contre ce couple sublime ;

la femme indigne et les prétendants évincés s'unissent pour calomnier Louise ; Daniel triomphe de tous ses ennemis, mais Louise, harassée par cette vie trop intense, meurt d'une maladie de cœur. Le soir de l'enterrement, Daniel entre dans le caveau, où elle repose, et le referme sur lui ; il ouvre le cercueil de la bien-aimée et se tue, en tenant son corps étroitement embrassé !

Les amis mêmes de Feydeau, malgré la grande indulgence qu'ils avaient pour lui, estimèrent qu'il exagérait, et ils le lui dirent avec précaution ; George Sand se plaignit de la tension du style, de l'abus de la « mimique ». Flaubert fut plus net : « Tu me feras le plaisir désormais d'écrire des livres *impersonnels*, de bien mettre ton objectif plus loin, et tu verras comme tes personnages parleront bien du moment que tu ne parleras plus par leur bouche. Tu t'amuses trop avec eux. » D'autre part, le succès du roman ne semble pas avoir été bien vif. Feydeau s'avisa sans doute, après cette expérience, que l'inspiration byronienne n'avait pas été la cause la plus efficace du triomphe de *Fanny*, mais plutôt les scènes réalistes ; la poésie rapportait moins que le réalisme. Il ne s'obstina point et écrivit *Catherine d'Overmeire*. Bien plus que *Fanny* ou que *Daniel*, ce roman doit être inscrit au nombre des tentatives intéressantes de l'école réaliste.

C'est une histoire de fille séduite, transposée dans un cadre flamand, et agrémentée d'incidents plus ou moins épisodiques. Catherine d'Overmeire a été malheureuse, enfant ; sa mère l'a eue d'un amant et ne s'est jamais occupée d'elle. Très bonne et très naïve, elle se laisse prendre aux galanteries d'un vieux libertin qui l'enlève et en fait sa maîtresse. Elle est bientôt abandonnée, avec un enfant. Elle retrouve, dans des circonstances romanesques, sa mère et son père ; mais ils ne peuvent rien pour elle. Heureusement elle sera aimée d'un peintre français original et bon qui l'épousera. L'aventure est suffisamment banale, de soi, pour être tout à fait selon la formule réaliste. Mais il semble que le principal souci de l'auteur ait été justement de la modifier assez pour que l'épithète « réaliste » ne pût plus être d'emploi à son sujet.

Les descriptions, discrètes dans *Fanny*, plus développées dans *Daniel*, sont ici nombreuses, parfois très longues ; mais elles ne sont que des hors-d'œuvre, que des morceaux à effet, où Feydeau satisfait son intempérance de style ; ainsi la description de Bruges et de son carillon, celle du couvent où vit la petite Catherine. L'aventure est idéalisée, dans les rares scènes où elle eût pu être « brutale » ; et surtout elle est compliquée d'événements romanesques. L'enlèvement de Catherine constitue un épisode bien inutilement dramatique ; la reconnaissance par la jeune fille de son père et de sa mère est du pur mélodrame. L'imagination échauffée de Feydeau ne peut se tenir longtemps aux événements quotidiens ; il ne sait pas faire du « réel écrit » ; l'exaltation du style comporte celle des situations.

Quant aux personnages, ils sont certes plus identifiés, plus individualisés que dans *Fanny* ou dans *Daniel* ; et c'est sur ce point que l'effort réaliste de Feydeau est le plus patent. Mais l'auteur ne s'est pas mis en grand frais d'analyse et de psychologie ; une brève définition nous est donnée de chaque personnage, au moment qu'il paraît ; celui-ci s'y conforme étroitement ; ses actes et ses gestes ne nous instruisent pas mieux par la suite. Pourquoi la mère hait-elle sa fille? Pourquoi le père s'est-il fait dominicain? Les années de jeunesse de Catherine sont étudiées.

avec une certaine curiosité et assez de précision ; mais, dès qu'elle entre dans l'aventure que conte le roman, nous ne savons plus rien d'elle ; sa naïveté explique tout. Et puis, les quelques tableaux vrais et simples que renferme ce roman sont gâtés par l'abondance des discours, la multiplication des couplets à effet ; Feydeau ne manque jamais l'occasion d'écrire une tirade ; et, par surcroît, il insère dans le livre de longs morceaux qui n'ont certes rien à y voir : un sermon de dominicain est un prétexte ingénieux pour glisser une ample dissertation psychologique et morale sur la société contemporaine ; le personnage du peintre français a été imaginé uniquement pour que l'auteur pût donner de lui-même une image sympathique et parler de son œuvre ; sous couleur de raconter les attaques dont les tableaux de l'artiste ont été l'objet, Feydeau rappelle en réalité l'accueil fait à *Fanny* et à *Daniel* ; il discute les objections qui lui ont été adressées, et reproche en somme à la critique de n'avoir pas suffisamment admiré ce qui était admirable.

Il y a dans *Catherine d'Overmeire* des passages agréables, de jolies observations ; l'ensemble est écrit avec un certain brio ; mais, presque autant que pour *Fanny* et pour *Daniel*, il semble aujourd'hui bien étrange que ce livre ait pu, aux yeux de quelques-uns, incarner la pure doctrine réaliste. On chercherait même vainement un pendant à la « scène du balcon », encore que l'auteur ait insisté avec complaisance sur les préliminaires de la séduction de Catherine.

Il est vrai que, au moment où *Catherine d'Overmeire* parut, la gloire, trop rapide, de Feydeau déclinait. C'était surtout Sainte-Beuve qui l'avait faite ; son article sur *Fanny* avait été le meilleur des patronages ; pourtant il connaissait bien Feydeau, et dans ses lettres, il lui donnait de sages conseils que cet écrivain arriviste ne suivait point, les jugeant incommodes. Il n'eût tenu qu'à Sainte-Beuve et à Flaubert que leur ami devînt plus digne de sa réputation. Faut-il croire, avec les Goncourt, que l'article de Sainte-Beuve lui fut comme extorqué, qu'il y eut chez lui intimidation morale, produite par « l'invasion de grands diables comme Turgan et Feydeau, tombés inopinément chez lui, et qui lui enlevèrent son article sur *Fanny* »? C'est bien possible. D'ailleurs cet article est en réalité fait à bon compte : Sainte-Beuve y parle au moins autant d'*Adolphe* que de *Fanny* ; il reste dans des généralités prudentes, ne précise ses observations qu'à propos d'une scène de second plan et se détourne vers des lieux communs. Il ne récrivit pas cet article d'éloges ; peut-être fut-il un peu sensible aux reproches qu'on lui fit de favoriser la littérature « sensuelle » et « immorale » ; il se tut sur *Daniel* ; quant à *Catherine d'Overmeire*, il publia un article pour dire qu'il n'en parlerait point ; il lui consacra cependant deux pages aimables, point enthousiastes, où il y avait plus d'admonestations que d'éloges. Peu de temps après, Sainte-Beuve reconnut expressément, à propos de *Salammbô*, que Feydeau avait usurpé, pendant quelque temps, une place qui était due à Flaubert.

Les œuvres qui suivirent *Catherine d'Overmeire* n'offrent vraiment plus d'intérêt pour l'histoire du roman réaliste. *Alger* (1862) et *le Secret du bonheur* (1864) ont été inspirés à Feydeau par un voyage en Algérie. Il se fit charger par le ministère d'État et de la maison de l'Empereur d'une mission archéologique en Algérie, « jusque dans le grand désert saharien ». En fait, il ne s'éloigna guère d'Alger et ne fit point d'archéologie ; la raison vraie de ce voyage était autre. L'Algérie venait d'être mise décidément à la mode dans le petit groupe des amis de Feydeau : Flaubert, pour se documenter sur *Salammbô*, venait d'y voyager, et sa conversation enthousiaste réchauffait sans cesse l'ardeur de ses souvenirs ; Fromentin venait de se donner une célébrité avec ses deux volumes d'impressions algériennes (1856 et 1859) ; Th. Gautier rappelait souvent son voyage de 1845 et présentait au public, avec de splendides éloges, le premier livre de Fromentin; George Sand, à qui Feydeau savait demander des conseils, annonçait que ce livre était appelé à un « succès populaire ». La création de l'éphémère ministère de l'Algérie (1858-1860) appelait plus que par le passé l'attention sur la colonie ; l'Empereur se préparait à lui donner la réclame d'un voyage officiel, d'inaugurations, de revues et de fantasias (septembre 1860). Feydeau céda une fois de plus au miroitement de l'actualité et à la tentation du succès facile, et il écrivit hâtivement un assez pittoresque volume d'impressions, puis un médiocre roman sentimental, qui contient des pages intéressantes sur la colonisation algérienne.

Sylvie, qu'il publia peu de temps après son retour en France (1861), n'est qu'une pochade sur les amours de Baudelaire et de « la Présidente ». *Un début à l'Opéra*, *le Mari de la danseuse*, etc., ne sont que du roman-feuilleton, encore que la préface du premier ait la prétention d'être un manifeste en l'honneur du réalisme. Feydeau en donne cette définition commode : « Le Réalisme est le système qui consiste à peindre la Nature ou l'Humanité telle qu'on la voit. »

Le XIXe siècle, écrit-il, selon moi, pourrait être appelé l'*âge de la matière*. L'*utile* est le dieu de ce siècle. Il a tout envahi. Les intérêts prédominent partout. Les intérêts ont remplacé toutes les choses élevées : la foi, l'amour du beau, de la vertu, de l'idéal. Les artistes pouvaient-ils se soustraire au prosaïsme de leur siècle? Pouvaient-ils tout seuls réagir? Non, disons-le, sans la moindre crainte d'être démentis par les faits ; à une époque qui a supprimé la beauté du costume, qui ne veut plus de *pittoresque* dans la langue, qui ne veut plus de langue idéale, de vers ; à une époque qui a enfanté le suffrage universel, les emprunts nationaux, les *embellissements* de Paris, les associations de capitaux, les chemins de fer, les télégraphes électriques, les bateaux à vapeur cuirassés, les canons rayés, la photographie, les expositions de l'industrie, tout ce qui sert les sens, tout ce qui supprime les distances, tout ce qui va vite, tout ce qui frappe fort et infailliblement, tout ce qui est mathématique, utile, matériel, commode, le réalisme est la seule littérature possible.

..... Et, malgré la critique, malgré les discours académiques et les recommandations officielles, il en faut prendre son parti, car il n'est pas de moyens de l'éviter, le réalisme restera la vivante et seule expression de la littérature dans la seconde moitié du XIXe siècle.

Quel rapport ces belles déclarations ont-elles avec l'œuvre de Feydeau? Lui-même reconnaît, plus loin, qu'il n'a guère étudié que des cas exceptionnels, qu'il est « sorti de la réalité ». Et, au surplus, cette préface a été surtout écrite pour justifier le droit de l'écrivain à ne point se préoccuper de la morale et à introduire dans les romans des scènes scabreuses.

C'est de ce côté-là que Feydeau dériva ; il ne tarda pas à être de moins en moins difficile sur la qualité des succès littéraires qu'il voulait obtenir. Il se préoccupait surtout de bien vendre ses romans. Flaubert en était très sincèrement étonné, lui à qui la littérature, bien loin de l'enrichir, avait, jusqu'alors, « coûté 200 francs » ; il s'inquiétait, car il voyait son ami de plus en plus renoncer à l'*art*, et s'encanailler dans « une manière hâtive et commerciale » où il finirait « bientôt par perdre son talent ». — « Je t'en supplie, écrivait-il, continue comme tu as fait jusqu'à présent » (1860). George Sand et Sainte-Beuve lui donnaient les mêmes conseils et aussi inutilement. D'ailleurs les événements poussaient Feydeau sur cette pente ; il perdait sa femme au début de 1860 (et Flaubert lui donnait pour principale consolation qu'avec ses propres souffrances il pourrait faire de « bons tableaux » et de « bonnes études » !) ; sa situation pécuniaire lui paraissait « désespérée » ; il quittait la Bourse, où il ne « trouvait plus le moyen de gagner de quoi vivre » ; le journalisme, la littérature facile le tentaient ; il céda peu à peu. « Les plus forts y ont péri, lui écrivait Flaubert. L'art est un luxe ; il veut des mains blanches et calmes. On fait d'abord une petite concession, puis deux, puis vingt. On s'illusionne sur sa moralité pendant longtemps, puis on s'en f... complètement. Et puis on devient imbécile tout à fait. » Dix ans après, Flaubert constatera, avec une tristesse résignée que, dans les *Mémoires d'une demoiselle de bonne famille*, il y avait « des folichonneries et qu'il n'y avait que cela ».

CHAPITRE III

LA PHILOSOPHIE DU RÉALISME, SAINTE-BEUVE, TAINE

I

Vers 1860, après le procès de *Madame Bovary* et le scandale de *Fanny*, il semble bien que la cause du roman réaliste ait été gagnée devant le grand public. « Il a tout envahi, constatait un critique, en 1864, physiologie, théologie controverse, histoire ; il pénétrerait même volontiers dans le domaine de la politique, mais les dangers de la tentative l'épouvantent et le forcent à regarder de loin cette terre promise dont l'entrée lui est interdite, où à n'y poser qu'un pied timide pour le retirer aussitôt « (Delaplace). Les Goncourt s'orientèrent alors vers le roman moderne et vrai ; de nouveaux romanciers, E. About, Laurent Pichat, L. Ulbach, F. Fabre, H. Malot, Erckmann-Chatrian, pour ne citer que les plus connus, prétendirent à être appelés, eux aussi, réalistes ; du moins ils consentirent qu'on les étiquetât ainsi, même au prix de quelques horions de la critique. George Sand fut elle-même gagnée par la contagion ; elle ne renonça point, cela va de soi, à sa conception du roman romanesque ; elle resta, comme elle le dira à Flaubert, « le vieux troubadour de pendule d'auberge, qui toujours chante et chantera le parfait amour » ; mais elle ne fut pas intransigeante ; elle accepta le réalisme, parfois même dans ses romans, pour les personnages de second plan, pour le décor aussi : « Peignez en réaliste ou en poète les choses inertes, cela m'est égal ; quand on aborde les mouvements du cœur humain, c'est autre chose. » Cela fut vite sensible. En 1866, une de ses lectrices pouvait gémir avec quelque apparence de raison : « Il me semble que l'esprit quelque peu cru de Flaubert et, hélas ! celui de Goncourt mordent sur George Sand ! Cela me choque, je m'en indigne, et j'écris mon impression sincère, que je termine par une invocation à l'idéalisme et à sa prêtresse, priant les dieux de la garder du réalisme » (Juliette Adam).

La critique traditionaliste, malgré sa mauvaise volonté, devait à la fin reconnaître ce succès. « Il faut en convenir, écrivait, à la fin de 1860, Ch. de Mazade, [le réalisme] règne aujourd'hui, ou il aspire à régner dans les arts, dans la littérature ». Nettement constatait avec tristesse, en 1864, « la faveur avec laquelle ont été reçus les tableaux de mœurs du demi-monde et les peintures de la bohême littéraire », en quoi il incarnait le réalisme. Il fallait admettre, avec résignation ou bien avec des gémissements, que désormais le roman réaliste avait pris place à côté du roman « spiritualiste ». Et ce n'était pas seulement le triomphe de quelques romanciers ; la victoire était plus complète ; « le matérialisme littéraire » (A. de Pontmartin) s'installait en maître partout. Le roman réaliste était fort, non seulement de ses succès, mais aussi des aspirations générales vers « l'exactitude réaliste ». Dès 1861, Montégut constatait : « Ce qui domine dans notre littérature d'imagination comme dans la critique moderne, comme dans la science et dans l'histoire, c'est l'amour du fait, de la réalité, de l'expérience » ; déjà il définissait la nouvelle littérature par les mots d'« empirique » et d'« expérimentale »; avant *Germinie Lacerteux*, il écrivait :

Le roman contemporain, quelque indigent qu'il soit, donne comme il le peut sa note dans ce concert dont la critique moderne est le chef d'orchestre. Lui aussi, il cherche à sa manière à ne relever que de l'expérience ; il exclut les données purement imaginatives, comme étant arbitraires ; il proscrit la passion comme exagérant les objets et les présentant sous de fausses couleurs ; il ne veut amener l'émotion que par l'accumulation minutieuse des détails et des faits. Aussi a-t-il, en dépit de ses allures frivoles, je ne sais quel caractère scientifique. On dirait souvent les notes d'un élève en chirurgie ou le compte rendu d'un cours de clinique ; d'autres foi, il ressemble à une expérience chimique manquée, à un tâtonnement de laboratoire. Un art nouveau sortira-t-il jamais de ces tâtonnements?

De toutes parts un mouvement de retraite se dessinait devant le succès envahissant de l'ennemi. C'est aussi que le roman réaliste avait rencontré un puissant allié : en face de la critique traditionaliste et spiritualiste, s'était dressée la critique moderne et positive ; et il avait fallu de suite compter avec elle.

Au fond, malgré la différence des individus, il y avait eu unanimité de doctrine contre le réalisme : les mêmes reproches ont été adressés à des œuvres médiocres comme celles de Champfleury et à celles qui révélaient un bel effort artistique comme *Madame Bovary*. Tout le haut personnel de la critique d'alors avait reçu la même formation intellectuelle, et en avait gardé les mêmes goûts et les mêmes répugnances ; ils étaient tous *éclectiques* et romantiques ; ils aimaient l'abstraction, la généralité, l'appel au sentiment ; ils ne concevaient pas que le « vrai » pût se manifester indépendamment du « beau » et du « bien » ; une littérature qui ne tendait pas à des conclusions morales les trouvait tous hostiles. Taine, qui, pour ses débuts, attaqua vivement cette « philosophie littéraire », cette « rhétorique élégante » qu'était l'éclectisme, définit, avec une verve point trop injuste, cet état d'esprit commun aux poètes et aux critiques : « Le rêve et l'abstraction, telles furent les deux passions... ; d'un côté l'exaltation sentimentale, « les aspirations de l'âme », le désir vague de bonheur, de beauté, de sublimité, qui imposait aux théories l'obligation d'être consolantes et poétiques, qui fabriquait les systèmes, qui inventait les espérances, qui subordonnait la vérité, qui asservissait la science, qui commandait les doctrines exactement comme on commande un habit ; de l'autre, l'amour des nuages philosophiques, la coutume de planer au haut du ciel, le goût des termes généraux, la perte du style précis, l'oubli de l'analyse, le discrédit de la simplicité, la haine pour l'exactitude : d'un côté la passion de croire sans preuves, de l'autre la faculté de croire sans preuves ; ces deux penchants composent l'esprit du temps. » Or, depuis quelques années très inconsciemment au début, le roman réaliste avait tendu précisément à être le contraire de tout cela ; et il était comme naturel que, le jour où une nouvelle génération entreprit de ruiner la « philosophie régnante », de renouer la tradition interrompue des idéologues, la doctrine positive qu'elle élabora fût aussitôt adoptée par les romanciers réalistes.

Taine devint donc peu à peu, à partir de 1855, le véritable théoricien du réalisme ; il lui donna une étiquette plus reluisante, moins discréditée ; il codifia ses tendances jamais bien définies ; il en fit un système cohérent et commode, applicable à la métaphysique et à la morale aussi bien qu'à l'histoire et à la littérature; il conféra aux œuvres réalistes ce prestige qu'elles parurent contribuer à l'émancipation de la pensée, à l'avènement du positivisme.

Mais, avant de préciser le rôle considérable de Taine, il faut faire place à Sainte-Beuve. La venue au réalisme, vers 1860, de celui qui avait été le héraut du romantisme, de celui qui avait incarné, plus tard, la critique traditionnelle et « juste milieu », fut en effet extrêmement significative : les Goncourt disaient de lui, avec méchanceté, mais non tout à fait faussement : « Sainte-Beuve est, pour ainsi dire, hygrométrique littérairement ; il marque les idées régnantes en littérature, à la façon dont le capucin marque le temps dans un baromètre. » Il commença à « marquer » le réalisme, un peu avant 1860 ; cette conversion causa un grand scandale et quelque émoi parmi les critiques universitaires, qui s'étaient habitués à combattre dans son ombre. Peut-être était-ce un retour aux préférences intellectuelles de sa jeunesse ; il avait commencé « par le XVIIIe siècle le plus avancé » ; il avait eu pour maîtres ces philosophes sensualistes et ces physiologistes que la jeune école vengeait des mépris romantiques ; il se retrouvait, après bien des expériences intellectuelles, libre-penseur, matérialiste et passablement sceptique, plus disposé évidemment que d'autres à accepter quelques-unes des audaces du jour. Mais il fut suspect d'abord aux jeunes ; il s'était en effet rallié à l'Empire, et le réalisme comme le positivisme étaient d'opposition ; depuis 1852 il était au *Moniteur*, et il y avait écrit des articles de complaisance ; il était impopulaire auprès des étudiants ; le tapage du Collège de France, en 1855, le montra bien.

C'est à cette époque précisément que Sainte-Beuve commença à donner vers le réalisme des coups de barre successifs, de plus en plus prononcés. Au cours de ses articles, il avait quelquefois laissé passer, se souvenant peut-être de ses brèves études médicales, certaines formules vagues qui tendaient à assimiler la critique littéraire à l'histoire naturelle ; il avait affirmé qu'il n'étudiait point les œuvres en elles-mêmes seulement, mais à travers l'homme qui les avait écrites, l'époque où elles avaient paru, l'influence qu'elles avaient exercée ; il y avait là les linéaments d'une méthode évidemment bien peu systématisée, mais qui comportait des préoccupations historiques et même scientifiques. Cela lui valut des sympathies dans quelques milieux intellectuels, notamment à l'École normale ; il y fut adopté comme maître par quelques jeunes universitaires, dans le même temps et pour les mêmes raisons que Stendhal ; il y sera quelque temps professeur (1857-1861).

Son influence gagna de proche en proche ; il y fut sensible : la déférence de ceux qui se disaient ses disciples l'entraîna à leur donner des marques de sympathie ; les jeunes auteurs lui envoyaient leurs livres avec de flatteuses dédicaces ; il apprécia d'être porté spontanément à la tête d'un mouvement dont quelques tendances le satisfaisaient véritablement. En 1857, l'année de *Madame Bovary*, il prit publiquement parti : « Je me déclare pour la vérité à tous risques, fût-elle même la réalité » ; il écrivit des articles fort accueillants sur Taine, sur Flaubert, sur Feydeau ; celui qu'il publia sur *Fanny* lui valut une espèce de blâme du ministère ; les autres critiques crièrent à la trahison. Il s'engagea de plus en plus. En 1861, il déclarait aux Goncourt que « seules ont de la valeur les œuvres venant de l'étude de la nature, qu'il a un goût très médiocre pour la fantaisie pure »; il soutenait de ses encouragements Flaubert, les Goncourt, Renan, Feydeau, Baudelaire, et même Champfleury, à qui il tâcha de faire obtenir la légion d'honneur ; il s'intéressa aux débuts de Zola.

Le dîner Magny donna à cette espèce de petit groupe, et sous son patronage, une existence quasi officielle ; ce fut « un des derniers cénacles de la vraie liberté de penser et de parler » ; Sainte-Beuve ne s'y montra pas moins audacieux que les autres. Il pouvait, dès lors, parler de la grande « bataille du roman », et se donner pour un des combattants. De fait, il avait affirmé publiquement, et avec tapage, l'indépendance de la morale et de l'art ; en 1865, il refusa de rédiger un rapport sur l'état des lettres depuis quinze ans, car il comprenait bien qu'on attendait de lui un bel éloge de la tradition, un acquiescement à la devise du beau, du vrai et du bien. « Si j'avais une devise, écrivit-il au ministre Duruy, ce serait le *vrai*, le *vrai* seul. Et que le beau et le bien s'en tirent ensuite comme ils pourront ! Prétendre étudier la littérature actuelle au point de vue de la *tradition*, c'est l'éliminer presque tout entière. C'est en retrancher l'élément le plus actuel, le plus vital, celui qui lui fera peut-être le plus d'honneur dans l'avenir. »

En même temps qu'il se compromettait ainsi par des manifestations de sympathie à l'égard des réalistes, Sainte-Beuve essayait de préciser les aspirations scientifiques de son esprit, et de codifier, en face du système de Taine, sa méthode à lui. « Il me prend, écrit-il en 1862, l'idée d'exposer une fois pour toutes quelques-uns des principes, quelques-unes des habitudes de méthode qui me dirigent dans cette étude, déjà si ancienne, que je fais des personnages littéraires. J'ai souvent entendu reprocher à la critique moderne, à la mienne en particulier, de n'avoir point de théorie, d'être tout historique, tout individuelle. Ceux qui me traitent avec le plus de faveur ont bien voulu me dire que j'étais un assez bon juge, mais qui n'avait pas de Code. J'ai une méthode pourtant,... qui m'a été de bonne heure comme naturelle et que j'ai instinctivement trouvée dès mes premiers essais de critique,... qui se rapporte sans doute par quelques points à la méthode de M. Taine, mais qui en diffère à d'autres égards ; qui a été constamment méconnue dans mes écrits par des contradicteurs qui me traitaient comme le plus sceptique et le plus indécis des critiques, et en simple amuseur. »

Se fût-il jamais obligé à ce travail, s'il n'avait pas été piqué d'amour-propre par l'influence que prenait Taine? Il n'acceptait plus en tout cas d'être traité comme un dilettante, et il déclarait que la critique était pour lui l'histoire naturelle des esprits ; qu'elle avait pour tâche de définir et de classer ; que, dans ce dessein, elle doit user d'un certain nombre de moyens d'enquête, rigoureusement déterminés. En 1864, il se ralliait à l'exposé définitif donné par Taine de la théorie du climat et de la race ; il parlait de la critique « naturelle et physiologique ». Son abjuration était définitive ; mais elle n'était point faite dans la joie du cœur ; il chantait sa « dernière complainte au passé » ; il évoquait délicieusement le charme de l'ancienne critique. « Épicurisme du goût, à jamais perdu, je le crains, interdit désormais du moins à tout critique,... comme je te comprends, comme je te regrette, même en te combattant, même en t'abjurant ! »

Aussi Sainte-Beuve réoccupa-t-il vite, devant

l'opinion libérale, la place que ses complaisances pour le Second Empire lui avaient fait perdre. Au surplus, il prenait position ailleurs qu'en matière littéraire, je veux dire en philosophie et en politique ; il retournait de plus en plus à ce sensualisme et à ce matérialisme qui avaient été la doctrine de sa jeunesse ; il affirmait en pleine Académie que la pensée n'était qu'une sécrétion du cerveau, que le mariage était une institution condamnée à disparaître à bref délai ; il étalait son athéisme. Son dîner du vendredi saint, ses obsèques civiles causèrent un scandale énorme. Au Sénat, il défendait Renan, les idéologues, la philosophie du XVIIIe siècle, la liberté de la presse. En 1868, il passait au *Temps*. Il connaissait la vraie popularité. Au moment de sa mort, Taine pouvait le saluer comme « un des cinq ou six serviteurs les plus utiles de l'esprit humain » dans la France du XIXe siècle. Sa philosophie, sa doctrine, son influence étaient incorporées au mouvement réaliste et scientifique.

II

Sainte-Beuve nous ramène tout naturellement à Taine, car il semble bien que Taine ait eu plus d'influence sur Sainte-Beuve que celui-ci n'en a eu sur lui.

Taine a été le vrai philosophe du réalisme, son théoricien ; il en a coordonné toutes les aspirations éparses, il leur a donné comme support une doctrine solide ; cette doctrine a suggéré des initiatives nouvelles un peu partout, et jusque dans le roman. Le naturalisme de Zola n'a été à l'origine qu'une transposition des idées de Taine ; Zola n'a jamais renié cette influence ; c'est chez Taine bien plus qu'auprès de Flaubert ou des Goncourt qu'il trouva son naturalisme, sa littérature scientifique, son roman expérimental ; dès 1866, il écrivait « une trentaine de pages intitulées : *Une définition du roman* », où il appliquait « largement la méthode de Taine ». Maupassant et Bourget se sont aussi réclamés de Taine comme d'un maître. Il y a eu alors certes d'autres influences puissantes, celles de Littré, de Renan ou de Michelet ; mais aucune ne s'est exercée aussi directement sur les œuvres littéraires, sur le roman lui-même ; aucune ne l'a égalée. « La pensée de ce puissant esprit, disait Anatole France au lendemain de sa mort, nous inspira, vers 1870, un ardent enthousiasme, une sorte de religion... Ce qu'il nous apportait, c'était la méthode et l'observation, c'était le fait et l'idée, c'était la philosophie et l'histoire, c'était la science enfin. Et ce dont il nous débarrassait, c'était l'odieux spiritualisme d'école, c'était l'abominable Cousin et son abominable école ; c'était l'ange universitaire montrant d'un geste académique le ciel de Platon et de Jésus-Christ. »

Taine s'est révélé comme critique au grand public en 1855 ; dix ans après, en 1864, au moment où il publiait en volumes l'*Histoire de la littérature anglaise*, il avait déployé toute sa doctrine ; il en avait dégagé les applications à la critique, à l'histoire, à la philosophie, au roman. Or ces dix années sont celles où le réalisme grandit ; la fortune de Taine accompagna celle du roman réaliste ; elle n'est point née de lui et elle ne l'a point créé ; ce fut un développement parallèle. *Les Philosophes français*, qui sont la déclaration de guerre formelle à l'éclectisme, paraissent en même temps que *Madame Bovary* ; les *Essais de critique et d'histoire*, la même année que *Fanny*. De très bonne heure cette concordance avait été notée : « Croit-on, écrivait J. J. Weiss, en 1858, que ceux qui viennent de dévorer *les Faux Bonshommes*, *Madame Bovary* et les puissants articles de M. Taine, trois parties indivisibles d'un même tout, éprouveraient un plaisir bien pur de tout mélange à relire *le Meunier d'Angibault*, à voir jouer *Kean*, et à essayer de comprendre le chapitre de Lamartine sur les destinées de la poésie ? » Réalisme contre romantisme, positivisme contre spiritualisme : la lutte dépassait désormais l'intérêt d'un simple conflit littéraire.

Il serait inutile de faire ici la biographie intellectuelle de Taine, ou de tenter un exposé complet de son système ; il suffit de rappeler les principales circonstances dans lesquelles sa doctrine se forma, et ce qui, dans cette doctrine, intéressa le roman réaliste. On n'a qu'à faire appel à sa correspondance, à évoquer sa studieuse formation au lycée et à l'École normale, à revoir comment cet esprit, à la compréhension rapide, aux vues claires, a assimilé la métaphysique de Hegel et de Spinoza, et systématisé presque aussitôt ses premières conclusions. Il débuta dans l'Université au moment du coup d'état ; malgré sa prudence, son indifférence, il fut, pour ainsi dire, jeté dehors par les mauvaises volontés administratives, repoussé dans l'opposition. A Paris, pendant les deux ou trois années où il chercha à se créer une situation indépendante, il fit surtout des études de physiologie et d'histoire naturelle ; il disséqua à l'École de médecine. Et son originalité fut justement d'avoir combiné, en un système très charmeur, de grandes aspirations métaphysiques et un esprit avide de précision scientifique, de méthode.

Taine a indiqué lui-même bien des fois le point central de sa théorie, mais jamais mieux peut-être que dans une lettre à J. J. Weiss, en 1859 :

Je fais de la physiologie en matières morales, rien de plus. J'ai emprunté à la philosophie et aux sciences positives des méthodes qui m'ont semblé puissantes, et je les ai appliquées dans les sciences psychologiques. Je traite des sentiments et des idées, comme on fait des fonctions et des organes. Bien mieux, je crois que les deux ordres de faits ont la même nature, sont soumis à des nécessités égales et ne sont que l'envers et l'endroit d'un même individu, l'Univers. Voilà tout.

Il s'agissait de chasser hors des « matières morales » toutes les abstractions qui jusqu'alors y dominaient, et de ne considérer que des faits, des groupes de faits ; d'établir des relations entre ces faits, entre ces groupes de faits ; de formuler des lois. La psychologie, et tout ce qui en dépend, était réduite à la physiologie. Par là-dessus une conception de l'Univers, à laquelle Taine tenait beaucoup, parce qu'elle satisfaisait ses aspirations de poète philosophe, mais qui s'accordait évidemment assez mal avec ses aspirations de savant. Les contemporains ont beaucoup admiré, ou vivement attaqué ce panthéisme, parce qu'il était une négation des doctrines religieuses et du spiritualisme régnant, parce qu'il transportait la notion du divin dans le jeu réglé et harmonieux des forces naturelles, parce qu'il pouvait être, à l'occasion, une doctrine de combat.

Une série de hasards ont fait que c'est d'abord à la littérature que Taine a appliqué ce système. Sa vocation de philosophe n'a rencontré que des obstacles ; ses premières thèses ont été refusées ; il dut se rabattre sur La Fontaine. L'éloge de Tite Live, mis au concours par l'Académie, le tenta, au moment où il cherchait à se créer un nom et des ressources. Plus tard, ce fut son ami Marcelin qui le décida à écrire pour *la Vie parisienne*, etc. Il fut, malgré lui d'abord, littérateur et critique ; et cette considération expliquerait à elle seule l'influence profonde et immédiate que Taine exerça sur les littérateurs. On a connu les applications de son système, avant qu'on se fût bien rendu compte du système lui-même. « J'ignore, écrivait Zola en 1865, quelle peut être la vraie philosophie de M. Taine ; je ne connais cette philosophie que dans ses applications. » On comprit surtout qu'il réduisait la littérature et l'histoire à fournir au savant des documents psychologiques en vue de la connaissance scientifique de l'homme. C'est à quoi tendaient, — et ici je crois tout développement superflu, — les théories qui attirèrent d'abord l'attention du public, et qui n'étaient que les corollaires de principes généraux, celles de la liaison des caractères et des aptitudes, de leur subordination entre eux, de la faculté maîtresse ; la notion d'espèces, de genres, celle d'hérédité, toutes empruntées à l'histoire naturelle ; la conception de la race, du milieu et du moment, etc.

Cette doctrine impressionna fortement les littérateurs parce qu'elle élargissait à l'infini le domaine scientifique ; elle y incorporait les historiens, les critiques, les romanciers ; elle les invitait tous à collaborer à la grande enquête sur l'homme ; chacune de leurs œuvres devenait une monographie, et toutes avaient leur valeur pour la synthèse future ! Taine proclama la souveraineté définitive du document, du fait, de quelque manière qu'il fût présenté. Les romanciers se voyaient, du coup, promus à la dignité de savants, et cela dépassait de beaucoup les timides ambitions dans lesquelles ils s'étaient tenus jusqu'alors ; ils avaient certes quelquefois formulé ce désir, mais sans trop de conviction. Taine leur ouvrit toutes grandes les portes du laboratoire. « Je pense, écrivait-il en 1861, que tout homme cultivé et intelligent, en ramassant son expérience, peut faire un ou deux bons romans, parce qu'en somme un roman n'est qu'un amas d'expériences. » En 1865, il disait plus nettement encore :

Du roman à la critique et de la critique au roman, la distance aujourd'hui n'est pas grande.... Autrefois la critique était l'impression d'un homme de goût.... Entre les mains de Sainte-Beuve, elle est devenue une étude non seulement de l'œuvre, mais de l'auteur ; non seulement de l'auteur, mais de l'homme entier dont l'auteur n'est qu'un fragment. On a trouvé le moyen de découvrir ses sentiments dans son œuvre, d'y démêler ses facultés et ses tendances, leur ordre, leur proportion et leurs degrés ; on en a rapproché ses actions et sa vie, les influences de son temps et de son pays, et on est arrivé, dans ce grand domaine du passé, à reconstruire les personnes vivantes avec les innombrables particularités, avec les traits saillants et spéciaux qui distinguent les individus, les siècles et les races, de telle façon que l'histoire est en train de se refaire, et que, *si le roman s'emploie à montrer ce que nous sommes, la critique s'emploie à montrer ce que nous avons été. L'un et l'autre sont maintenant une grande enquête sur l'homme, sur toutes les variétés, toutes les situations, toutes les floraisons, toutes les dégénérescences de la nature humaine. Par leur sérieux, par leur méthode, par leur exactitude rigoureuse, par leurs avenirs et leurs espérances, toux deux se rapprochent de la science.*

Dès lors, la manière du romancier, et non plus seulement son dessein, pouvait être celle du physiologiste ; son cabinet devenait un laboratoire, et sa table un marbre à dissections : cela justifiait bien des choses ! Il était permis d'affirmer le fait sans précautions, brutalement ; le style pouvait avoir cette raideur et cette énergie qui conviennent à la description des phénomènes et à l'énonciation des lois ; aucune préoccupation, bien entendu, de la morale ; c'est Taine qui proclama le fameux axiome : « Le vice et la vertu sont des produits comme le vitriol et le sucre » ; Zola én fera tout naturellement l'épigraphe de la deuxième édition de *Thérèse Raquin.*

Dès 1855, pour affirmer cette indépendance absolue de la science et de l'art, à l'égard de la morale, Taine s'amusait à esquisser le plaidoyer d'un procureur général en faveur d'un accusé qui a tué sa victime scientifiquement et artistiquement : « ... Jamais plus beau type ne fut offert à un romancier ; au nom de l'art et de la science, au nom des chirurgiens, j'abandonne l'accusation, et je demande à la cour de rendre à la société un homme qui en est le plus bel ornement. » C'est ce même reproche, et ce même thème que Bourget a réarmés plus tard contre Taine, dans *le Disciple*; Robert Greslou, élève d'un Sixte dont les théories ressemblent beaucoup à celles de Taine, ne poursuit une séduction de jeune fille que pour instituer une expérience psychologique. Taine, à ce moment-là, a été très navré de cette attaque, et il a discuté le personnage de Sixte ; mais il n'a point démenti, même alors, cette fondamentale indifférence de la science à la morale. Les romanciers réalistes l'avaient bien affirmée, autour de lui, vers 1860 ; mais c'est lui qui en proclama la formule définitive, et qui en donna la justification. Pareillement, c'est chez lui, et notamment dans quelques pages de son *Thomas Graindorge*, qu'on trouvera l'expression la plus nette de ce pessimisme qui est latent dans la plupart des œuvres réalistes contemporaines.

III

Mais on ne saurait borner là l'histoire des rapports de Taine avec le réalisme. En 1857, au lendemain du succès de ses *Philosophes français*, il était en passe de devenir à bref délai un grand critique littéraire. Cela lui donnait des droits et des devoirs. D'ailleurs une crise menaçante de santé, causée par ses excès de travail, l'obligeait à quitter sa vie de cénobite et à chercher des distractions mondaines. Il en profita pour compléter le recueil de ses expériences ; il fit des *interviews* pour son plaisir, pour son instruction personnelle ; il fréquenta quelques salons. Rentré chez lui, fidèle toujours à son culte du document, il reportait sur ses carnets de notes le résultat de ses observations ; c'est de ces notes que sortira, sur la prière de Marcelin, le *Thomas Graindorge*. La vie, la vraie vie, — la matière des romans modernes, tels qu'il les concevait, — à laquelle jusqu'alors il n'avait guère participé, devant laquelle même il avait fui, s'offrait à lui. Il étudia le monde, et d'abord dans les spécimens qui l'intéressaient le plus, dans les écrivains et dans les artistes.

C'est ainsi qu'il entra en relations avec Flaubert, au lendemain de *Salammbô*, par l'intermédiaire de Sainte-Beuve, sans doute. *Madame Bovary* l'avait d'ailleurs empli d'admiration : « Je ne connais pas de plus beau roman depuis Balzac. » Il essaya, selon sa méthode, de déterminer la faculté maîtresse de Flaubert, et il formula, ce qui n'était point mal : une puissance de vision exacerbée jusqu'à la maladie. Il apprécia remarquablement l'obstination de Flaubert à transmettre par l'écriture la vision du détail physique, ses habitudes de travail minutieux et acharné. Les deux portraits qu'il a tracés de lui sont des plus vivants et des plus sympathiques. Chez Flaubert, sans doute, il rencontra les Goncourt ; il aima leurs travaux historiques, il goûta chez eux la passion du document. Bientôt il fut amené au dîner Magny ; il y connut Renan, Berthelot, Th. Gautier, George Sand. Il fréquenta chez la princesse Mathilde et chez la Païva.

C'était là pourtant un milieu assez hostile aux

universitaires, aux normaliens de lettres ; les Goncourt ne virent pas Taine entrer chez Flaubert de très bon œil :

Un monsieur arrive, mince, maigre, rêche, la barbe pauvre, l'œil dissimulé sous ses lunettes ; mais sa figure, un peu effacée, s'anime en parlant, et son regard prend de la grâce en vous écoutant. Il a une parole amène tombant d'une bouche aux dents longues d'une vieille Anglaise. C'est Taine, l'incarnation en chair et en os de la critique moderne, critique à la fois très savante, très ingénieuse, et très souvent fausse au delà de ce qu'on peut imaginer. Il persiste chez lui un restant de professeur faisant sa classe. On ne se défroque pas de cela, mais le côté universitaire est sauvé par une grande simplicité, une remarquable douceur de rapports, une attention d'homme bien élevé et se donnant poliment aux autres.

Là comme ailleurs, il s'imposa, et les Goncourt recueillent dans leur *Journal*, avec une particulière attention, les propos de Taine, parmi ceux des dîneurs de Magny.

Pendant cette période il a rendu au réalisme un grand service, entre bien d'autres, celui de lui donner authentiquement deux ancêtres et des plus honorables : Balzac en 1858, Stendhal en 1864. Zola se rappelait encore, en 1893, l'effet considérable de ces deux articles : « Je me souviens du grand coup que nous porta la lecture des premières œuvres de cet écrivain.... Ce qui nous enthousiasmait le plus, c'était son étude sur Stendhal .... C'était sa longue étude sur Balzac, si puissante, si complète, si hardie. » Il avait suffi pour cela à Taine d'appliquer à Stendhal et à Balzac sa doctrine de critique, de se laisser aller à sa sympathie pour des écrivains qui aimaient le fait précis, et qui, par delà leur métier de romancier, avaient de belles vues générales ; il étudia Balzac et Stendhal, en tant surtout qu'ils ressemblaient à Taine, en tant qu'ils avaient été pour lui un aliment intellectuel.

Ces deux études furent, nous l'avons vu, de véritables manifestes de propagande réaliste.

C'est dans cette même période de sa vie, à l'époque de cette admiration si consciente pour Balzac et pour Stendhal, au moment où il fréquente avec curiosité les romanciers réalistes, que Taine tenta d'écrire, lui aussi, un roman; cette démarche n'avait, de sa part, rien de surprenant, puisqu'il avait préalablement assimilé la critique et le roman ; c'était simplement une monographie, un « recueil d'expériences », qu'il entreprenait d'écrire, sous la forme romanesque. Il comptait bien y enfermer la même matière que dans ses ouvrages de critique et mettre en œuvre les procédés et les formules que lui avaient révélés l'étude de Balzac et celle de Stendhal.

Peut-être aussi quelques circonstances l'y poussèrent; il fut assez effrayé, en 1862, de son état de santé et d'une sorte d'affaiblissement intellectuel qu'il crut noter en lui.

Je me suis épuisé la tête, je suis obligé de m'arrêter, de rester oisif plusieurs fois par an, parfois trois ou quatre mois ; je suis resté deux ans entiers incapable d'écrire et même de lire. Il me faut un effort énorme pour écrire, et, au bout de deux heures, trois heures, quelquefois une heure, je suis obligé de quitter, je ne puis plus mettre deux idées ensemble. Probablement mon genre d'écrire est contraire à la nature.

.... Il faut donc changer de style ; grande entreprise ; d'abord prendre du repos, beaucoup de repos, puis chercher, dans les facultés qui me restent, celles que je puis mettre à profit.

.... Il me reste l'habitude de prendre des notes au courant de la plume, d'écrire mes impressions comme je fais en ce moment.... Je n'ai aucune peine à prendre ces notes ; quand j'ai une impression, elle coule naturellement sur le papier; les mots viennent d'eux-mêmes. La difficulté commence pour moi quand je veux construire logiquement le système de mon idée et ne plus éprouver en même temps l'espèce d'émotion convenable.

Ainsi il y a un genre littéraire de ce côté, exempt de fatigue, très bon en ce que les impressions, les idées y ont une fraîcheur, une sincérité extrêmes, c'est le genre de Stendhal et de ses notes.

C'est de ce nouvel état d'esprit que sortirent les *Notes sur Paris*, et sans doute aussi *Étienne Mayran* : le roman était bien ce « genre littéraire exempt de fatigue », en quête duquel il était parti, à un moment où il désespérait peut-être de mener à bout de plus grands projets.

Ce roman inachevé devait montrer la naissance et la formation d'une âme et d'une intelligence fort semblables à celles de Taine. Tel qu'il nous est parvenu, le livre ne dépasse pas les années de lycée. Étienne Mayran perd son père à quatorze ans et reste sans fortune ; il s'offre comme « bête à concours » à M. Carpentier, chef d'une institution parisienne. A Paris, son intelligence, sa sensibilité, et surtout sa volonté s'affirment ; il impose l'estime à ses maîtres comme à ses camarades. A elle seule, cette donnée, strictement psychologique, aussi peu romanesque que possible, marque que le livre a été conçu au temps de la grande admiration de Taine pour Stendhal ; c'est l'étude d'un esprit supérieur, très analyste de soi-même, et doué d'une admirable volonté, comme Julien Sorel ou Fabrice del Dongo. Étienne Mayran est un Julien Sorel qu'on aurait mis à la pension Carpentier, en 1845, au lieu de le faire entrer au séminaire, vers 1825. Taine étudie en lui, comme Stendhal en Julien ou en Fabrice, ses propres tendances et ses aspirations les plus fortes ; ce n'est pas à proprement parler son existence qu'il raconte, ni son image qu'il dessine, et pourtant cela ne ressemble qu'à lui.

Étienne Mayran est donc, comme *le Rouge et le Noir* et comme *la Chartreuse de Parme*, moins un roman qu'une étude psychologique, où l'auteur apporte un esprit scientifique, des procédés d'exacte analyse, une précision minutieuse des détails et du style. Tout ce qui ne concourt pas à l'explication des actes ou des décisions d'Étienne ne compte pas, ou du moins passe au second plan ; aucun événement qui ne nous soit surtout montré tel que la pensée du jeune homme l'a reflété. A la fin, le roman devenait même une pure biographie intellectuelle, une étude raisonnée des petites circonstances et des multiples influences qui, dans la réalité, ont concouru à former l'esprit de Taine ; il nous fait connaître l'éveil de sa vocation historique, les premiers germes de son système critique. S'il eût été continué, nous eussions probablement vu Étienne Mayran à l'École normale, puis dans l'Université ; et ce livre eût doublé de façon précieuse les admirables lettres des années de jeunesse de Taine.

C'est cette ressemblance avec Stendhal qui, à en croire les familiers de Taine, aurait découragé le nouveau romancier d'achever son dessein. « Je copiais Stendhal, aurait-il dit, sans m'en apercevoir. » Ce n'est pas exact ; il faisait seulement, avec des procédés analogues à ceux de Stendhal, mais plus systématiques, plus complets, plus rigoureusement appliqués, l'étude des tendances les plus chères de son caractère et de son esprit ; et pour les mieux étudier, il les transposait, à la manière de Stendhal, accusées et légèrement idéalisées, dans un personnage de fiction.

La forme est toute stendhalienne : sécheresse voulue du style ; entassement des notations précises ; subordination étroite du plan à l'évolution des sentiments, etc. Mais Taine n'imitait pas que Stendhal ; il avait subi l'influence de Flaubert et des Goncourt, de Flaubert surtout. Comme lui, il s'attacha à peindre les sentiments exclusivement par leurs manifestations concrètes ; les quelques pages qui décrivent la douleur d'Étienne Mayran, au lendemain de la mort de son père, sont très typiques. Comme lui encore, il cherchait à transmettre par l'écriture la vision nette du détail physique, et, à ce dessein, il ajoute fréquemment à l'expression d'une idée abstraite, ou même d'une image peu vive, une soudaine et caractéristique image, qui s'imprime brutalement dans le cerveau : « La voiture traversa avec un grand fracas plusieurs villages endormis, et ces maisons aux longs toits penchés, qui se levaient tout d'un coup, comme un troupeau sur les deux bords de la route, avaient l'air de personnes vivantes effarouchées en sursaut hors de leur sommeil.... — Quelques figures ternes, en robes noires, avec un rabat, traversaient la cour en remuant les bras, comme des corbeaux qui battent des ailes.... — On voyait sa gaieté, sa colère et son désir comme on voit les cailloux sous une eau de roche. » C'est là comme la marque de fabrique des réalistes de l'art pour l'art.

On pourrait également attirer l'attention sur la place qui est faite par Taine au « milieu » dans lequel vit Étienne Mayran ; il y a de nombreux personnages secondaires, types d'écoliers surtout, de répétiteurs ou de professeurs, qui constituent une véritable galerie de portraits, et qui ne sont pas là toujours que pour donner la réplique au personnage principal. Stendhal, le modèle de Taine, n'avait point, malgré l'apparence, cette préoccupation ; et il est bien symptomatique qu'il ne décrive que fort brièvement le séminaire où Julien Sorel achève de prendre conscience de sa propre valeur. Flaubert, au contraire, et les Goncourt ne s'absorbaient pas ainsi dans la contemplation de leur héros principal ; et il est bien possible que Taine ait eu l'intention de les suivre.

Mais il serait délicat de vouloir définir, même par une esquisse vague, la manière de Taine comme romancier, puisque lui-même il s'est arrêté, dans sa première œuvre, au moment où peut-être il commençait seulement à avoir de claires intentions. Il a renoncé, parce qu'il jugeait son œuvre trop semblable à celle des romanciers qu'il aimait. Cela même est bien significatif ; cet abandon de son dessein, aussi bien que le dessein lui-même, prouve combien furent étroits les liens qui l'unirent, vers 1860, à l'école réaliste.

CHAPITRE IV

LES GONCOURT (1860-1870)

I

Ce n'est que vers 1860 que les Goncourt commencèrent à prendre part à la bataille réaliste. A cette date, les journées décisives avaient eu lieu; le réalisme s'imposait de plus en plus, ne fût-ce que par l'habitude. De nouvelles perspectives, des visées plus hautes étaient permises aux romanciers. Mais ceux qui avaient le mieux, jusqu'alors, représenté le réalisme, Champfleury, Duranty, Flaubert, Feydeau, se taisaient, ou bien le succès les quittait. Les Goncourt prirent la place qui se faisait libre; à vrai dire, ils avaient publié leur premier livre en 1851, mais leur premier roman, à proprement parler (il n'y a guère à tenir compte de leur œuvre de début *En* 18..) date de 1860. De 1860 à 1870 ils ont donné six romans: *Charles Demailly*, *Sœur Philomène*, *Renée Mauperin*, *Germinie Lacerteux*, *Manette Salomon* et *Madame Gervaisais*. En 1870, le cadet des deux frères, Jules, mourut. Ce fut sept ans après seulement que le survivant, Edmond, continua, avec *la Fille Elisa*, cette série de romans. Et les temps avaient changé; le naturalisme s'était substitué au réalisme ; bientôt Edmond de Goncourt cherchera à se dégager de Zola, comme d'un ami trop compromettant ; il tiendra à honneur, ne fût-ce que par souci de « l'écriture », de ne point mériter l'étiquette de naturaliste ; il sera obligé de rappeler, avec une complaisance un peu chagrine, que lui et son frère ont été des devanciers. Mais il serait oiseux de pousser jusque-là notre étude ; pour déterminer le rôle qu'eurent les Goncourt et la nature de leur réalisme, il est nécessaire de s'arrêter à la date de 1870. Seule l'œuvre commune des deux frères intéresse l'histoire du roman réaliste.

Peut-être parce qu'ils sont venus plus tard, ils ont plus complètement réalisé les aspirations principales et diverses de la doctrine réaliste, qui se manifestaient depuis une quinzaine d'années : le roman sociologique à la Balzac; le goût pour l'information minutieuse et méthodique à la manière de Flaubert; la préférence pour les tableaux et les personnages empruntés aux milieux populaires, comme le voulait Champfleury ; la conception de la monographie scientifique formulée par Taine. Mais, tandis que tous leurs devanciers ne se conformaient que bien imparfaitement à leur programme, empêchés qu'ils étaient, Balzac, par son romantisme, Flaubert, par sa personnalité de poète et de philosophe, Champfleury, par la médiocrité de son information et son peu d'envergure, — les Goncourt sont allés presque jusqu'au bout de leurs idées, et ils ont eu la conscience très nette de ce qu'ils faisaient : leurs « préfaces et manifestes » accusent les intentions évidentes dans les œuvres. Ils ont ainsi présenté, vers 1865, un système littéraire fort cohérent, qui est, à vrai dire, la première forme de la doctrine naturaliste, et non plus seulement réaliste. Zola vient à la vie littéraire au moment où paraît *Germinie Lacerteux* ; et ce roman l'aide à découvrir son chemin; *Thérèse Raquin* suivra de peu *Germinie Lacerteux*, et sera, comme lui, « un roman médical, un cas curieux d'hystérie ».

On ne saurait avoir la prétention de donner, en un chapitre, l'image complète de ce que furent ces écrivains, si originaux, d'autant que leur collaboration complique encore la recherche ; on devrait peut-être tâcher, bien difficilement, d'établir la part qui revient à chacun. Il faut de même renoncer à étudier avec quelque développement l'histoire de leurs débuts, de ces dix années de vie littéraire et de production historique qui précèdent leur venue au roman. Quelques indications suffiront à avertir que leur conception du roman n'a point jailli spontanément dans leur esprit, et que, sans parler des idées qui étaient « en l'air », toute leur activité antérieure les y préparait.

Au rebours de la plupart de leurs contemporains, les Goncourt ne semblent guère avoir subi l'influence de la culture classique ; l'antiquité leur parut de bonne heure n'être que « le pain des professeurs » ; l'histoire de France, antérieurement au XVIIIe siècle, fut pour eux comme si elle n'existait pas ; ils ne s'intéressèrent, dès leurs débuts, qu'au *moderne*, sous toutes ses formes. Surtout ils étaient passionnés d'art, de recherches dans les musées et dans les collections ; ils ne conçurent pas de meilleur emploi de leur travail que d'écrire des monographies sur la société du XVIIIe siècle, ses arts et ses mœurs : *Histoire de la société française pendant la Révolution et le Directoire ; — Sophie Arnould ; — Portraits intimes du* XVIIIe *siècle ; — Marie Antoinette ; — L'Art du* XVIIIe *siècle*. Ils essayaient, dans tous ces livres, de faire revivre cette société, non pas dans ses tendances générales, dans ses pensées ou ses grandes actions, mais par ses plus petits gestes, ses habitudes de vie, son mobillier, le décor de ses appartements, etc. Il fallait pour cela une énorme documentation, une recherche obstinée du détail précis ;

Pour une pareille histoire, pour cette reconstitution entière d'une société, il faudra que la patience et le courage de l'historien demandent des lumières, des documents, des secours à tous les signes, à toutes les traces, à tous les restes de l'époque. Il faudra que sans lassitude il rassemble de toutes parts les éléments de son œuvre, divers comme son œuvre même. Il aura à feuilleter les histoires du temps, les dépositions personnelles, les historiographes, les mémorialistes. Il recourra aux romanciers, aux auteurs dramatiques, aux conteurs, aux poètes comiques. Il feuillettera les journaux et descendra à ces feuilles éphémères et volantes, jouets du vent, trésors du curieux, tout étonnés d'être pour la première fois feuilletés par l'étude : brochures, *sottisiers*, pamphlets, *gazetins*, factums. Mais l'imprimé ne lui suffira pas : il frappera à une source nouvelle, il ira aux confessions inédites de l'époque, aux lettres autographes, et il demandera à ce papier vivant la franchise crue de la vérité et la vérité intime de l'histoire. Mais les livres, les lettres, la bibliothèque et le cabinet noir du passé, ne seront point encore assez pour cet historien : s'il veut saisir son siècle sur le vif et le peindre tout chaud, il sera nécessaire qu'il le pousse au delà du papier imprimé ou écrit. Un siècle a d'autres outils de survie, d'autres instruments et d'autres monuments d'immortalité : il a, pour se témoigner au souvenir et durer au regard, le bois, le cuivre, la laine même et la soie, le ciseau de ses sculpteurs, le pinceau de ses peintres, le burin de ses graveurs, le compas de ses architectes. Ce sera dans ces reliques d'un temps, dans son art, dans son industrie, que l'historien cherchera et trouvera ses accords. Ce sera dans la communion de cette inspiration d'un temps, sous la possession de son charme et de son sourire, que l'historien arrivera à vivre par la pensée aussi bien que par les yeux dans le passé de son étude et de son choix, et à donner à son histoire cette vie de la ressemblance, la physionomie de ce qu'il aura voulu peindre.

Cette histoire qui demande ces travaux, ces recherches, cette assimilation et ces intuitions, nous l'avons tentée (1860).

et encore :

Nous avons recouru, pour cette reconstitution, à tous les documents du temps, à tous ses témoignages, à ses moindres signes. Nous avons interrogé le livre et la brochure, le manuscrit et la lettre. Nous avons cherché le passé partout où le passé respire. Nous l'avons évoqué dans ces monuments peints et gravés, dans ces mille figurations qui rendent au regard et à la pensée la présence de ce qui n'est plus que souvenir et poussière. Nous l'avons poursuivi dans le papier des greffes, dans les échos des procès, dans les mémoires judiciaires, véritables archives des passions humaines qui sont la confession du foyer. Aux éléments usuels de l'histoire, nous avons ajouté tous les documents nouveaux, et jusqu'ici ignorés, de l'histoire morale et sociale (1862).

Ce sont là des habitudes d'esprit et des méthodes de travail auxquelles, une fois prises, on ne peut plus renoncer. Les Goncourt les transportèrent de l'histoire au roman ; et comme ils continuèrent, après 1860, leurs recherches et leurs publications historiques, en même temps qu'ils écrivaient des romans, ils n'établirent point, entre ces deux modes d'activité, de différences autres que celles qui étaient commandées par la nature des sujets et les conditions de la documentation.

A vrai dire, cette curiosité historique n'était pas désintéressée. « Nous ne cachons point, écrira plus tard Edmond de Goncourt, d'avoir été des créatures passionnées, nerveuses, maladivement impressionnables. » Leurs curiosités d'art, la recherche des documents avaient surtout pour but de satisfaire cette inquiétude ; il fallait trouver du nouveau, incessamment, de l'étrange au besoin, des impressions qui pussent râper une sensibilité de trop bonne heure mise en jeu et vite émoussée. C'est cela encore qu'ils chercheront, plus tard, dans le roman, et même dans le plus naturaliste de leurs romans, celui qui semble le plus objectif, *Germinie Lacerteux* ; la « vérité moderne » est pour eux surtout « le poignant des choses qui nous touchent, nous font vibrer les nerfs et saigner le cœur ». Leur existence était organisée uniquement pour se donner les excitants nécessaires de cette sensibilité ; elle était quasi toute cérébrale ; c'était la plupart du temps une « claustration absolue » ; leurs préoccupations d'écrivains ne les quittaient pas du matin au soir ; ils recherchaient avec passion toutes les occasions utiles de s'émouvoir ; ils faisaient volontiers des expériences sur eux-mêmes ; à ce métier ils se rendaient malades tous deux ; Jules se détraquait plus vite : « Mon frère est mort du travail, et surtout de l'élaboration de la forme ;... nous sommes arrivés à une sensibilité supra-aiguë que blessaient les infiniment petits de la vie... Quand nous avons fait *Charles Demailly*, j'étais plus malade que lui. »

Le goût du document, l'habitude de la monographie de mœurs, le besoin de sensations fortes, voilà ce qui peut surtout nous intéresser dans l'œuvre des Goncourt, avant 1860 ; c'était déjà une manière de système littéraire, bon pour le roman. Mais, comme de juste, ils n'arrivèrent pas tout de suite à réaliser cette conception nouvelle : ils avaient trop de choses à dire, et toutes à la fois.

Charles Demailly (1860), qui parut d'abord sous le titre, plus significatif, de *les Hommes de lettres*, est l'étude, vibrante et tourmentée, des milieux littéraires qu'ils fréquentaient, de leur propre existence d'écrivains ; un véritable livre à clefs. Le héros, Charles Demailly, est d'ailleurs lui-même fait à l'image de l'un des deux frères, à moins qu'il ne les incarne tous les deux à la fois. Jules, mourant, relira ce livre, pour y chercher l'explication de son mal, la description de sa neurasthénie, et l'annonce de sa déchéance prochaine. C'était trop ému, trop personnel, trop confus encore.

Sœur Philomène (1861) marqua, à ce point de vue, un vrai progrès. « Ce livre est le plus impersonnel de ceux que nous avons écrits jusqu'ici.... Nous ne voulions pas entasser les personnages, les physionomies morales, comme dans nos *Hommes de lettres*, nous cherchions ici l'unité, la concentration. » C'est une histoire d'hôpital, — une sœur très purement amoureuse d'un interne, — où le décor, de l'aveu même des auteurs, « marchait sur les personnages »; ce décor, « la vie de l'hôpital... les conversations des malades... les physionomies secondaires d'élèves, celle du chirurgien en chef Malivoire » enthousiasmaient Flaubert ; son seul reproche était qu'il n'y avait point assez « d'horreurs » ; les auteurs avaient « dosé la chair de poule selon une mesure raisonnable ».

Renée Mauperin (1864), qui avait dû d'abord s'appeler *la Jeune Bourgeoisie*, fut « une analyse psychologique.. en 1864... de la jeunesse contemporaine »; c'était l'étude de cas moins rares, de milieux moins restreints, une entrée décisive dans le roman de mœurs, ou plutôt dans l'étude sociale, par le moyen du roman.

Germinie Lacerteux (1865) fut la réalisation la plus complète peut-être du réalisme des Goncourt. «Champfleury est dépassé, je crois, constatait Flaubert. La grande question du réalisme n'a jamais été si carrément posée ». Une préface explicite donnait une théorie du roman moderne et affirmait, en particulier, le droit, pour les auteurs, d'y représenter les basses classes.

La même année, une pièce de théâtre, *Henrielle Maréchal*, obtenait, sinon le succès, que n'eut aucun des romans, du moins une gloire tapageuse ; elle mettait à la scène, elle aussi, « la vérité moderne », et bien que fort différente, à tous points de vue, de *Germinie Lacerleux*, elle achevait de situer les Goncourt, devant l'opinion, comme les plus déterminés des réalistes.

Manelte Salomon (1867), qui d'abord devait s'appeler l'*Atelier Langiboul*, est, à nouveau, une étude de mœurs contemporaines ; elle présentait le monde des artistes, à la vie duquel les écrivains et les poètes, depuis près d'un quart de siècle, n'avaient cessé de participer ; là encore le milieu et le décor débordaient de partout sur les personnages.

Madame Gervaisais (1869) clôt cette série de tentatives ; « les auteurs de *Germinie Lacerleux*, disaient eux-mêmes les Goncourt, ont essayé de donner une note nouvelle et inattendue » ; c'était « l'histoire d'une âme, d'une intelligence et d'un cœur de femme... l'analyse et l'étude détaillée d'une conversion de femme philosophe arrivée au dernier degré de l'extatisme » ; la piété était étudiée comme un phénomène, observée dans une de ses maladies.

Telle fut la suite des œuvres, dans leur progrès et leur variété. Dégageons maintenant, de ces œuvres elles-mêmes, des préfaces qui les accompagnent, des notes du *Journal* qui les éclairent, la conception du roman réaliste que les Goncourt ont représentée entre 1860 et 1870.

II

« L'histoire est un roman qui a été ; le roman est de l'histoire qui aurait pu être » : telle est la formule qui résume le mieux le point de départ de la conception des deux frères, et qui explique leur méthode de travail, la tendance de leurs esprits « à introduire dans l'invention la réalité du *document humain*, à faire entrer dans le roman un peu de cette histoire individuelle qui dans l'histoire n'a pas d'historien. »

Puisque le roman n'est que l'histoire d'aujourd'hui ou bien celle de demain, le romancier doit procéder comme l'historien, chercher à reconstituer la vérité grâce à un recueillement aussi complet que possible de faits authentiques. « L'idéal du roman : c'est de donner avec l'art la plus vive impression du vrai humain, quel qu'il soit. » Dès 1861, ils annonçaient : « Un des caractères particuliers de nos romans, ce sera d'être les romans les plus historiques de ce temps-ci, les romans qui fourniront le plus de faits vrais et d'idées vraies à l'histoire. » Là-dessus, ils se réclament de Balzac : « Le roman depuis Balzac n'a plus rien de commun avec ce que nos pères entendaient par le roman. Le roman actuel se fait avec des *documents* racontés, ou relevés d'après nature, comme l'histoire se fait avec des documents écrits. Les historiens sont les raconteurs du passé; les romanciers sont les raconteurs du présent. » Les Goncourt ne parleront pas autrement de leur *Journal* : « Notre effort a été de chercher à faire revivre auprès de la postérité nos contemporains dans leur ressemblance animée, à les faire revivre par la sténographie ardente d'une conversation, par la surprise physiologique d'un geste, par ces riens de la passion où se révèle une personnalité, par ce je ne sais quoi qui donne l'intensité de la vie. »

Tout ce qui, jusqu'alors, caractérisait surtout le roman comme genre littéraire, l'intrigue, l'aventure amoureuse, les caractères, etc., tout cela ne compte pas ; la seule définition, c'est que le roman est *docu-*

mentaire, tant par son dessein que par son élaboration; il est «la vérité moderne», et comme, seul, le moderne compte pour les Goncourt, il n'y avait, de là, qu'un pas à faire pour dire que le roman est plus vrai que l'histoire : les Goncourt l'ont dit, dès 1860 : le roman « est la seule histoire vraie après tout ».

Mais quel est ce «vrai»? Toutes les doctrines littéraires y prétendent, et il y a autant de « vrais » que d'écrivains. Ce n'est pas principalement la vérité psychologique, celle d'un caractère qui se développe logiquement et s'explique clairement ; ni la vérité des descriptions minutieuses ; ni, au début du moins, la vérité des faits scientifiques, sur lesquels on espère fonder une induction ; c'est le « vrai » auquel aboutissent les recherches historiques. La matière sur laquelle doit porter l'effort d'investigation, c'est la peinture des mœurs de la société contemporaine ; le roman est une histoire des mœurs. Balzac, dans sa préface de la *Comédie humaine*, avait posé ce principe, mais il le compromettait aussitôt par de douteuses analogies avec l'histoire naturelle ; plutôt qu'à la société, il en voulait aux « espèces sociales ».

Chez les Goncourt, ce dessein, et l'effort pour le réaliser, s'affirment à chaque volume ; les premiers titres auxquels songent les auteurs sont, à eux seuls, significatifs : *les Hommes de lettres*, *la Jeune Bourgeoisie*, *l'Atelier Langibout* disent mieux ce que sont les livres que *Charles Demailly*, *Renée Mauperin* et *Manette Salomon*. Chacun d'eux montre un des compartiments de la société moderne, tantôt des groupements restreints, tantôt toute une classe : le monde des hommes de lettres, ou celui des artistes ; les habitants d'un hôpital ; les milieux catholiques ; « la jeune bourgeoisie » ; les classes populaires. « L'affabulation d'un roman à l'instar de tous les romans n'est que secondaire dans cette œuvre, dira la préface (1875) de *Renée Mauperin*. Ses auteurs, en effet, ont, préférablement à tout, cherché à peindre, avec le moins d'imagination possible, la *jeune fille moderne*, telle que l'éducation artistique et garçonnière des trente dernières années l'ont faite. Les auteurs se sont préoccupés, avant tout, de montrer le *jeune homme moderne*, tel que le font, au sortir du collège, depuis l'avènement du roi Louis-Philippe, la fortune des doctrinaires, le règne du parlementarisme. » Et ce dessein a été parfaitement réalisé. Bien plus que chez Balzac, Champfleury, Duranty, Flaubert, les personnages tendent à n'être que les représentants typiques du groupe auquel ils appartiennent. De là, sans doute, la place donnée aux conversations, dont le laisser-aller permet aux auteurs, par de fréquentes allusions à des événements qui ne rentrent point dans le roman, d'accumuler les documents utiles.

Mais il faut restreindre encore cette conception de « la vérité moderne ». De même qu'en histoire les grandes crises, les périodes tourmentées sont plus faciles à connaître, et d'un récit plus commode, de même les Goncourt ont plusieurs fois dirigé le roman vers l'étude des cas anormaux ; ces cas sont vrais d'une vérité particulièrement riche, qu'on peut étudier à loisir, comme on ferait dans une clinique ; à condition de les bien choisir, ils ne sont pas que des déformations étranges, ils sont le grossissement de tendances normales de la société. Étudiant l'homme de lettres et l'artiste, les Goncourt veulent surtout faire connaître ce qui est à la fois leur génie et leur tare, l'affinement de la sensibilité jusqu'à l'exagération; cela apparaîtra mieux dans la maladie, née de cette perpétuelle excitation intellectuelle, et qui use progressivement l'esprit et la volonté ; les préoccupations sexuelles aggravent le cas. « *Charles Demailly* et *Manette Salomon* sont bâtis sur un même sujet : l'anéantissement progressif de deux intelligences d'élite par deux femmes.... Tous deux sont des victimes du don de sentir. » Nous sommes mieux renseignés, par deux cas extrêmes, sur les conditions de vie d'un artiste ou d'un écrivain que par dix biographies d'existences médiocres. C'est du moins ce que les Goncourt ont espéré.

Cette manière de voir s'est affirmée avec *Germinie Lacerteux*, qui est l'étude d'un cas d'authentique hystérie ; les auteurs ont suivi, dans ses phases successives, la dégradation physique de la malheureuse servante : ivresse, mensonge, vol, abrutissement, saleté, crapuleuse débauche, consomption et mort ; c'est la « clinique de l'amour ». Le cas certes est étudié surtout pour lui-même et ne permet guère de conclusions générales ; il renseigne néanmoins sur les conditions de vie dans les classes populaires, sur la démoralisation de la rue, l'attrait de l'absinthe et les tentations de la débauche. Quant à *Madame Gervaisais*, c'est, par excellence, l'étude d'un « beau cas », présentant tous les symptômes de la maladie, ordonnés d'une façon logique, aboutissant aux crises classées, et se dénouant conformément aux prévisions de la science ; c'est une hypertrophie du sentiment religieux, dont on peut établir la courbe de fièvre, rigoureusement et d'un bout à l'autre, et qui est un excellent document pour l'étude du sentiment religieux en lui-même. Les antécédents de Mme Gervaisais sont soigneusement notés ; de même les premières circonstances de son séjour à Rome, ses fréquentations ; un accès de fièvre la met en état de moindre résistance ; la visite des églises, les cérémonies de la semaine sainte agissent sur sa sensibilité ; l'ébranlement cérébral est donné ; tout va désormais l'augmenter : une maladie de l'enfant, la rencontre d'une amie mystique, des lectures pieuses, toute la conspiration du milieu romain. Puis c'est l'influence directe du confesseur, la dévotion qui se fait automatique, l'intelligence qui s'engourdit, la sensibilité qui se dessèche ; c'est l'ardeur de propagande, parfois méchante. Enfin arrivent les accidents nerveux, les extases, la flagellation mystique ; la phtisie se développe sur ce terrain trop bien préparé ; et la mort ne se présente que comme une complication qui était trop à prévoir. La revue des formes, normales ou morbides, du sentiment religieux est complète ; elle n'a été qu'une description des symptômes extérieurs, sans commentaires, sans prétentions proprement psychologiques.

C'est ainsi que la conception historique du roman rejoint, chez les Goncourt, la conception scientifique, qui a été celle de Flaubert, par moments, celle de Taine, et plus tard celle de Zola. Les deux frères s'en sont eux-mêmes avisés, à l'époque où ils publiaient *Germinie Lacerteux* : « Le roman s'est imposé les études et le devoir de la science » ; ils félicitent un jeune auteur de croire, comme eux, à « un grand mouvement du roman, marchant à l'exactitude des sciences exactes et à la vérité de l'histoire ». Les deux tendances se sont, en effet, unies chez eux, vers 1865 ; ils pourront dire, quelques années après : « Personne n'a encore caractérisé notre talent de romancier. Il se compose d'un mélange bizarre et presque unique, qui fait de nous à la fois des physiologistes et des poètes. » Presque tous les romans qu'ils ont publiés, de 1860 à 1870, sont des monographies d'une des formes du détraquement humain ; le jour où ils achèvent *Madame Gervaisais*, ils constatent : « Les premiers nous avons été les historiens des nerfs » ; leur œuvre, diront-ils à Zola, « repose sur la maladie nerveuse ». C'est par là, mais par ce biais seulement, qu'on peut parler du « roman scientifique » des Goncourt. Ils n'ont fait de la science que parce qu'ils ont eu une « spécialité » ; ils la connaissaient trop bien pour l'avoir étudiée sur leur propre tempérament : « ces peintures de la maladie, nous les avons tirées de nous-mêmes ». Autant dire que leur œuvre est toute pénétrée de leur personnalité.

Il est presque superflu de faire remarquer que, au nom de cette conception historique, et, par moments, quasi médicale du roman, les Goncourt prétendent avoir le droit de tout dire, « dussent-ils choquer le public et scandaliser ses goûts » ; comme tous les réalistes, grands ou petits, ils affirment être par delà la morale. Le roman ne prêche point la vertu. « De tout tableau qui procure une impression morale, on peut dire, en thèse générale, que c'est un mauvais tableau. » Il va sans dire aussi que l'impression générale n'est point gaie ; qu'un pessimisme raisonné sourd de l'œuvre ; c'est la marque même de la littérature réaliste.

Pour réaliser ce « vrai », à la fois historique et scientifique, il n'est rien de tel que de transporter dans le roman des aventures authentiques ; Flaubert, pour des raisons différentes, en a usé de même dans *Madame Bovary* et dans *l'Éducation sentimentale.* Mais on l'a su par d'autres, et il a protesté énergiquement que *Madame Bovary* était une histoire inventée. Au contraire, les Goncourt nous ont informés eux-mêmes, très minutieusement, des aventures originales qu'ils avaient mises ne œuvre. Pas un de leurs romans, de

1860 à 1870, dont nous ne puissions dire la genèse ; le plus souvent ils ont pu observer de très près les circonstances qu'ils ont reproduites.

Charles Demailly, c'est l'histoire de leurs débuts dans la petite presse, leurs premières rencontres littéraires (les clefs sont faciles à établir), les premiers symptômes de la maladie nerveuse que leur donna une vie intellectuelle trop intense.

Sœur Philomène, c'est une histoire, contée par Bouilhet « sur une sœur de l'hôpital de Rouen où il était interne. Il avait un ami interne comme lui, et dont cette sœur était amoureuse platoniquement, croit-il. Son ami se pend.... Bouilhet était en train de veiller son ami, quand il voit la sœur entrer, s'agenouiller au pied du lit, dire une prière qui dura un quart d'heure, et tout cela, sans faire plus d'attention à lui que s'il n'était pas là. Lorsque la sœur se relevait, Bouilhet lui mettait dans la main une mèche de cheveux, coupée pour la mère du mort, qu'elle prenait sans un merci, sans une parole ».

Renée Mauperin a été faite à la ressemblance d'une amie d'enfance, « Mlle M..., la cordialité et la loyauté d'un homme alliées à des grâces de jeune fille ; la raison mûrie et le cœur frais ; un esprit enlevé, on ne sait comment, du milieu bourgeois où il a été élevé, et tout plein d'aspirations à la grandeur morale, au dévouement, au sacrifice ; un appétit des choses les plus délicates de l'intelligence et de l'art ». Son vieil ami Denoisel n'est autre que Jules de Goncourt, et il fait de Renée un portrait comme Jules l'avait fait de Mlle M.... La biographie du père de René est celle du père des Goncourt ; le personnage bizarre de Villacourt, dont on vole le nom, et qui vient le réclamer, a existé ; il s'appelait Clermont-Tonnerre.

Germinie Lacerteux s'est appelée dans la réalité Rose ; c'était la vieille bonne des Goncourt, admirablement dévouée ; elle est morte de la poitrine, après « une existence inconnue, odieuse, répugnante, lamentable,... une vie secrète d'orgies nocturnes, de découchages, de fureurs utérines qui faisaient dire à ses amants : « Nous y resterons, elle ou moi ! » Une passion, des passions à la fois de toute la tête, de tout le cœur, de tous les sens et où se mêlaient toutes les maladies de la misérable fille, la phtisie qui apporte de la fureur à la jouissance, l'hystérie, un commencement de folie. » Les étapes de cette déchéance ont été celles de Germinie ; les notes que les Goncourt ont prises, au moment de la mort de la malheureuse, ont été « l'embryon documentaire » sur lequel, deux ans après, ils ont composé le roman. Ils ont mis Germinie en service chez Mlle de Varandeuil, qui n'est qu'une vieille cousine à eux, dont ils ont écrit « une biographie véridique à la façon d'une biographie d'histoire moderne. »

Aucun renseignement de ce genre sur *Manette Salomon* ; c'est sans doute que l'aventure est banale ; le livre contient des portraits dont il n'est pas difficile de désigner les originaux ; il est surtout fait de conversations qui ont été sténographiées dans les ateliers de l'époque.

Mme Gervaisais a d'abord été Mme de C..., une « tante lettrée et artiste », une « femme philosophe dont la conversion au catholicisme, dans le milieu de la capitale de la chrétienté, dont l'incomplet développement intellectuel de son sensuel et tendre enfant, et dont enfin la mort au moment de l'audience accordée par le souverain pontife *leur* ont donné les éléments de *leur* roman ».

Ces renseignements sont déjà tout à fait significatifs ; mais ils ne disent pas encore jusqu'à quel point les romans des Goncourt méritent d'être appelés *documentaires* ; car il ne s'agit que de l'idée même des romans, des personnages principaux, des scènes essentielles. Comme le dessein des Goncourt n'est pas de conter des aventures individuelles, mais bien, chaque fois, de décrire un aspect de la société contemporaine, leurs souvenirs ne peuvent leur fournir, de prime abord, qu'une très petite partie de la matière à élaborer ; c'est un noyau autour duquel viendront se concréter cent autres documents qu'il faudra trouver et choisir. Quand ils ont un projet de livre en tête, les deux frères deviennent des enquêteurs bien plus ardents que Flaubert, moins vite satisfaits, s'en remettant moins aux livres, désireux de contrôler par eux-mêmes la réalité des propos, des attitudes, des intérieurs, des paysages qu'ils jugent nécessaires à leur œuvre. « Il nous faut faire, constatent-ils, pour notre roman de *Sœur Philomène*, des études à l'Hôpital, sur le vrai, sur le *vif*, sur le saignant. » Pendant plusieurs jours, ils fréquentent les salles d'hôpitaux ; pour tout voir, ils y passent même une fois une partie de la nuit ; ils s'emplissent les yeux d'agonies ; ils vont à la consultation de Velpeau. C'est un rude métier pour leurs nerfs, l'odeur d'hôpital les poursuit ; mais ils sont sûrs maintenant d'être vrais. « Ah ! lorsqu'on est empoigné de cette façon, lorsqu'on sent ce dramatique vous remuer ainsi dans la tête et les matériaux de votre œuvre vous faire si frissonnant, combien le petit succès du jour vous est inférieur, et comme ce n'est pas cela que vous visez, mais bien à réaliser ce que vous avez perçu avec l'âme et les yeux ! »

Ils iront chercher, près des fortifications, un paysage pour *Germinie Lacerteux* ; ils se mêlent aux enfants loqueteux, aux femmes en haillons ; ils assistent aux scènes ignobles de la rue. Ils auront le courage de quitter leur confortable intérieur, leurs habitudes de célibataires choyés, pour aller, dans une mauvaise auberge de Barbizon, travailler *Manette Salomon*, parmi des malades et des ratés, qui leur communiquent une lourde tristesse. Ils vont à Rome pour *Madame Gervaisais*, «voyage que nous craignions, que nous avons fait par conscience, par dévouement à la littérature »; ils voient les églises et les musées, se promènent dans les rues de Rome, entassent des notes, et souffrent de la nostalgie de Paris. Quelques mois après, ils commenceront à « paperasser dans *leurs* notes de Rome, à remuer l'embryon de *leur* roman » ; ils accrocheront à leur porte « le plan de Rome, pour continuer à y être, à s'y promener les yeux ». Ils intervieweront le docteur Robin à un dessert de Magny, sur la mort de Mme Gervaisais ; et ils utilisent aussitôt « écrit, fixé et animé... le morceau de la phtisie ». Edmond de Goncourt fera même mieux, plus tard ; voulant écrire une « étude psychologique et physiologique de jeune fille, grandie et élevée dans la serre chaude d'une capitale », il fait appel à la collaboration de ses lectrices ; il ouvre une enquête et dresse un questionnaire sur « l'inconnue *féminilité* du tréfonds de la femme ». Les lettres, — sinon les documents qu'il demandait, — ne durent pas lui manquer.

D'ailleurs les Goncourt ont un trésor toujours à leur portée, et où ils peuvent puiser des documents, recueillis dès longtemps, à tout hasard ; ce *Journal* où ils jettent toutes leurs pensées, toutes leurs visions, et leur « effort tous les jours plus grand et entêté de leur trouver une forme littéraire », ce *Journal* qui les a faits hommes de lettres de leur propre aveu. Ils ont mis de tout là-dedans : visites, conversations, coupures de journal, faits divers, anecdotes, mots d'esprit, expressions populaires, gestes, attitudes, essais de style. Ici des croquis parisiens : portraits de « vieux monsieur », chasse nocturne aux rats, lutte athlétique, séance de police correctionnelle, condamnation à mort aux Assises ; là des types : un médecin de province aux allures de paysan; ailleurs des étrangetés médicales : un cas d'érotomanie, l'opération césarienne d'une naine, qui prit place un moment dans *Germinie Lacerteux* ; plus loin des études de lorettes, de maisons publiques, une visite à la prison de femmes de Clairvaux, etc. Cela constitue vraiment un « cahier documentaire de *leurs* romans futurs ». Le lecteur des romans retrouve là quantité de détails, d'expressions, de gestes, qui l'avaient frappé au passage comme particulièrement typiques et *vrais*, et qui en effet n'ont point été inventés. Une bonne partie de la documentation préexistait à l'œuvre ; de toutes parts le document, pendant la composition du livre, pressait sur l'imagination des auteurs.

La manière enfin dont ils écrivaient leurs romans ne pouvait qu'en accentuer le caractère documentaire ; ensemble, ils disposaient les grandes lignes de l'aventure ; ensemble, ils établissaient le plan et les principales scènes ; puis chacun de son côté remue les notes et les souvenirs ; de là deux rédactions qu'ils fondent. C'est dire que, si l'un deux a négligé un détail utilisable, l'autre ne l'a point oublié ; ou que s'il a échappé à tous deux, ils le retrouvent au moment de la rédaction définitive. Et déjà les paysages avaient été vus, les personnages observés par deux intelligences entraînées à cette besogne ; à deux ils en avaient fixé le souvenir par écrit ; à deux ils réveillaient ce souvenir. Aussi ont-ils réussi à donner souvent de la réalité une représentation si pleine, si drue, des peintures si fouillées, si nerveuses, qu'elles fatiguent. Cette richesse documentaire est trop étalée ; elle éblouit, et, au premier abord, on serait tenté d'y voir l'effet d'une pure fantaisie descriptive.

III

Un roman « vrai », principalement destiné à nous faire connaître les mœurs de la société contemporaine, qui met de préférence sous nos yeux des cas rares, des exagérations, sous l'effet de la maladie, du sentiment ou de la sensibilité, par où s'accusent, comme pour une démonstration, les tendances normales ; un roman où les aventures ne sont pas inventées, mais prises très exactement dans la vie, où pas un détail ne sera introduit que justifié par un bon document ; telle est la conception, la théorie aussi, que les Goncourt ont donnée du roman vers 1865. Mais ces affirmations essentielles ne la font pas connaître complètement ; elles entraînent des conséquences, tant dans la composition des œuvres que dans le choix des sujets, conséquences d'autant plus nécessaires à signaler que, soit imitation, soit obéissance à des nécessités semblables, les futurs romanciers naturalistes, Zola surtout, en useront comme les Goncourt. L'œuvre des deux frères est vraiment, à tous points de vue, la réalisation la plus complète des aspirations réalistes avant 1870, si complète qu'il n'a pas été besoin de la reviser quinze ans plus tard, aux plus beaux temps du naturalisme.

Parce que le roman, ainsi conçu, a surtout pour dessein de peindre la société, parce qu'il est composé fragmentairement, à l'aide de documents recueillis un peu partout, il ne peut plus avoir cette suite, cette belle ordonnance logique que Flaubert lui-même avait su et voulu garder dans *Madame Bovary*. Il ne sera qu'une suite de tableaux, assez peu reliés les uns aux autres, dont chacun est destiné à montrer quelque aspect, physique ou moral, d'une classe de la société. Plus tard, Edmond de Goncourt poussera jusqu'au bout cette conséquence, en souhaitant la disparition du mot même de *roman*. « Je voudrais faire des romans sans plus de complication que la plupart des drames intimes de l'existence.... Ma pensée est que la dernière évolution du roman, pour arriver à devenir tout à fait le grand livre des temps modernes, c'est de se faire un livre de pure analyse : livre pour lequel, — je l'ai cherché sans réussite, — un *jeune* trouvera peut-être, quelque jour, une nouvelle dénomination, une dénomination autre que celle de roman. » Ce que Edmond de Goncourt écrit là, en 1884 (Préface de *Chérie*), il le pensait déjà avec son frère, en 1865. *Renée Mauperin*, le plus « roman » de leurs romans, ne l'est guère : des apparitions successives de personnages, dont chacun a pour principale raison d'être qu'il est un type de toute une partie de la classe bourgeoise, de la jeune ou de l'ancienne génération ; des biographies détaillées, qui nous renseignent sur la famille des personnages, leur vie antérieure, le milieu qu'ils fréquentent, leurs croyances, leurs menues habitudes de vie, leur budget, leur costume, leurs tics ; d'incessantes conversations, pleines d'allusions aux événements du jour, de propos de circonstance, de *scies* contemporaines ; de loin en loin quelque scène rapide et dramatique pour nous rappeler qu'il s'agit d'un mariage, ou nous faire prévoir une mort prochaine.

Les personnages deviennent ainsi trop représentatifs, les auteurs ayant rassemblé sur un même cas toutes les particularités des cas qu'ils ont observés un peu partout; Henri Mauperin est trop « *lè jeune homme moderne* tel que le font au sortir du collège, depuis l'avènement du roi Louis-Philippe, la fortune des doctrinaires, le règne du parlementarisme » ; sa sœur, Renée, est trop « la *jeune fille moderne*, telle que l'éducation artistique et garçonnière des trente dernières années l'ont faite ». Il n'est fait grâce à Mme Gervaisais d'aucune des aventures par lesquelles on glisse à l'hystérie religieuse. On souhaiterait quelque détente, un peu d'imprévu, des événements et des propos dont on n'ait pas à se dire tout uniment : comme ils sont caractéristiques de telle époque ou de tel milieu ! Ces personnages de romans, si vrais, si soigneusement analysés, n'ont plus guère d'individualité ; et si on les compare aux croquis alertes du *Journal*, on est déconcerté de leur raideur. Ils sont comme des meubles de fabrication moderne, qui sont trop « Louis XV » ou trop « Empire ». La méthode d'accumulation des détails, d'entassement documentaire, ne donne que bien peu de temps l'illusion cherchée du vrai.

Autre conséquence, qui n'a point été d'effet aussi général ; toute l'œuvre est organisée pour nous montrer des types, des individus moyens et représentatifs de leur classe. Or les classes populaires sont particulièrement commodes à ce dessein.

Nous avons commencé, nous, par la canaille, parce que la femme et l'homme du peuple, plus rapprochés de la nature et de la sauvagerie, sont des créatures simples et peu compliquées, tandis que le Parisien et la Parisienne de la société, ces civilisés excessifs, dont l'originalité tranchée est faite toute de nuances, toute de demi-teintes, toute de ces riens insaisissables, pareils aux riens coquets et neutres avec lesquels se façonne le caractère d'une toilette distinguée de femme, demandent des années pour qu'on les perce, pour qu'on les sache, pour qu'on les *attrape*.... Puis autour de ce Parisien, de cette Parisienne, tout est long, difficile, diplomatiquement laborieux à saisir. L'intérieur d'un ouvrier, d'une ouvrière, un observateur l'emporte en une visite.... (1879).

Peut-être, d'ailleurs, ne fut-ce pas la seule raison qui détermina les Goncourt à écrire *Germinie Lacerteux* ; la vieille Rose mourut l'année même où paraissaient *les Misérables* ; le roman populaire, dont la fortune n'avait pas décru depuis les triomphes d'Eugène Sue, semblait élevé à la dignité d'œuvre d'art. La préface qui accompagnait *Germinie Lacerteux* fut une manière de prêche, au nom de la démocratie et de l'humanité.

Vivant au XIXe siècle, dans un temps de suffrage universel, de démocratie, de libéralisme, nous nous sommes demandé si ce qu'on appelle « les basses classes » n'avait pas droit au roman ; si ce monde sous un monde, le peuple, devait rester sous le coup de l'interdit littéraire et des dédains d'auteurs, qui ont fait jusqu'ici le silence sur l'âme et sur le cœur qu'il peut avoir. Nous nous sommes demandé s'il y avait encore pour l'écrivain et le lecteur, en ces années d'égalité où nous sommes, des classes indignes, des malheurs trop bas, des drames trop mal embouchés, des catastrophes d'une terreur trop peu noble. Il nous est venu la curiosité de savoir si cette forme conventionnelle d'une littérature oubliée et d'une société disparue, la Tragédie, était définitivement morte ; si dans un pays sans caste et sans aristocratie légale, les misères des petits et des pauvres parleraient à l'intérêt, à l'émotion, à la pitié, aussi haut que les misères des grands et des riches ; si, en un mot, les larmes qu'on pleure en bas pourraient faire pleurer comme celles qu'on pleure en haut.

.... [Que le roman] montre des misères bonnes à ne pas laisser oublier aux heureux de Paris ; qu'il fasse voir aux gens du monde ce que les dames de charité ont le courage de voir, ce que les Reines autrefois faisaient toucher de l'œil à leurs enfants dans les hospices : la souffrance humaine, présente et toute vive, qui apprend la charité ; que le Roman ait cette religion que le siècle passé appelait de ce vaste et large nom : *Humanité,* il lui suffit de cette conscience : son droit est là.

Ce ton attendri et ces propos de morale ne sont pas si fréquents chez les Goncourt pour qu'on ne soit pas en droit de les signaler, et d'y voir quelque influence secrète de la mode littéraire vers l'année 1863. Mais il n'en était pas moins logique que le roman documentaire s'appliquât de préférence aux humbles ; c'était d'ailleurs dans les milieux populaires que les premiers romanciers réalistes avaient cherché leurs sujets ; Champfleury et Duranty avaient même donné de cette préférence une explication fort semblable à celle des Goncourt.

Germinie Lacerteux fut, en tout cas, d'un remarquable exemple. Cette « littérature putride », pour parler comme L. Ulbach, ces types de bonne, d'ouvrier et de voyou, ces scènes de cuisine, de cabaret ou d'hôtel borgne, la grossièreté nécessaire des propos étaient bien tentantes pour les jeunes romanciers réalistes, qui, autant qu'à leurs théories scientifiques, tenaient à secouer violemment les habitudes du public, à prendre, en tout, le contrepied du roman idéaliste ; rien de mieux pour ce dessein que les sujets populaires. *La Fille Élisa* et surtout *l'Assommoir* témoigneront, quelques années après, que le naturalisme, après le réalisme, et à son exemple, y fut naturellement amené.

Edmond de Goncourt, par désir de sauver son originalité, et pour répudier tout pacte avec Zola, protesta plus tard contre la « canaille littéraire » :

On peut publier des *Assommoir* et des *Germinie Lacerteux*, et agiter et remuer et passionner une partie du public. Oui ! mais pour moi, les succès de ces livres ne sont que de brillants combats d'avant-garde, et la grande bataille qui décidera de la victoire du réalisme, du naturalisme, de l'*étude d'après nature* en littérature, ne se livrera pas sur le terrain que les auteurs de ces deux romans ont choisi. Le jour où l'analyse cruelle que mon ami, M. Zola, et peut-être moi-même, avons apportée dans la peinture du bas de la société, sera reprise par un écrivain de talent, et employée à la reproduction des hommes et des femmes du monde, dans les milieux d'éducation et de distinction, — ce jour-là seulement, le classicisme et sa queue seront tués.

.... Le réalisme, pour user du mot bête, du mot drapeau, n'a pas en effet l'unique mission de décrire ce qui est bas, ce qui est répugnant, ce qui pue ; il est venu au monde aussi, lui, pour définir, dans de l'écriture *artiste*, ce qui est élevé, ce qui est joli, ce qui sent bon, et encore pour donner les aspects et les profils des êtres raffinés et des choses riches (1879).

Mais ces déclarations tardives n'atténuent pas l'importance exceptionnelle qu'eut *Germinie Lacerteux* dans l'œuvre des Goncourt ; ils ont reconnu cette influence et ils l'ont rappelée ; c'est le jour où cette œuvre parut que Zola vint à eux.

Un des attraits des sujets populaires, en dehors de leur brutalité, une des raisons de leur conformité naturelle avec la doctrine réaliste, c'est la place qu'il y faut faire au décor ; la nouveauté du milieu requiert des descriptions abondantes ; et tous les réalistes, ceux de l'art pour l'art, surtout, ont la passion de décrire ; ils n'osent l'avouer franche et cherchent à la justifier par des prétextes plus ou moins scientifiques. Les Goncourt, à qui George Sand, dès 1860, reprochait de « ne pas laisser un brin d'herbe dans l'ombre, de compter les festons et les astragales », ont poussé jusqu'au bout les idées de Balzac, de Champfleury, de Duranty, de Flaubert, relatives à l'influence d'un paysage et d'un intérieur sur les sentiments d'un personnage, ou du moins à leur accord avec ces sentiments. « La description matérielle des choses et des lieux, écrivent-ils, l'année où paraît

Germinie Lacerteux, n'est point dans le roman, telle que nous la comprenons, la description pour la description. Elle est le moyen de transporter le lecteur dans un certain milieu favorable à l'émotion morale qui doit jaillir de ces choses et des ces lieux. » Ils avaient dit plus nettement déjà : « J'ai remarqué une sorte de logique, une corrélation intime chez presque tous entre l'habitant et la coquille, l'homme et le milieu.... La maison est un individu. »

Évidemment cet accord que les Goncourt veulent établir n'est pas toujours bien sensible ; même dans *Madame Gervaisais*, qui semble le livre le mieux ordonné selon cette manière de voir, les diverses descriptions de Rome, ou des spectacles de la rue, ne concourent pas toutes à expliquer la névrose religieuse. « Tout s'y rencontre (à Rome), affirment les auteurs, pour vaincre et conquérir une âme par l'obsession, la persécution, la conspiration naturelle des choses environnantes; tout y est rassemblé pour mettre un cœur près de la conversion par la perpétuité, par la succession ininterrompue des atteintes, des impressions et des sensations. » Et c'est possible; mais on ne se représente guère comment la vision du Forum, au clair de lune, prédispose Mme Gervaisais à l'extase religieuse ; on a besoin de quelque complaisance pour admettre que la visite à la villa Pamphili la conduit à « une délivrance de ses idées, un paresseux lazzaronisme d'âme » ! Ces descriptions sont surtout, pour les Goncourt, l'occasion de revivre avec art leurs propres sensations ; mais il suffit, pour la théorie, que quelques-unes d'entre elles soient vraiment dirigées à montrer l'influence déterminante des choses sur les gens, et que partout ailleurs ce souci d'expliquer se manifeste, ne fût-ce qu'en une phrase de conclusion.

Tout cela, nous l'avons vu, avait été plus ou moins dit, proclamé ou tenté par les principaux romanciers réalistes depuis 1850. Mais les Goncourt sont les seuls alors qui se soient fait des tendances réalistes une conception nette et rigoureuse, les seuls aussi qui aient cherché avec obstination à faire passer leur théorie dans leurs œuvres. Ils n'eurent pas sur le moment grande influence, faute de succès. *Germinie Lacerteux* elle-même n'attira pas longtemps l'attention du grand public sur eux ; le tapage d'*Henriette Maréchal* fut plus politique que littéraire. Ce n'est qu'après 1875 que la plupart de leurs œuvres eurent des rééditions. Sainte-Beuve promit un article sur *Madame Gervaisais*, mais il ne l'écrivit pas ; il n'osa parler que de leurs travaux historiques et de leurs paradoxes sur l'histoire littéraire ; il se borna à dire de leurs romans, en bloc, qu'ils étaient « très remarquables ». La *Revue des Deux Mondes* découvrit, en 1865, du même coup, *Renée Mauperin*, *Sœur Philomène* et *Germinie Lacerteux*, mais elle les classa dédaigneusement dans « le petit roman » et n'en parla qu'en queue de numéro, et dans la chronique en petit caractère. Brunetière intitulera « le faux naturalisme » un article sur les Goncourt. Zola et Bourget leur rendront plus de justice, — Zola surtout.

Aujourd'hui on s'intéresse plus à leur personne qu'à leur œuvre ; on lit plus leur *Journal* que *Renée Mauperin* ou que *Germinie Lacerteux* ; leur conception du roman, n'ayant été connue qu'à l'époque où Zola faisait à la sienne une réclame bruyante, n'a jamais été appréciée peut-être, même dans le milieu naturaliste, comme elle avait droit à l'être. Jules de Goncourt avait prévu cette défaveur obstinée, deux ou trois mois avant sa mort ; et il protestait d'avance, le jour où, au cours d'une « promenade silencieuse », il déclara brusquement à son frère : « Ça ne fait rien, vois-tu, on nous niera tant qu'on voudra,... il faudra bien reconnaître un jour que nous avons fait *Germinie Lacerleux*... et que *Germinie Lacerleux* est le livre type qui a servi de modèle à tout ce qui a été fabriqué, depuis nous, sous le nom de réalisme, naturalisme, etc. »

CHAPITRE V

VERS LE NATURALISME
LES PREMIERS ROMANS SCIENTIFIQUES DE ZOLA
(1865-1870)

I

En 1865, l'année où parut *Germinie Lacerteux*, Zola publiait son premier roman, *la Confession de Claude*, qui est de pure tradition romantique. Deux ans après, il écrivait *Thérèse Raquin*, selon les dernières formules du réalisme, et les plus intransigeantes ; un an après encore, il concevait le projet de sa grande série des *Rougon-Macquart*, et il en dressait immédiatement le plan. Il faut voir ce que fut cette conversion, comment, en moins de deux ans, Zola vint au réalisme et le dépassa.

En 1864, il était un petit employé aux appointements de 200 francs par mois ; il était attaché au bureau de publicité de la librairie Hachette. Cette place l'avait retiré de la misère où il tombait. Il avait dès longtemps de grands rêves d'avenir ; depuis l'âge de dix-huit ans, il se savait poète ; les mansardes successives où il avait habité l'avaient vu ébaucher des strophes lyriques ou des poèmes épiques.

C'était un romantique forcené, du genre sentimental, libéral, humanitaire, avec une vague philosophie panthéistique; ses dieux étaient George Sand, V. Hugo et Musset, et ses premiers essais poétiques, un amalgame assez médiocre de ces trois influences. On n'a d'ailleurs qu'à se référer à ses « lettres de jeunesse » ; tous les lieux communs du romantisme y ont trouvé place : aucun poncif ne manque à l'obligatoire collection : le siècle est prosaïque, la société est mauvaise, hostile à l'homme de génie; la solitude est nécessaire, et elle est un tourment pour l'âme incomprise du poète. Zola est un Werther, et de la pire espèce, celle des Werthers qui n'ont point de Charlotte ; il tire orgueil, comme de juste, de sa souffrance; le poète a un rôle social, sa mission est sainte, il est un mage, etc.

Ce seront toujours, écrit-il en 1860, pour définir sa conception de la poésie, ces élans vers Dieu, ces cris d'une âme qui demande avec des pleurs la sainte croyance des temps évangéliques, le saint amour de la femme ; ce seront ces blasphèmes d'un cœur ulcéré par le doute et qui, en reniant tout ce qu'il y a de pur et de saint, recherche avec angoisse à recevoir un démenti. Ce sera toujours ce poète saisissant la plume au berceau, ne faisant plus de la littérature avec un traité de rhétorique, mais avec les blessures de son cœur ; se sauvant des pédagogues, qui ne sont pas de son temps, et, dans une sublime ignorance, racontant ses chères visions. Ce sera toujours ce poète interrogeant le futur, divaguant et se perdant dans la nue, pour aller demander le grand mal au Seigneur, bâtissant utopies sur utopies, toujours dévoré par une fiévreuse activité.

La forme préférable de la poésie est donc « le cantique », et c'est celle-là que Zola a choisie; le poète « ne chantant que le bon, le juste et le beau, ne présentant à l'homme que des spectacles de lumière, se relève lui-même, en tâchant de relever autrui » ;

son rôle est de tout idéaliser, de tout moraliser, de tout diviniser. La nature ne sera qu'un prétexte à s'attendrir sur les petites fleurs, à compatir avec l'âme des brins d'herbe, ou avec la sensibilité des insectes; l'amour n'est qu'un thème, jamais renouvelé, de tirades sentimentales, spiritualistes et platoniques ; il est toute pureté, toute vertu ; Zola n'a que du mépris pour « la vie polygamique » des jeunes gens ; il accable la prostituée. Sa candeur est sa force ; il entreprend un poème de trois cents pages sur la naissance de l'amour, « un poème où je dois tout inventer, où tout doit concourir à un seul but : aimer. Et de plus, je n'ai jamais aimé qu'en rêve, et l'on ne m'a jamais aimé même en rêve ! N'importe, comme je me sens capable d'un grand amour, je consulterai mon cœur, je me ferai quelque bel idéal, et peut-être accomplirai-je mon projet ».

Ce « poète de gouttières », — tout à fait conforme au type, — considère de sa mansarde, avec un mépris serein, la vie qu'il n'a pas vue, qu'il ne peut pas voir ; il se croit amoureux, puisqu'un poète sans amour est une absurdité, mais il ne sait parler qu'à une sylphide née de ses lectures, « l'aérienne », plus lointaine encore de la réalité que celle de Chateaubriand. Aussi brûle-t-il, à ce moment-là, tout ce qu'il adorera plus tard : il est furieusement idéaliste ; il bataille avec un de ses amis pour lui démontrer que la littérature peut parfaitement vivre en dehors de la science ; il a horreur du matérialisme ; il se refuse à accepter la doctrine désolante du déterminisme : « Est-ce vrai, Seigneur, que vous nous avez créé pour promener notre misère d'esclavage en esclavage ? Est-ce vrai que cette âme que vous avez partagée avec nous doive se plier comme un vil métal sous l'étreinte du premier venu? Est-ce vrai que la liberté n'est qu'un vain mot ? » Mais il abomine surtout une doctrine littéraire artistique et philosophique dont il sera quelques années plus tard le scandaleux champion; il abomine le réalisme.

Je détourne les yeux du fumier pour les porter sur les roses, non parce que je nie l'utilité du fumier qui fait éclore mes belles fleurs, mais parce que je préfère les roses, si peu utiles pourtant. Tel je me montre à l'égard de la réalité et de l'idéal. J'accepte l'un comme nécessaire, je m'y soumets selon la nature ; mais, dès que je puis m'échapper de cette misère commune, je cours à l'autre, et je m'égare dans mes prairies bien-aimées....

Scheffer, le spiritualiste, me fait penser aux réalistes. Je n'ai jamais bien compris ces messieurs. Je prends le sujet le plus réaliste du monde, une cour de ferme. Du fumier, des canards barbotant dans un ruisseau, un figuier à droite, etc., etc. Voilà bien un tableau qui semble dénué de toute poésie. Mais qu'il vienne un rayon de soleil qui fasse scintiller la paille jaune d'or, miroiter les flaques d'eau, qui glisse dans les feuilles de l'arbre, s'y brise, en ressorte en gerbes de lumière ; que, de plus, on fasse passer dans le fond une leste fillette, une de ces paysannes de Greuze, jetant du grain à tout son petit monde de volailles, dès ce moment, ce tableau n'aura-t-il pas, lui aussi, sa poésie ; ne s'arrêtera-t-on pas charmé, pensant à cette ferme où l'on a bu de si bon lait, un jour que la chaleur était si accablante? Que voulez-vous donc dire avec ce mot de réaliste? Vous vous vantez de ne peindre que des sujets dénués de poésie ! Mais chaque chose a la sienne, le fumier comme les fleurs. Serait-ce parce que vous prétendez imiter la nature servilement? mais alors puisque vous criez tant après la poésie, c'est dire que la nature est prosaïque. Et vous en avez menti. — .... L'art est un,... spiritualiste, réaliste ne sont que des mots,... la poésie est une grande chose et... hors de la poésie il n'y a point de salut.

On pourrait s'amuser à relire quelques-uns des huit ou dix mille vers qu'il composa à cette époque de sa vie, ceux du moins que, vingt ans après, il confiait à P. Alexis, pour les faire connaître au public ; il les donna avec un peu de complaisance au fond, et point seulement par désir de procurer sur lui-même une « pièce à l'appui » ; il n'avait d'ailleurs renoncé tout à fait à être un poète qu'assez tard, au moment où se fit sa rapide conversion au réalisme. Mais nous serions entraînés bien loin, et il suffira de jeter un coup d'œil sur les premières œuvres publiées. *Les Contes à Ninon* (1864) rassemblent des nouvelles dont quelques-unes écrites cinq ou six années auparavant : histoires de fées à l'usage des petits enfants, tirades de philosophie humanitaire, exaltation mystique de la bonté, beaucoup de puérilités, de lieux communs et de bavardages ; cela a une odeur très fade de « Bibliothèque rose ».

La Confession de Claude (1865) est plus intéressante, ne fût-ce que parce qu'elle résume toute cette période de début ; Zola y travaillait depuis 1862 ; et les lettres qu'il écrivait alors à ses amis Cézanne et Baille en sont le perpétuel commentaire. C'est une *Confession d'un enfant du siècle*, recommencée un quart de siècle après la première. Zola y a transposé, sur le mode consacré, comme tant d'autres poétereaux romantiques, les pauvres aventures d'amour dont il pouvait disposer, et cette insondable souffrance morale, qui était comme un uniforme. Claude, c'est lui ; il a d'ailleurs signé de ce pseudonyme son *Salon* en 1866. Le ton est d'une exaltation étrangement romanesque, et l'on a quelque peine à reconnaître dans le livre les souvenirs de ses jeunes années de misère. Claude conte l'histoire de sa première maîtresse, c'est-à-dire celle de sa désillusion amoureuse. C'était une fille, Laurence, qui n'était ni jeune, ni bonne, ni belle ; elle s'installe chez lui, et il s'acoquine à elle, jusqu'au jour où elle le trompe avec un ami et où il a le courage de la chasser. En même temps qu'il subit cette liaison, Claude a un bel amour platonique pour une pure jeune fille qui meurt de la poitrine. Il est lyrique, hagard, tel que Zola imaginait alors le vrai poète ; il est de ceux qui « ont cet effroyable malheur d'avoir en eux une éternelle tempête, un désir immense du bien qui les agite, et les conduit hors des jugements de la foule » ; de violents contrastes se heurtent en lui : « Je rêvais le luxe, et je n'ai plus même un morceau de toile pour me couvrir ; je rêvais la virginité et j'aime une femme impure » ; il est si en dehors du monde des vivants qu'il lui vient « la pensée de vivre sans manger » !

Quelques mois après avoir publié ces pages d'un lyrisme banal et fatigué, Zola commençait à se reprendre ; il jugeait son livre, et il le jugeait bien : « Il est faible en certaines parties, et il contient encore bien des enfantillages. L'élan manque par instants, l'observateur s'évanouit, et le poète reparaît, un poète qui a bu trop de lait et mangé trop de sucre. L'œuvre n'est pas virile, elle est le cri d'un enfant qui pleure et se révolte. » Et, pourtant, à en croire la légende, « un employé du parquet était venu chez Hachette demander des renseignements sur l'auteur de la *Confession de Claude*, dont certains détails réalistes avaient ému la pudeur du procureur impérial ». Zola, à en juger par la manière dont il lança peu après *Thérèse Raquin* et *Madeleine Féral*, n'eût peut-être pas été fâché de cette pudeur officielle, si vraiment elle s'était alarmée jusqu'à poursuivre le livre, et à lui donner le retentissement d'un procès, meilleur que celui de toute autre publicité.

Ce roman lui rapporta quelque argent, mais très peu ; et sa grande ambition était alors de se faire libre, de se donner tout entier à son métier d'homme de lettres ; pour cela il fallait commencer par en vivre ; et seul le journalisme le permettait. Déjà Zola collaborait assez régulièrement au *Salut public* de Lyon et au *Petit Journal* ; « je sais, confessait-il, quel niveau cette feuille occupe dans la littérature, mais je sais aussi qu'elle donne une popularité bien rapide ». Le jour où il se décida à quitter Hachette, il s'employa à « écrire plus ou moins régulièrement dans quatre ou cinq journaux ». Et puis, le roman étant le « genre de l'époque », il se voua au roman ; mais le roman rapportait peu, sous la forme du livre ; il se résigna donc à publier ses œuvres, d'abord comme des feuilletons. « Toute œuvre, constatait-il, pour nourrir son auteur, doit d'abord passer dans un journal qui la paie à raison de 15 à 20 centimes la ligne. » Cela devait l'entraîner ailleurs, et plus loin qu'il ne pensait peut-être : les extases lyriques d'un Claude n'étaient pas le ragoût qu'il fallait, en 1865, aux amateurs de romans-feuilletons.

Les circonstances furent assez favorables à Zola ; il n'était point d'ailleurs maladroit ni timide. Il obtint de rédiger à *l'Événement*, que venait de fonder Villemessant, une sorte de chronique bibliographique, sous le titre « Livres d'aujourd'hui et de demain ». Villemessant s'engoua, paraît-il, de lui, le paya mieux qu'il n'eût osé l'espérer, et lui donna à rédiger un certain nombre de portraits littéraires ou d'articles de fantaisie ; il lui confia même le *Salon* de 1866 ; le nouveau critique d'art en prit occasion pour pousser sa renommée par des articles tapageurs. Ce fut aussi à *l'Événement* que parut, en feuilleton, *le Vœu d'une morte*. « Ce roman de ma jeunesse, écrira Zola en tête d'une réédition (1889), était le seul de tous mes livres qui restait épuisé, et dont je refusais de laisser paraître une nouvelle édition. Je me décide à le rendre au public, non pour son mérite, certes, mais pour la comparaison intéressante que les curieux de littérature pourront être tentés de faire un jour entre ces première pages et celles que j'ai écrites plus tard. » Cette comparaison, hélas ! n'offre guère d'intérêt. *Le Vœu d'une morte* est une œuvre purement mercantile, faite selon les formules du roman populaire à la mode depuis un quart de siècle alors. On y voit un fils du peuple, orphelin, vertueux, savant, célèbre, qui entasse les preuves de générosité et de dévouement. Rien à en retenir, sinon ceci peut-être, qui est assez symptomatique : le héros, qui naturellement est imaginé à la ressemblance de Zola, se passionne « pour l'étude des vérités mathématiques et naturelles » ; il cherche « à formuler la philosophie des sciences » ; il devient un grand savant.

Villemessant se dégoûta vite de ce collaborateur tant choyé d'abord, et Zola connut à nouveau des heures difficiles. « Bien que n'ayant pas de situation fixe dans un journal, il arriva toujours, en déployant beaucoup d'activité, et en acceptant même des besognes peu relevées et peu rétribuées, à se faire avec sa plume, une moyenne de trois ou quatre cents francs par mois. » Une de ces « besognes peu relevées » fut d'écrire, pour *le Messager de Provence*, un roman-feuilleton, *les Mystères de Marseille*, dont le titre rappelait le grand succès d'Eugène Sue, l'archétype du roman-feuilleton. Zola a qualifié lui-même ce livre d' « œuvre de pur métier et de mauvais métier », de « basse production » ; il n'y a donc pas à insister, bien qu'il ait cru devoir le rééditer, en 1884, sous prétexte de se défendre contre des imputations calomnieuses sur ses débuts littéraires. « Il s'agissait, a-t-il expliqué, d'écrire un roman » dont le directeur du journal marseillais « devait fournir les éléments historiques, en fouillant lui-même les greffes des tribunaux de Marseille et d'Aix, afin d'y copier les pièces des grandes affaires locales qui avaient passionné ces villes depuis cinquante ans ». Il est en effet intéressant de noter, avant de passer à des œuvres qui en valent la peine, que Zola a compilé pour son feuilleton des dossiers, des documents exacts. Au moment où ses préoccupations scientifiques s'éveillaient, où il allait se destiner à l'étude physiologique de l'homme, on lui confiait un trésor de renseignements précis sur les bas-fonds de la société, sur les tares sociales, sur les crimes cachés ; il pouvait y retrouver l'origine des principales familles de la bourgeoisie d'une petite ville, suivre leur histoire à travers plusieurs générations, voir la lutte des partis en province, constater le retentissement des grands événements politiques à l'intérieur des familles, etc. Or c'est là la matière des premiers volumes de la série des *Rougon-Macquart* ; peut-être Zola s'est-il souvenu, plus ou moins consciemment, des documents qu'il avait mis en œuvre quelques années à peine auparavant.

II

Au moment où il écrivait, tous les soirs, quelques pages des *Mystères de Marseille*, il consacrait ses matinées à l'œuvre qui devait s'appeler *Thérèse Raquin*. La distance est si grande entre ces deux livres que l'on a peine à admettre qu'ils sont exactement contemporains. L'évolution de Zola serait en effet absolument inexplicable, si nous ne pouvions découvrir, au même moment, dans quelques-uns de ses articles de critique, des indices sérieux du changement d'idées qui se faisait en lui. Les plus intéressants des articles qu'il donna vers 1865-1866, à *l'Événement* et au *Salut public*, ont été recueillis dans *Mes Haines* (1866), en même temps que *Mon Salon* et *Ed. Manet.* Zola s'y révèle un critique plein de bonne volonté, mais maladroit, peu informé, solidement cramponné à trois ou quatre formules, qui lui viennent et du romantisme et de la nouvelle école positive. Ce volume est, avec quelques lettres à Valabrègue, le document qui nous renseigne le mieux sur la conversion au réalisme de l'auteur de la *Confession de Claude.*

Son exaltation lyrique était, au fond, très superficielle ; il n'y avait là à peu près que de la rhétorique, du pastiche; la forme poétique était même rebelle. Comme il était arrivé à Murger et à Champfleury, Zola fut tenté quelquefois de transcrire en des poèmes de prose, simples et familiers, les impressions réelles qu'il avait de la vie. Il écrivit des « Esquisses parisiennes »: *la Vierge au cirage*, *les Vieilles aux yeux bleus*, *les Repoussoirs*, *l'Amour sous les toits*, où il mélangeait à la fantaisie quelques grains d'observation crue. C'était une porte de sortie possible hors de l'idéalisme ; mais ce n'est pas celle-là qu'il prit.

En 1864, en effet, s'il estimait Champfleury, il ne se sentait pas disposé à devenir son disciple ; il grondait même Valabrègue de trop fraterniser avec lui ; et, pour préciser ses propres idées, il rédigeait un morceau assez curieux, *l'Écran*. « Toute œuvre d'art, exposait-il, est comme une fenêtre ouverte sur la création ; il y a, enchâssé dans l'embrasure de la fenêtre, une sorte d'écran transparent, à travers lequel on aperçoit les objets plus ou moins déformés.... La réalité exacte est donc impossible dans une œuvre d'art » ; partant de là, il étudiait successivement « les écrans de génie », l'écran classique, l'écran romantique, l'écran réaliste : ce dernier est « un simple verre à vitre, très mince, très clair, et qui a la prétention d'être si transparent que les images le traversent et se reproduisent ensuite dans toute leur réalité » ; mais, en fait, « il teint les objets, il les réfracte tout comme un autre ;... une fine poussière grise trouble sa limpidité.... D'autre part, les lignes y deviennent plus plantureuses, s'exagèrent pour ainsi dire dans le sens de leur largeur. La vie s'y étale grassement, une vie matérielle et un peu pesante ». Pour conclure, Zola décrivait « l'écran que je préfère » :

Toutes mes sympathies, s'il faut le dire, sont pour l'Écran réaliste ; il contente ma raison, et je sens en lui des beautés immenses de solidité et de vérité. Seulement, je le répète, je ne peux l'accepter tel qu'il veut se présenter à moi ; je ne puis admettre qu'il nous donne des images vraies ; et j'affirme qu'il doit avoir en lui des propriétés particulières qui déforment les images, et qui, par conséquent, font de ces images des œuvres d'art. J'accepte d'ailleurs pleinement sa façon de procéder, qui est celle de se placer en toute franchise devant la nature, de la rendre, dans son ensemble, sans exclusion aucune. L'œuvre d'art, ce me semble, doit embrasser l'horizon entier. — .... Je préfère l'Écran, qui, serrant de plus près la réalité, se contente de mentir juste assez pour me faire sentir un homme dans une image de la création.

Ce n'est guère clair évidemment, puisque cela revient à dire qu'il faut marier heureusement le réalisme et l'idéalisme! C'est à quoi, en effet, Zola se sentait entraîné. Entendons plutôt qu'il désirait, pas bien fermement encore, atténuer un idéalisme, qui était chez lui de commande, et qui lui pesait ; qu'il songeait à utiliser sa propre expérience, à décrire, en les embellissant peu ou prou, ses souvenirs d'enfance ou les années malheureuses de son adolescence. Il était sur le chemin du réalisme « bohème », et à une époque où cette forme du réalisme était déjà périmée.

Mais il subit alors des influences bien plus considérables. Son métier de critique l'obligea à se tenir au courant, à lire les livres du jour ; il les lut vite et assez mal, semble-t-il ; mais cela lui permit de compléter fort à propos une éducation littéraire, artistique et philosophique, qui n'avait pas été poussée très loin. Il admira Courbet et Manet; par eux il fut amené à comprendre le réalisme dans l'art. Il lut Stendhal, au moment où Taine le fit connaître au grand public; il subit l'influence de Balzac et celle de Flaubert. Il fut surtout sensible à celle, plus immédiate, plus actuelle, des Goncourt, de Sainte-Beuve et de Taine. On a vu qu'il salua *Germinie Lacerteux* dans un article fort admiratif, où il signalait à la fois la prétention des auteurs au document exact, à la précision scientifique, et leur nature fiévreuse ; on pourrait peut-être retrouver quelque chose de cela dans *Thérèse Raquin.* Il admira « la méthode anatomique » de Sainte-Beuve, sa critique « vivante et rationnelle », annonciatrice de celle de Taine. Mais il est surtout facile de mettre en lumière l'action exercée par Taine. Zola a réduit à quelques formules, un peu grosses, une doctrine déjà très rigoureusement systématisée ; il a répété, en martelant ses phrases, que le but de la littérature était d'étudier franchement et hardiment le cœur humain, que la psychologie était étroitement soumise à la physiologie, que l'analyste des sentiments devait se comporter comme l'anatomiste, que l'art était une « sécrétion ; c'est notre corps qui sue la beauté de nos œuvres ». Il répétait bien sa leçon, trop bien même :

Étant donné Victor Hugo et des sujet d'idylles et d'églogues, Victor Hugo ne pouvait pas produire une œuvre autre que *les Chansons des rues et des bois.*

Tel est le problème que je me propose de démontrer.

.... Le grand intérêt n'est pas telle œuvre ou tel auteur ; il s'agit avant tout de la vérité humaine, il s'agit de pénétrer l'esprit et la chair, de reconstruire dans sa vérité un homme aux facultés particulières et puissantes.... Je ne me donne la mission ni d'approuver, ni de blâmer ; je me contente d'analyser, de constater, de disséquer l'œuvre et l'écrivain, et de dire ensuite ce que j'ai vu. Je suis simplement un curieux impitoyable qui voudrait démonter la machine humaine, rouage par rouage, pour voir un peu comment le mécanisme fonctionne et arrive à produire de si étranges effets.

Zola consacra à Taine un grand article, et bientôt il tirait de sa doctrine une théorie particulière du roman ; à la fin de 1866, il envoyait au Congrès scientifique de France « une trentaine de pages intitulées : *Une Définition du roman*. Je suis content, déclarait-il, — lisez très content, — de ce petit travail dans lequel j'ai largement appliqué la méthode de Taine. En un mot des affirmations carrées et audacieuses ».

Rien d'étonnant certes que, en possession de cette méthode de critique qui a été faite pour le réalisme, ou qui du moins n'était acceptée que par lui, rien d'étonnant que Zola revienne peu à peu de ses préventions contre le réalisme. Il est attiré par les œuvres fortes, ou plutôt par celles qui ont du succès, — c'est pour lui même chose, — donc par les œuvres réalistes. « Le vent est à la science ; nous sommes poussés, malgré nous, vers l'étude exacte des faits et des choses. Aussi toutes les fortes individualités qui se révèlent s'affirment-elles dans le sens de la vérité. Le mouvement de l'époque est certainement réaliste ou plutôt positiviste. Je suis donc forcé d'admirer des hommes qui paraissent avoir quelque parenté entre eux, la parenté de l'heure à laquelle ils vivent. » Ces nouvelles dispositions causèrent chez Zola un certain tohu-bohu d'idées ; à côté d'affirmations très positivistes, il se glisse l'expression de vieux remords romantiques; ici le critique a des déclarations très brutales, ailleurs il est plein de réserves. Il veut tout à la fois sauver la liberté romantique de l'écrivain, l'exaltation de la personnalité, et le déterminisme réaliste, la négation du génie. Cela aboutit à la fameuse définition : « Une œuvre d'art est un coin de la création vu à travers un tempérament » ; c'est presque l'image de « l'écran » ; mais le mot tempérament sauve tout, puisque à la fois il affirme la personnalité, et qu'il la nie au sens ordinaire du mot !

D'autres influences achevèrent de décider Zola. Au même moment Claude Bernard exposait devant le grand public sa conception nouvelle de la physiologie expérimentale, telle que vingt-cinq ans de travaux de laboratoire lui avaient permis de l'élaborer. La *Revue des Deux Mondes* du 1er août 1864 donna un article de lui *Du Progrès des sciences physiologiques*, qui n'est que l'annonce et en quelque manière la publication anticipée de l'*Introduction à la médecine expérimentale* (1865). Claude Bernard incorporait au domaine de la science la physiologie et la médecine, tout comme Taine venait d'y incorporer la critique, l'histoire et même le roman ; il les soumettait aux mêmes nécessités et aux mêmes méthodes. L'*Introduction* fit grand bruit dans le monde littéraire et valut à Claude Bernard d'entrer peu après à l'Académie française. On sait que Zola, plus tard, s'est contenté, pour écrire son *Roman expérimental*, de transposer les affirmations de Claude Bernard; partout où il y avait le mot médecine, il a écrit roman ; et les résultats de cette perpétuelle et abusive analogie sont bien déconcertants, quand ils n'amusent pas tout simplement. Il n'est pas de mon sujet d'étudier comment Zola a réalisé ce tour de force ; il suffit d'avoir indiqué une des influences prépondérantes qui purent agir sur Zola, dès 1865, et l'aiguiller définitivement vers le roman « scientifique ». Il y a apparence que Zola n'attendit pas jusqu'en 1875 pour connaître, sinon l'œuvre, du moins les idées de Claude Bernard.

D'autres lectures du même genre, mais de moindre qualité, complétèrent, un peu plus tard, le bagage du futur romancier « expérimental » : *la Physiologie des passions* du Dr Letourneau (1868), qui confirma et précisa en lui la conception tainienne de la subordination de la psychologie à la physiologie ; le *Traité philosophique et physiologique de l'hérédité naturelle* du Dr Lucas (1850), où il trouva, entre autres choses, l'idée essentielle de *Madeleine Férat*, et, peu après, l'armature de la série des *Rougon-Macquart*, le fameux arbre généalogique. Mais ces lectures ont été faites à une époque où la conversion de Zola était achevée ; et je ne les indique que pour bien déterminer le chemin dans lequel il commençait à s'engager en 1865 et en 1866. Une étude plus complète de ces influences ressortit à l'histoire de la doctrine naturaliste, telle que Zola la formula dix ans après ; peu à peu, en effet, il se laissa entraîner à exagérer l'analogie générale que Taine avait établie entre l'œuvre du romancier et celle du savant ; et c'est alors que, le mot réalisme étant insuffisant à caractériser l'étendue de son dessein, il fit choix définitivement de celui de naturalisme.

En 1868, les Goncourt, qui le voyaient pour la première fois, faisaient de lui ce portrait, qui est exact aussi pour les deux ou trois années qui précèdent :

Notre impression toute première fut de voir en lui un normalien, à l'encolure de Sarcey, dans le moment, légèrement crevard, mais en le regardant bien, le râblé jeune homme nous apparut avec des délicatesses, des modelages de fine porcelaine dans les traits de la figure, la sculpture des paupières, les curieux méplats du nez ; en un mot un peu taillé en toute sa personne à la façon des vivants de ses livres, de ces êtres complexes, un peu femmes parfois en leur masculinité.

Puis un côté frappant chez lui, c'est le côté maladif, souffreteux, ultra-nerveux, vous donnant par moments la sensation pénétrante d'être aux côtés d'une mélancolique et révoltée victime d'une maladie de cœur.

En somme, un homme inquiet, anxieux, profond, compliqué, fuyant, peu lisible.

Il nous parle de la difficulté de sa vie, du désir et du besoin qu'il aurait d'un éditeur l'achetant, pour six ans 30 000 francs, et qui lui assurerait ainsi, chaque année, 6 000 francs : le pain pour lui et pour sa mère, — et par là lui donnerait la faculté de faire « l'Histoire d'une famille », un roman en huit volumes. Car il voudrait faire de *grandes machines*, et plus de ces articles « infâmes, ignobles, crie-t-il sur un ton qui s'indigne contre lui-même, oui, les articles que je suis obligé de faire à la *Tribune*, au milieu de gens dont il me faut prendre l'opinion idiote.... Car il faut bien le dire, ce gouvernement avec son indifférence, son ignorance du talent, de tout ce qui se produit, rejette nos misères aux journaux de l'opposition, les seuls qui nous donnent de quoi manger.... Vrai, nous n'avons absolument que cela.... » Puis après un silence : « C'est que j'ai tant d'ennemis.... Et c'est si dur de faire parler de soi ! »

Et de temps en temps, dans une récrimination amère, où il nous répète et se répète à lui-même qu'il n'a que vingt-huit ans, éclate, vibrante, une note de volonté âcre et d'énergie rageuse.

Il finit en disant.... « Et puis nous sommes les derniers venus ; nous savons que vous êtes nos aînés, Flaubert et vous. Vous ! vos ennemis eux-mêmes reconnaissent que vous avez inventé votre art ; ils croient que ce n'est rien : c'est tout ! »

Ces quelques notes, sympathiques et exactes, disent bien ce que Zola fut à partir du jour où il rejeta son pâle romantisme de jeunesse, où il s'offrit, sans réserves ni précautions, aux influences du dehors qu'il sentait les plus agissantes ; il était acharné dans sa volonté du succès ; et il s'était mis en chasse des suggestions qui lui faciliteraient ce succès, qui lui permettraient d'« inventer son art ». Il eut bientôt arrêté sa nouvelle manière de romancier : ce fut celle que déterminaient sa brève carrière de critique, ses lectures et ses admirations les plus récentes : une combinaison du réalisme de Flaubert et des Goncourt, mais plus brutal, plus raidi dans l'exécution des formules de Taine appliquées comme des théorèmes ; d'un certain nombre de notions empruntées aux sciences naturelles. Toute l'originalité de ses nouveaux romans est là, et il ne faisait que reconnaître sa dette principale en donnant comme épigraphe à la deuxième édition de *Thérèse Raquin* l'axiome de Taine : « Le vice et la vertu ne sont que des produits comme le vitriol et le sucre. »

III

P. Alexis, — le disciple fidèle, l'auteur d'un vrai « Zola raconté par un témoin de sa vie », — explique ainsi, assez exactement, l'origine de *Thérèse Raquin* : « Le *Figaro* venait de publier en feuilleton *la Vénus de Gordes*, de MM. Adolphe Belot et Ernest Daudet, œuvre dans laquelle les auteurs, après avoir fait tuer un mari par l'amant de la femme, montraient les deux complices découverts et passant en cour d'assises. Dans un article, une sorte de nouvelle, qui parut au même *Figaro*, Zola imagina la donnée autrement saisissante d'une femme et de son amant ayant également assassiné le mari, mais dont le crime échappait à la justice des hommes ; et le drame commençait par là, par le supplice du remords entre les deux coupables, qui, se punissant l'un l'autre, passaient le reste de leur vie à se déchirer.

En écrivant l'article, il s'était aperçu que le sujet comportait une étude puissante, méritait les développements d'un grand roman. » Cette « étude puissante », c'était celle du remords, selon la méthode tainienne. Zola fit accepter son projet à Arsène Houssaye et obtint la promesse que le roman paraîtrait dans *l'Artiste.*

Il écrivit l'œuvre avec beaucoup d'entrain ; il pensait tenir enfin son succès. « Je crois que c'est ce que j'ai fait de mieux jusqu'à présent. Je crains même que l'allure n'en soit trop corsée, et que Houssaye ne recule, au dernier instant.... Je suis très content du roman psychologique et physiologique que je vais publier... Je crois m'y être mis cœur et chair. Je crains même de m'y être mis un peu trop en chair et d'émouvoir M. le procureur impérial. Il est vrai que quelques mois de prison ne me font pas peur. » Houssaye ne regimba pas, mais il exigea des suppressions, et il ajouta sur les épreuves « une grande coquine de phrase finale », où il « agrémentait l'œuvre d'une belle conclusion morale », que Zola raya. Le roman parut dans la revue sous le titre de *Un Mariage d'amour*, et en librairie avec celui de *Thérèse Raquin*. L'auteur comptait sur un « succès d'horreur » et sur une intervention de la justice ; il ne fut pas tout à fait déçu, s'il n'y eut pas de poursuites, le livre fut porté sur la liste noire du colportage, et ne put être mis en vente dans les gares. Un violent article de L. Ulbach permit à Zola d'entamer une polémique avantageuse ; il essaya cauteleusement d'obtenir une nouvelle attaque d'Ulbach : « Faites-lui donc lire, écrivait-il à son éditeur, la préface de la deuxième édition, et prenez en mon nom l'engagement que je ne lui répondrai pas, même s'il m'attaque de nouveau ! » — Ce ne fut pas le grand succès, mais le résultat était honorable : *Thérèse Raquin* eut une deuxième édition en 1868, et Zola put écrire, en tête du volume, une préface fort significative, où il définissait sa conception du roman scientifique.

Madeleine Férat a été publié en 1868, mais la première idée datait de trois ans avant ; dès 1865, Zola avait composé un drame en trois actes, *la Madeleine*, qu'aucun directeur ne voulut monter ; et c'est de ce drame que, en 1868, il a tiré son nouveau roman ; il paraît que « des scènes entières ont passé dans le roman » ; mais il est peu probable que les prétentions scientifiques de *Madeleine Férat* aient été déjà manifestes dans la pièce de théâtre originelle. En tout cas, en 1868, Zola écrivit un roman qu'il intitula *la Honte*, et le publia dans *l'Événement illustré*. Des lecteurs alarmés réclamèrent ; Zola dut s'excuser, affirmer qu'il n'était pas un « Croquemitaine mangeant de la chair crue » ; on écourta considérablement la fin du roman. La personnalité du directeur du journal évita les poursuites ; mais le jour où Zola eut donné son œuvre à un éditeur, le procureur impérial fit entendre des avertissements officieux, il annonça des poursuites possibles. Zola en fut ravi : « Je n'ai plus à redouter que les paniques de l'éditeur et de l'imprimeur. Allez ! écrire avec quelque audace ne rend pas l'existence rose. » Il s'employa à rassurer l'éditeur ; une ingénieuse comédie fut organisée ; l'éditeur feignit de se refuser à la publication, et l'auteur de l'y obliger par huissier ; une petite note aux journaux faisait connaître ces circonstances alléchantes ; et l'on greffa aussitôt là-dessus des articles contre la censure préventive. « Me voilà martyr, exultait Zola. Les démocrates versent un pleur sur mon cas. Ah ! ces pauvres démocrates, sont-ils assez roulés ! » Le livre parut ; il n'y eut pas de poursuites, mais la réclame avait été bonne.

Le sujet de ces deux romans est, à première vue, fort banal. *Thérèse Raquin* est fait sur une matière de roman-feuilleton. « En deux mots, résume lui-même Zola, voici le sujet du roman ; Camille et Thérèse, deux jeunes époux, introduisent Laurent dans leur intérieur. Laurent devient l'amant de Thérèse, et tous deux, poussés par la passion, noient Camille pour se marier et goûter les joies d'une union légitime. Le roman est l'étude de cette union accomplie dans le meurtre ; les deux amants en arrivent à l'épouvante, à la haine, à la folie, et ils rêvent, l'un et l'autre, de se débarrasser d'un complice. Au dénouement, ils se suicident. » *Madeleine Férat* est également un fait divers : une jeune femme a eu un premier amant qui disparaît, et qu'elle croit mort ; elle se marie, et elle est assez heureuse ; quatre ans après l'amant réapparaît, et la femme revient sous son influence ; le mari est jaloux, la femme a honte ; elle se tue. — Mais, dans *Thérèse Raquin* comme dans *Madeleine Férat*, les événements de l'intrigue sont peu de chose ; c'est l'armature intérieure qui compte

Zola a précisé bien nettement son dessein dans la préface de la deuxième édition de *Thérèse Raquin* :

Dans *Thérèse Raquin*, j'ai voulu étudier des tempéraments et non des caractères. Là est le livre entier. J'ai choisi des personnages souverainement dominés par leurs nerfs et leur sang, dépourvus de libre arbitre, entraînés à chaque acte de leur vie par les fatalités de leur chair. Thérèse et Laurent sont des brutes humaines, rien de plus. J'ai cherché à suivre pas à pas dans ces brutes le travail sourd des passions, les poussées de l'instinct, les détraquements cérébraux survenus à la suite d'une crise nerveuse. Les amours de mes deux héros sont le contentement d'un besoin ; le meurtre qu'ils commettent est une conséquence de leur adultère, conséquence qu'ils acceptent comme les loups acceptent l'assassinat des moutons ; enfin, ce que j'ai été obligé d'appeler leurs remords consiste en un simple désordre organique, en une rébellion du système nerveux tendu à se rompre. L'âme est parfaitement absente, j'en conviens aisément, puisque je l'ai voulu ainsi.

On commence, j'espère, à comprendre que mon but a été un but scientifique avant tout. Lorsque mes deux personnages, Thérèse et Laurent, ont été créés, je me suis plu à me poser et à résoudre certains problèmes : ainsi, j'ai tenté d'expliquer l'union étrange qui peut se produire entre deux tempéraments différents ; j'ai montré les troubles profonds d'une nature sanguine au contact d'une nature nerveuse. Qu'on lise le roman avec soin, on verra que chaque chapitre est l'étude d'un cas curieux de physiologie. En un mot, je n'ai eu qu'un désir : étant donné un homme puissant et une femme inassouvie, chercher en eux la bête, ne voir même que la bête, les jeter dans un drame violent, et noter scrupuleusement les sensations et les actes de ces êtres. J'ai simplement fait sur deux corps vivants le travail analytique que les chirurgiens font sur les cadavres.

C'est, on le voit, la doctrine même de Taine ; il y a bien, dans cette page, un peu d'exagération, l'exagération coutumière des préfaces faites après coup : le dessein primitif de l'œuvre paraît à l'auteur plus clair qu'il ne l'était en réalité, surtout s'il lui a fallu se défendre contre la critique. Mais la lecture même des deux romans ne laisse pas de doutes : sans cesse la thèse se trahit, ne fût-ce d'ailleurs que par des expressions comme celles-ci : « C'est un fait de physiologie... il serait curieux d'étudier... c'est une loi physiologique... c'est le résultat d'une fatalité physiologique. » L'œuvre est bien ce que l'auteur a dit qu'elle était : « l'étude des tempéraments et des modifications profondes de l'organisme sous la pression des milieux et des circonstances ».

Seulement, il va de soi que cette étude, prétendument scientifique, ne pouvait aboutir à rien de ce que l'auteur feignait d'espérer : point de conclusion possible, point de loi à formuler. Zola, en effet, s'est borné à mettre en œuvre quelques suggestions scientifiques, choisies d'ailleurs parmi les moins sûres. C'est d'abord la notion, commune à *Thérèse Raquin* et à *Madeleine Férat*, qu'il existe un certain nombre de tempéraments, principalement le sanguin et le nerveux, et que l'association par le mariage de deux tempéraments divers peut produire des effets de réaction particuliers sur chacun d'eux. C'est ensuite la théorie de « l'imprégnation », qui a été utilisée dans *Madeleine Férat* : « J'ai pris cette thèse dans Michelet et dans le docteur Lucas, écrivait Zola à son éditeur, je l'ai traitée d'une façon austère et convaincue. » Le docteur Lucas définissait ainsi l'imprégnation : « l'hérédité d'influence, la représentation des conjoints antérieurs dans la nature physique et morale du produit » ; mais il était assez prudent et reconnaissait que les faits qui permettaient cette hypothèse étaient rares. Michelet, au contraire, vit là matière à son habituel mysticisme féminin, et il fut catégorique : « La femme fécondée, une fois imprégnée, portera partout son mari en elle » ; et c'est cette affirmation, sans restrictions, aussi peu scientifique que possible, que Zola retint pour *Madeleine Férat*. Enfin, dernière suggestion essentielle, il a admis, avec Taine, qu'un sentiment violent, comme le remords, est en réalité une succession de désordres organiques, de détraquements, d'hallucinations ; et qu'il faut l'étudier à ce point de vue, en éliminant tout à fait la conception psychologique et les préoccupations morales.

Grâce à ces suggestions, le banal fait divers qui constitue l'intrigue de ces deux romans a été complètement transformé. Et voici la description plus précise des deux « cas » étudiés par Zola.

Thérèse Raquin, fille naturelle d'un officier et d'une femme arabe, a été élevée par sa tante, Mme Raquin, une petite mercière de province qui finit par s'installer à Paris. Forte, et de tempérament ardent, Thérèse s'est étiolée à vivre toute sa jeunesse auprès de son cousin, Camille, maladif et peu intelligent. Pour plaire à sa tante, elle l'épouse. Il devient un petit employé. Thérèse, dans la minuscule boutique de la tante, mène une existence insipide. Camille amène, un jour, un de ses collègues, Laurent, paresseux, et fort vaguement peintre. Thérèse est presque aussitôt sa maîtresse. Pour être tout l'un à l'autre, ils se décident à tuer le mari, et ils le noient au cours d'une partie de canot sur la Seine. Deux ans après, ils s'épousent. Mais, dès le jour de leur mariage, l'image du mort vient sans cesse se placer entre eux : ce remords perpétuel, tout physique, leur fait une vie lamentable ; ils se rejettent le crime l'un sur l'autre ; et puis, chacun d'eux craint d'être dénoncé par l'autre. Mme Raquin, la tante, est devenue paralytique et complètement muette ; seuls, les yeux vivent encore en elle ; elle sait maintenant le crime de Thérèse et de Laurent ; elle ne cesse de les regarder farouchement. En vain, ils cherchent, même par la débauche, à se distraire. La seule issue à ces tour ments, c'est un nouveau crime. Laurent se dispose à empoisonner sa femme, et celle-ci fait aiguiser un couteau pour tuer son mari ; ils se surprennent mutuellement, boivent le poison au même verre, et s'écrasent aux pieds de Mme Raquin, qui reste de longues heures, immobile et muette, devant les deux cadavres.

Madeleine Férat, orpheline exaltée et nerveuse, devient, au sortir du couvent, la maîtresse d'un étudiant en médecine, Jacques Berthier, qui la quitte bientôt, nommé chirurgien militaire en Cochinchine. Elle devient alors la maîtresse de Guillaume de Viargue, jeune homme timide et nerveux, qui eut pour grand ami de collège Jacques Berthier ; mais il ignore la liaison de celui-ci, et Madeleine ignore l'amitié de Jacques et de Guillaume. Elle l'apprend bientôt, et son malheur commence : elle sent, en effet, qu'elle appartient, de par « l'imprégnation », à l'homme qui l'a eue le premier. Guillaume, à la mort de son père, épouse sa maîtresse, et vit avec elle quatre années de bonheur, en pleine campagne. Jacques Berthier, qu'on avait cru mort, réapparaît : Madeleine avoue tout à son mari, qui s'affole comme elle. Ils fuient tous deux, dans la nuit, avant que Jacques ait revu Madeleine. Mais une rencontre d'auberge les met en présence. Désormais Madeleine et son mari ne savent plus que se torturer : leur existence est lamentable. Leur fille, nouveau tourment, ressemble à Jacques. Enfin Madeleine veut se libérer de cette obsession, et, pour cela, parler sincèrement à Jacques ; elle le voit, ne lui dit rien, et se laisse prendre, comme inconsciente. Aussitôt après, dégoûtée d'elle-même, elle décide de se tuer. Sa fille meurt. Elle s'empoisonne. Son mari devient fou.

Il y a, on le voit, une bien grande ressemblance entre les héros et les aventures de ces deux romans, qui prétendent, tous deux, à être des monographies de manifestations anormales de la sensibilité. Dans l'un comme dans l'autre, il y a un couple où la femme a d'abord été à un autre homme qu'à son mari ; ce premier homme, amant ou mari, revient, sous forme de spectre ou de souvenir, et cette présence invisible épouvante assez le couple pour qu'il soit acculé au détraquement et à la folie. Ce sont des « histoires d'amour », mais, comme dans *Germinie Lacerteux*, nous n'assistons qu'à la « clinique de l'amour ». Aussi avec quel soin Zola établit les antécédents de ses malades, avec quelle précision il accumule les renseignements sur leur origine, leurs ascendants, les milieux où ils ont vécu, leurs tares physiologiques, leurs premiers désordres nerveux, les principales circonstances de leur vie ! ce sont de vraies fiches médicales, analogues à celles dont il ornera plus tard l'arbre généalogique des *Rougon-Macquart*. Dans *Thérèse Raquin*, par exemple, le processus de la maladie nerveuse de Thérèse et de celle de Laurent est reconstitué jusque dans le menu détail : l'image du mort ne se représente à l'assassin que bien longtemps après, le jour de son mariage avec la veuve ; elle apparaît telle qu'il l'avait vue à la Morgue ; dès lors l'hallucination, que partage aussitôt sa compagne, ne cesse de grandir ; la « face verte et ignoble » de sa victime envahit ses rêves ; six fois, sept fois de suite, Laurent est obsédé par cette vision qu'il se rend chez Thérèse, et que c'est le mort qui vient lui ouvrir. Cette hallucination perpétuelle l'accable ; « ses remords étaient purement physiques. Son corps, ses nerfs irrités et sa chair tremblante avaient seuls peur du noyé.... On eût dit les accès d'une effrayante maladie ». La progression de ces scènes d'épouvante est lente, un peu monotone, et c'est voulu, puisqu'il faut que tous les incidents de la vie des deux assassins, tous les mots qu'ils entendent, toutes les scènes auxquelles ils assistent fassent surgir en eux l'image angoissante.

Il faudrait des pages pour montrer comment ces préoccupations médicales et physiologiques inspirent et soutiennent les deux romans. Dès ce moment-là, Zola pouvait employer, et il employait, pour définir son œuvre, le mot « naturaliste », avec le sens même qu'il lui donnera dix ans plus tard ; il en appelait déjà au jugement de « la critique méthodique et naturaliste, qui a renouvelé les sciences, l'histoire et la littérature » ; il s'honorait d'appartenir au « groupe des écrivains naturalistes ». L'essentiel de la formule était en effet fixé ; il ne s'agissait plus que d'en multiplier les applications.

Ce souci de l'observation exacte, cette passion affichée pour le document ne vont pas seulement au fait principal et aux personnages de premier plan. L'auteur nous informe minutieusement sur les milieux où ceux-ci vivent ; et jamais un paysage, un intérieur ou un mobilier ne sont mentionnés, sans qu'il en soit fait une très détaillée description. Dans *Thérèse Raquin*, c'est la boutique de mercerie, le train ordinaire de ce petit commerce, les silhouettes des clientes, l'appartement étroit, les réunions du jeudi où paraissent les familiers de la maison, avec leurs conversations plates et leurs natures mesquines ; c'est la description d'un mariage de petits boutiquiers parisiens, la vision de leurs parties de plaisir, les guinguettes du dimanche ; il ne nous sera pas fait grâce d'une description, pas même de celle de la Morgue, des cadavres et du public de curieux, le jour où le corps de Camille y est apporté. Pareillement, dans *Madeleine Férat*, Zola a voulu montrer avec exactitude les milieux d'étudiants, les mœurs de petite ville, l'atmosphère du collège, la vie à la campagne, etc. Peut-être ces descriptions sont-elles plus *flou* que celles de l'autre roman ; l'observation sur laquelle elles s'appuient semble plus indécise ; mais certains paysages de *Thérèse Raquin* ont tout à fait la netteté et la richesse des paysages parisiens de *Germinie Lacerteux.*

J.-J. Weiss avait appelé le réalisme « la littérature brutale » ; on écrivit de *Thérèse Raquin* que c'était de la « littérature putride ».Le mot est gros et ne veut pas dire grand'chose. Mais il est vrai que Zola a accentué la brutalité de touche de ses prédécesseurs, leur matérialisme foncier, leur ironie acharnée à détruire les idéaux conventionnels d'art ou de morale. Sainte-Beuve, dans une très jolie lettre de « critique privée », où il reconnaissait que *Thérèse Raquin* pouvait « faire époque dans l'histoire du roman contemporain », notait, entre autres reproches : « Je désirerais seulement que le mot de *vaulrer* se rencontrât moins souvent, et que cet autre mot *brutal*, qui reparaît sans cesse, ne vînt pas accuser la note dominante qui n'a nullement besoin de ce rappel pour ne pas se laisser oublier. » Bien que les données et la plupart des personnages de ces deux romans fussent déjà passablement vulgaires, Zola s'est employé, par le choix des détails et le vocabulaire, à les rendre plus vulgaires encore ; il n'a aucun désir d'esquiver les difficultés des scènes, et particulièrement de celles qu'on doit rencontrer dans un roman d'amour ; il marque de gros traits le cynisme inconscient des personnages ; il apporte une sorte de passion à ne les montrer que comme des créatures grotesques ou sinistres, poussées à agir par les plus bas motifs. Auprès de Zola, Flaubert, dès 1868, pouvait paraître timide ! On s'explique les effarements du public et de la critique.

Mais il serait surprenant que la transformation de Zola eût été si subite, et que, même dans ces romans, si crus, si documentaires, si naturalistes, il ne restât plus rien des habitudes d'esprit qui s'étalaient, trois ans auparavant, dans *la Confession de Claude.* La merveilleuse aptitude qu'avait Zola, dans ses premiers écrits, à déformer la réalité n'a pas été tout d'un coup annihilée ; il l'a simplement comprimée, et elle se manifeste en plus d'un endroit, et même dans ceux où les prétentions scientifiques sont le plus affichées. Au fond, ces théories, ces hypothèses : union de deux tempéraments contraires, imprégnation, hallucination, etc., ne donnaient pas grand'chose ; en trois ou quatre phrases, Zola épuisait leur énoncé, et pourtant il fallait que le roman fût bâti là-dessus. Les tirades romantiques, l'imagination exaltée sont venues à la rescousse. L'analyse physiologique du remords permettait de construire tout au plus une ou deux scènes d'hallucination, une ou deux autres, où l'on montrerait les effets de l'association des idées ; et puis c'était tout. Aussi Zola est-il vite retourné à la conception romantique et mélodramatique du spectre qui hante la conscience des coupables : presque toutes les scènes d'épouvante de *Thérèse Raquin* sont tirées de là ; ce sont des lieux communs de littérature macabre sur lesquels on a plaqué une formule scientifique. L' « imprégnation », dans *Madeleine Féral*, est surtout un prétexte à tirades ; l'héroïne évoque à plusieurs reprises ses souvenirs d'amour, elle redit, à sa manière, des *Nuit de décembre*, ou des *Tristesse d'Olympio* ; la suggestion scientifique s'est ici bornée au mot : aucune précision, aucun fait ne donne même un commencement d'explication du mot.

Tous les effets, d'ailleurs, sont forcés dans les deux romans. Si vraie qu'une observation paraisse au début, elle est, au bout d'une ou deux pages, grandie, et tout à fait déformée. Les personnages secondaires de *Madeleine Féral* : la vieille servante, qui est un type de folie mystique ; M. de Viargue, qui incarne le matérialisme scientifique ; M. de Rieu, avec son ironie âprement sceptique ; sa femme, possédée par le démon de la luxure, sont des figures sataniques et simplettes, bonnes pour le roman-feuilleton. Les procédés chers au mélodrame, les situations impossibles compliquent, comme à plaisir, l'intrigue. Jusqu'aux paysages qui se transforment : un banal passage couvert entre deux rues devient une vision fantastique, une gravure de Gustave Doré, tout bonnement parce que c'est là que se déroulera le drame de *Thérèse Raquin*. Zola a concédé lui-même, dans la préface de ce roman, que les situations étaient trop exceptionnelles et le style trop tendu. Et évidemment il se corrigera un peu, mais jamais il ne parviendra, malgré ses théories et son énorme effort de documentation, à cette vision objective et tranquille de la réalité à laquelle il tendait. Il ne se débarrassera jamais de la tare d'avoir été romantique et feuilletoniste.

Mais, dès 1868, sa voie était nettement déterminée ; il savait la besogne qu'il allait faire pendant près d'un quart de siècle ; il avait créé le moule de roman où il allait couler successivement tous les volumes de la série des *Rougon-Macquart* : il le décrivait ainsi, dans des notes intimes à cette époque :

Comprendre chaque roman ainsi : poser d'abord un cas humain (physiologique) ; mettre en présence deux, trois puissances (tempéraments) ; établir une lutte entre ces puissances ; puis mener les personnages au dénouement par la logique de leur être particulier, une puissance absorbant l'autre ou les autres.

Avoir surtout la logique de la déduction. *Il est indifférent que le fait générateur soit reconnu comme absolument vrai ; ce fait sera surtout une hypothèse scientifique, empruntée aux traités médicaux.* Mais lorsque ce fait sera posé, lorsque je l'aurai accepté comme un axiome, en déduire mathématiquement tout le volume, et être alors d'une absolue vérité.

En outre, avoir la passion. Garder dans mes livres un souffle un et fort qui, s'élevant de la première page, emporte le lecteur jusqu'à la dernière. Conserver mes nervosités....

Écrire le roman par larges chapitres logiquement construits, c'est-à-dire offrant par leur succession même une idée des phases du livre. Chaque chapitre, chaque masse doit être comme une force distincte qui pousse au dénouement. Voir ainsi un sujet par quelques grands tableaux, quelques grands chapitres (douze ou quinze) ; au lieu de trop multiplier les scènes, en choisir un nombre restreint et les étudier à fond et avec étendue (comme dans *Madeleine Férat*). Au lieu de l'analyse courante de Balzac, établir douze, quinze puissantes masses, où l'analyse pourra ensuite être faite pas à pas, mais toujours de haut....

Ma *Thérèse* et ma *Madeleine* sont exceptionnelles. Dans les études que je veux faire, je ne puis guère sortir de l'exception....

Prendre, avant tout, une tendance philosophique non pour l'étaler, mais pour donner une suite à mes livres. *La meilleure serait peut-être le matérialisme, je veux dire la croyance en des forces sur lesquelles je n'aurai jamais besoin de m'expliquer. Le mot force ne compromet pas....*

Ne pas oublier qu'un drame prend le public à la gorge. Il se fâche, mais n'oublie plus. Lui donner toujours, sinon des cauchemars, du moins des livres excessifs qui restent dans sa mémoire. Il est inutile, d'ailleurs, de s'attacher sans cesse aux drames de la chair. Je trouverai autre chose, d'aussi poignant....

Peu de personnages : deux, trois figures principales, profondément creusées, puis deux, trois figures secondaires se rattachant le plus possible aux héros, servant de compléments ou de repoussoirs. J'échapperai ainsi à l'imitation de Balzac, qui a tout un monde dans ses livres. Mes livres seront de simples procès-verbaux. Les de Goncourt seront si bien écrasés par la masse (par la longueur des chapitres, l'haleine de passion et la marche logique) qu'on n'osera m'accuser de les imiter....

Près de vingt ans après, dans *l'Œuvre*, Zola donnera, par la bouche de ce Pierre Sandoz, en qui il s'est représenté avec complaisance, une définition exactement pareille du roman, mais plus apprêtée, moins sincère : sa formule littéraire est encore, à ce moment-là : « des bonshommes physiologique, évoluant sous l'influence des milieux ». Il s'était obligé seulement à choisir des cas moins exceptionnels, des sujets plus vastes ; la gloire de Balzac l'avait tenté. La suggestion scientifique originaire était devenue plus générale : ce fut la notion d'hérédité, telle qu'il se la forma d'après l'ouvrage du docteur Lucas : « une seule famille avec quelques membres. Tous les cas d'hérédité, soit sur les membres de cette famille, soit sur les personnages secondaires.... Il fallait que j'applique la force *hérédité* sur une direction. Cette direction est trouvée : la famille ira au contentement de l'appétit *fortune* ou *gloire* et au contentement de l'appétit *pensée*. » L'histoire de la famille que se proposa alors d'étudier Zola fut donc à la fois « naturelle et sociale ». Avant même de commencer, il dressa l'arbre généalogique de ses personnages, et il n'y apporta par la suite que bien peu de modifications. Dès le début de 1869, il remettait à l'éditeur Lacroix le plan général de sa série et le résumé des principes qui le guidaient :

Les Rougon-Machard (histoire d'une famille sous le Second Empire), grand roman de mœurs et d'analyse humaine, en dix épisodes. Chaque épisode formera la matière d'un volume. Ces épisodes, pris à part, formeront des histoires distinctes, complètes, ayant chacune leur dénouement propre ; mais ils seront, en outre, reliés les uns aux autres par un lien puissant qui en fera un seul et vaste ensemble.

Le roman sera basé sur deux idées :

1° Étudier dans une famille les questions de sang et de milieux. Suivre pas à pas le travail secret qui donne aux enfants d'un même père des passions et des caractères différents, à la suite des croisements et des façons particulières de vivre. Fouiller, en un mot, au vif même du drame humain, dans ces profondeurs de la vie où s'élaborent les grandes vertus et les grands crimes, et y fouiller d'une façon méthodique, conduit par le fil des nouvelles découvertes physiologiques.

2° Étudier tout le Second Empire, depuis le coup d'État

jusqu'à nos jours. Incarner dans des types la société contemporaine, les scélérats et les héros. Peindre ainsi tout un âge social, dans les faits et dans les sentiments, et peindre cet âge dans les mille détails des mœurs et des événements.

Le roman basé sur ces deux études, — l'étude physiologique et l'étude sociale, — étudierait donc l'homme de nos jours en entier. D'un côté je montrerais les ressorts cachés, les fils qui font mouvoir le pantin humain ; de l'autre, je raconterais les faits et gestes de ce pantin. Le cœur et le cerveau mis à nu, je démontrerais aisément comment et pourquoi le cœur et le cerveau ont agi de certaines façons déterminées et n'ont pu agir autrement.

Ce plan était tellement vaste que Zola eût pu, s'il lui en avait pris fantaisie, agir comme Balzac en usa à l'égard des romans qu'il avait écrits avant de concevoir l'idée de sa *Comédie humaine* ; il eût pu facilement faire rentrer *Thérèse Raquin* et *Madeleine Féral* dans le cadre des *Rougon-Macquart* : le dessein était pareil. C'est dire qu'il faut dater le naturalisme, tel que Zola l'a incarné, de 1866 et non de 1875.

NOTES ET RÉFÉRENCES

PREMIÈRE PARTIE

CHAPITRE I. — § 1. **Pages 3 et 4 :** Nettement, *Le roman contemporain*, 1864, p. 109 ; A. de Pontmartin, *Revue des Deux Mondes*, 1er octobre 1861 (*Nouvelles semaines littéraires*, p. 131 et s.) ; H. Babou, *La vérité sur le cas de M. Champfleury*, 1857 ; G. Merlet, *Le réalisme et la fantaisie dans la littérature*, 1861, p. 25 ; Baudelaire, *L'art romantique*, p. 433 ; Champfleury, *Souvenirs des funambules*, 1859, p. 297. — **Page 5 :** L'expression « la littérature démocratique » reviendra souvent chez les critiques hostiles au réalisme. — Les Goncourt ont esquissé en quelques lignes le prolétariat que fut la bohême (*Charles Demailly*, nouv. éd., p. 24). — **Page 7 :** Balzac, éd. Houssiaux, 1855, t. XII, p. 98. Le mot de bohême revient trois ou quatre fois dans *la Dernière Aldini* (nouv. éd. Lévy, p. 6, 77, 172, 200, 201) ; il désigne le monde des artistes lyriques, cosmopolite, affranchi des préjugés, amoureux de liberté et décidé à jouir de la vie. — Sur la bohême de Th. Gautier, voir notamment : Gérard de Nerval, *la Bohême galante*, 1855 ; Th. Gautier, *les Jeune France*, 1833 ; *Marilhat* (*Revue des Deux Mondes*, 1er juillet 1848) ; *l'Art moderne*, p. 95 ; *Histoire du romantisme* ; Arsène Houssaye, *Confessions* ; Sainte-Beuve, *Nouveaux Lundis*, t. VI, p. 280 ; Levallois, *Mémoires d'un critique*, 1896, p. 90. Dans l'article sur Marilhat (1848), Th. Gautier emploie encore le mot bohême avec son sens général et il l'adapte à la circonstance au moyen de deux épithètes ; « une petite colonie d'artistes ; un campement de bohêmes pittoresques et littéraires » (p. 56). D'ailleurs, en 1849, au moment de la représentation de *la Vie de bohême*, le succès du mot n'était pas encore bien assuré. Il suffit de lire ces quelques lignes extraites du compte rendu de la pièce dans le journal des bohêmes, *le Corsaire* (26 novembre 1849) : « Le public, depuis les *Scènes de la vie de bohême*, du même auteur, publiées dans le feuilleton de notre journal, était parfaitement initié au sujet principal de la pièce. Il se rendait compte déjà de ce que les auteurs entendaient par *une vie de bohême*. Toutefois et jusqu'à présent le nom de bohême n'était pris qu'en mauvaise part ; mais il paraît que cette secte s'est beaucoup amendée, puisque MM. Barrière et Murger ne nous la représentent pas absolument comme composée de gens d'une moralité et d'une probité irréprochables. L'incertitude des spectateurs a jeté quelque indécision sur les premières scènes de l'ouvrage, mais dès que les personnages se sont dessinés, dès que l'idée des auteurs s'est éclaircie... ». — **Page 8 :** Th. Gautier, *Fatuité* (1843) (*Poésies complètes*, éd. Charpentier, t. II, p. 65). — Ch. Hugo a écrit *la*

Bohême dorée. — **Page 9 :** Sur la mort de Murger : *Journal des Goncourt*, t. I, p. 362, 18 janvier 1861. — Sur la bohême de Murger : Murger, *Scènes de la vie de bohême*, 1851 (paru d'abord dans *le Corsaire*, 1847-1849) ; *Scènes de la vie de jeunesse*, 1851 ; *la Biographie d'un inconnu*, dans *le Roman de toutes les femmes*, 1856 ; *les Buveurs d'eau*, 1855 (*Revue des Deux Mondes*, 1853-1854) ; *Mme Olympe*, *Comment on devient coloriste*, *le Fauteuil enchanté*, *Christine*, *Entre quatre murs*, dans *Mme Olympe*, 1859 ; *la Scène du gouverneur*, *la Nostalgie*, *Scènes de la vie d'artiste*, dans *les Roueries d'une ingénue*, posthume, 1874 ; *les Derniers buveurs d'eau*, *Fragments du journal d'un anonyme*, *Son Excellence Gustave Colline*, dans *Dona Sirène*, posthume, 1874 ; Champfleury, *les Confessions de Sylvius*, 1849 (fragments parus dans *le Corsaire*, 1845) ; *les Excentriques*, 1852 ; *les Aventures de Mlle Mariette*, 1853 ; *Souvenirs des funambules*, 1859 ; *la Mascarade de la vie parisienne*, 1860 ; *Souvenirs et portraits de jeunesse* ; Nadar, *Quand j'étais étudiant*, 1855 ; *le Poète vierge*, 1911 ; *Histoire de Murger pour servir à l'histoire de la vraie bohême par trois buveurs d'eau*, 1862. A. Delvau, *H. Murger et la bohême*, 1866 ; F. Maillard, *les Derniers bohèmes, Murger et son temps*, 1874 ; Monselet, *Petits mémoires littéraires*, 1885 ; A. Schanne, *Souvenirs de Schaunard*, 1886 ; G. Ferry, *H. Murger auteur dramatique* (*Revue d'art dramatique*, t. VI, 1887) ; L. Séché, *le Cinquantenaire d'Henry Murger* (*Annales romantiques*, 1911, t. VIII, p. 1).

§ 2. **Page 10 :** Cette préface avait paru en partie dans *le Corsaire* du 29 août 1848. — **Page 12 :** Après ces franches déclarations de Murger, on s'explique un peu l'amertume des Goncourt, en parlant de la bohême : « Ce monde, cette franc-maçonnerie de la réclame règne et gouverne et défend la place à tout homme bien né. C'est un *amateur*, et avec ce mot-là, on le tue... et il sera déclaré amateur par tous les gagistes des feuilles de chou » (*Journal*, t. I, p. 123, 30 mai 1856) ; T. de Banville, dans *Méditation politique et littéraire*, décembre 1856 (*Odes funambulesques*, éd. définitive, 1905, p. 169), raille quelques-uns de ces arrivistes de la bohême qui ont lâché la littérature pour des besognes plus productives. — **Page 13 :** Voir la préface de la 6e édition, 1874 ; M. Clouard signale dans *l'Œuvre de Champfleury*, 1891, deux clefs de ce roman, l'une de Champfleury, l'autre de Baudelaire, que Poulet-Malassis avait jointe à son exemplaire. Les *Souvenirs de jeunesse* de Champfleury sont, par endroits, un véritable commentaire explicatif du roman. Murger et Champfleury habitèrent effectivement dans la maison de la rue des Canettes ; la bohême de Murger est quelquefois appelée « bohême de la rue des Canettes ». Valentin est Marcel dans *la Vie de bohême*, du moins au témoignage de Banville (*Odes funambulesques*, éd. déf., p. 209) ; Schanne (*Souvenirs de Schaunard*, p. 1 et 93) dit que le personnage de Marcel fut composé d'après deux personnages réels, Lazare et Tabar. — **Page 14 :** Banville, comme Baudelaire, ne fut bohème que de très loin. Dans le commentaire de *la Sainte bohême* (*Odes funambulesques*, éd. déf., p. 171) — bohême qui n'a rien à voir avec la véritable, — il a écrit : « En composant cette chanson, je me suis armé de tout mon courage pour écrire le mot *bohême*, que j'exècre ; cependant j'ai voulu le délivrer des haillons et des viles guenilles dont on l'avait affublé, et le débarbouiller avec l'ambroisie à laquelle il a droit ». De fait, quand il a parlé de Mimi (*Odelettes*, *les Exilés*, éd. déf., p. 167), il la transforme en un fantôme aérien et gracieux ; il tente même d'idéaliser Phémie teinturière (*Nous tous*, p. 203). Voir aussi *Rimes dorées*, *A la jeunesse*, prologue pour *la Vie de bohême*, au théâtre de l'Odéon, 30 décembre 1855 (dans *les Exilés*, éd. déf., p. 280). Sur Mimi et Musette voir les *Souvenirs de Schaunard*, p. 175, 182, 189. — **Page 15 :** Voir dans les *Souvenirs des funambules* de Champfleury, p. 174, le budget du mois de novembre 1843, où les recettes totales de Murger et de Champfleury s'élevèrent à 70 francs. — Sur le café Momus, voir *Scènes de la vie de bohême* ; Champfleury, *Confessions de Sylvius* ; Schanne, *Souvenirs de Schaunard*. — *Le Corsaire*, journal des spectacles, de la littérature, des arts, mœurs et modes, par M. M. X., Y. et Z., 1822-1852. Pendant quelques années, il s'appela *le Corsaire-Satan*. Voir *Aventures de Mlle Mariette*, p. 53 ; *Souvenirs des funambules*, p. 298 ; Murger, *Propos de ville et de théâtre*, p. 79 ; *le Scandale*, — le petit journal qui tient une telle place dans *Charles Demailly* des Goncourt, — semble bien n'être pas autre chose que *le Corsaire*.

§ 3. **Page 17 :** Sur les opinions politiques de quelques bohèmes, voir Champfleury, *Souvenirs de jeunesse*, p. 82. Champfleury s'amusera à dire ou à répéter, dans la *Gazette de Champfleury* (1er décembre 1856) : « La France est une bouteille de champagne dont l'empereur est le bouchon », voulant sans doute dire par là que la bouteille n'a de valeur qu'une fois le bouchon sauté. Sur les opinions de Baudelaire, voir son *Salon de* 1846, ses *Œuvres posthumes*, 1908, p. 381. — **Page 18 :** Les Goncourt, *Journal*, t. I, p. 123, 30 mai 1856 ; Delvau, *Murger et la bohême*, p. 28 ; *Histoire de Murger... par trois buveurs d'eau*, p. 26. La lutte des bohèmes contre Ponsard a été racontée dans *les Aventures de Mlle Mariette*, p. 91. — **Page 20 :** *Scènes de la vie de jeunesse*, p. 228. — **Page 22 :** *Scènes de la vie de bohême*, p. 261. Pareillement les peintres, Courbet, Bonvin choisissent de préférence les cuisines, les salles à manger, les cabarets, les salles d'école, les ouvroirs d'orphelines, les ateliers, etc. Je ne nomme ici que Murger et Champfleury, parce qu'ils sont représentatifs de la bohême ; mais on pourrait citer d'autres bohèmes qui, par la peinture des milieux qu'ils connaissaient, ont été pareillement amenés au réalisme : Delvau, *Grandeur et décadence des grisettes*, 1848 ; *les Dessous de Paris*, 1860 ; *les Amours buissonnières, roman réaliste*, 1863 ; *les Cythères parisiennes*, 1864 ; A. Vitu, *Paris l'hiver*, *Bals masqués*, 1848 ; Privat d'Anglemont, *Paris inconnu*, 1861 ; G. Richard, *Voyage autour de ma maîtresse*, 1852. — **Page 23 :** Voir Champfleury, *les Excentriques* ; *Chien Caillou* ; *Feu Miette* ; *Pauvre Trompette*, 1847, dont presque toutes les nouvelles avaient paru dans *le Corsaire*. — Voir le texte de la lettre de V. Hugo dans E. de Mirecourt, *les Contemporains*, t. XLVIII, p. 65. — Sur le graveur Bresdin et ses compagnes, voir Champfleury, *Souvenirs*, p. 117 ; Schanne, *Souvenirs*, p. 138. — **Page 24 :** Champfleury, *Carnaval*, 18 octobre 1846 (type de fou) ; *les Fuenzès*, 29 novembre 1846 (collectionneur maniaque) ; *Simple histoire d'une montre, d'un rentier, d'un lampiste et d'un horloger*, 28 février 1847 (maniaque qui devient fou) ; *Van Schaendael père et fils*, 11 juillet 1846 (peintre maniaque) ; *Feu Miette*,

6 octobre 1845 (escamoteur excentrique) ; *Une religion au cinquième*, 17 janvier 1845, etc. La plupart des chapitres du volume des *Excentriques* ont paru dans *le Corsaire*, avant 1847. — *Souvenirs des funambules*, p. 59 ; *les Souvenirs du doyen des croque-morts*, 29 décembre 1845 ; *La Morgue*, 16 août 1846 ; *la Tête de mort* (*l'Artiste*, 15 mars 1849) ; *l'Hiver*, 19 décembre 1844, etc. Sur Barbara : Max. du Camp, *Souvenirs littéraires*, t. II, p. 75 ; Champfleury, *Souvenirs*, p. 196. Barbara fit passer dans la *Revue de Paris* la plupart de ses œuvres, et principalement *les Jumeaux*, 15 janvier 1854 ; *l'Assassinat du Pont Rouge*, janvier 1855. De Nadar : *Quand j'étais étudiant*, 1855, qui contient notamment *le Testament du boulanger* ; *Mlle Crète* (histoire d'une idiote) ; *la Vie et la mort de Lequeux* (étudiant excentrique) ; *l'Indienne blanche* (mariage bizarre) ; *la Mort de Dupuytren* ; *Le Terne Sec* (pauvresse excentrique) ; *l'Appareil de fracture* (scène d'hôpital) ; *Grands et petits morts* ; *le Mort guéri* (type d'excentrique). — **Page 25 :** Champfleury, *les Excentriques* (préface de la 2e édition). — Gérard de Nerval, dans sa *Bohême galante*, 1855, ne paraît pas concevoir d'autre définition du réalisme que la peinture des milieux vagabonds ; A. de Pontmartin, *Revue des Deux Mondes*, 1er janvier 1854, p. 204 ; Nettement, *le Roman contemporain*, 1864, p. 115 ; Ch. de Mazade, *Revue des Deux Mondes*, 1er septembre 1860, p. 243 ; G. de Cassagnac, *Réveil*, 16 janvier 1858 ; Cuvillier-Fleury, *Dernières études hist. et litt.*, t. I, p. 269, associe le succès de Champfleury et celui de Dumas, 1855.

Chapitre II. — § 1. **Page 27 :** Sur la jeunesse de Murger, voir *les Nuits d'hiver*, 1890, p. 130. Murger s'est moqué de sa fureur de lectures poétiques dans « Un poète de gouttières » (*Scènes de la vie de jeunesse*, p. 230). Sur son ignorance : Max. Du Camp, *Souvenirs*, t. II, p. 74. Sur la biographie anecdotique de Murger, voir, en sus des ouvrages indiqués, p. 288 ; Ch. Monselet, *les Ressuscités*, 1876, p. 171 (art. de 1861) ; E. de Mirecourt, *H. Murger*, 1869. — **Page 28 :** *Courtisane*, dans *les Nuits d'hiver*, p. 105. Baudelaire d'ailleurs fréquenta la bohême : il figure dans *les Aventures de Mlle Mariette*. La plupart des poésies des *Fleurs du mal* avaient été composées de 1840 à 1850 ; il se peut que Murger ait pastiché Baudelaire. — **Page 29 :** Voir notamment *le Dimanche matin*, imité de Hebel, 1844 ; *les Abeilles*, 1854 ; *les Corbeaux*, 1856 ; *le Chien du braconnier*, 1859 ; *Ma mie Annette*, 1844 ; *la Menteuse*, 1844 ; toutes les ballades en prose. — **Page 30 :** *les Buveurs d'eau*, p. 40. Sur la composition des *Scènes de la vie de bohême*, voir Champfleury, *Souvenirs*, p. 100. — **Page 31 :** *les Aventures de Mlle Mariette*, p. 68. La publication des *Scènes de la bohême*, dans *le Corsaire*, traîna longtemps et fut très irrégulière.

§ 2. **Page 31 :** La comédie tirée des *Scènes de la vie de bohême* fut jouée le 22 novembre 1849 et publiée en décembre. Les *Scènes de bohême* ont paru dans les premiers jours de 1851 ; les *Scènes de la vie de jeunesse*, en mars 1851 ; *le Pays latin* fut aussi publié en 1851 (*Revue des Deux Mondes*, mai-juin) ; le volume parut en septembre ; mais, en réalité, les deux premières œuvres dataient de plusieurs années déjà, et *le Pays latin* appartient à une nouvelle manière. Il en sera question plus loin. — Entre autres témoignages du succès de Murger, voir E. Rousse, *Lettres à un ami-*

t. I, p. 115, 14 décembre 1849, et t. I p. 146 ; Th. Gautier, *Histoire de l'art dramatique en France*, 1859, t. VI, 30 avril 1852. — Sur l'autobiographie dans les nouvelles de Musset, voir la biographie donnée par P. de Musset ; les lettres à Aimée d'Alton, récemment publiées, donnent le secret du *Fils du Titien. Mimi Pinson* est postérieure (1845), cette nouvelle évidemment n'a pu qu'encourager Murger. Peut-être dut-il à Musset le nom de quelques-uns de ses héros : Mimi, Tristan... Comme Musset, il ne nous les fait guère connaître que par leurs prénoms. Cette influence de Musset a été notée dès l'apparition des premiers volumes par plusieurs critiques et surtout par Clément de Ris, *Portraits à la plume*, 1853, p. 39 et 49 ; Barbey d'Aurevilly, *les Œuvres et les hommes, les poètes*, 1862, p. 305. — **Page 32 :** Pontmartin, *Revue des Deux Mondes*, 1er janvier 1852, p. 194. — **Page 33 :** G. Merlet, *le Réalisme et la fantaisie dans la littérature*, 1861, p. 56, a bien noté cette invraisemblance. « M. Murger a imaginé un conte des Mille et une nuits à l'usage des étudiants.... Il est le Florian des idylles du quartier latin. » Toute une partie du *Souper des funérailles* est extraite de *Dona Sirène* (1847, publ. en 1874), imbroglio romanesque, où les morts sont tués deux fois et où des vengeances s'ourdissent pendant des années. — **Page 34 :** Sur Murger et Shakespeare, voir Champfleury, *Souvenirs*, p. 99; Murger, *Scènes de la vie de bohême*, p. 156, 201, 248, 154 ; *Scènes de la vie de jeunesse*, p. 76. — **Page 35:**Champfleury, *Souvenirs*, p. 101. — Barbey d'Aurevilly, qui *éreinte* Murger, accuse la critique d'avoir été « émoustillée par les souvenirs des aimables sottises de ses vingt ans » (*les Poètes*, 1862, p. 311) ; voir aussi G. Planche, *le Roman en* 1857 (*Revue des Deux Mondes*, 1er avril 1857); Pontmartin, *Revue des Deux Mondes*, 1er janvier 1852 ; *Scènes de la vie de jeunesse*, p. 49. — **Page 36 :** Pontmartin, art. cité.

§ 3. **Page 37 :** Ont paru dans la *Revue des Deux Mondes : Claude et Marianne, épisode de la vingtième année*, mai-juin 1851 ; *le Dernier rendez-vous*, 1er février 1852 ; *Adeline Protat*, février-avril 1853 ; *les Buveurs d'eau, scènes de la vie d'artiste*, novembre 1853, mars-avril 1854, octobre 1854 ; *les Vacances de Camille*, avril-juin 1857 ; *la Ballade d'un désespéré*, 1er juin 1860. — **Page 40 :** Sur la « trahison » de Murger : Les Goncourt, *Journal*, t. I, p. 210, octobre 1857. — **Page 41 :** *les Vacances de Camille*, nouv. éd., 1897, p. 24. Murger fut effectivement décoré peu après, en 1858.

§ 4. **Page 41 :** *Adeline Protat* a été publié en volume au début de 1854, sous le titre : *Scènes de campagne*. Les critiques traditionalistes ont assez apprécié ce roman, mais surtout pour sa partie fantaisiste et romanesque. G. Merlet (*le Réalisme et la fantaisie*, 1861, p. 82) y voit même « le contre-poison des *Bourgeois de Molinchart* », de Champfleury.—*Le Sabot rouge* a paru à la fin de 1859. Le roman a l'air d'être inachevé : « Ne vous souvient-il pas de l'histoire du *Sabot rouge* au *Moniteur* ? Le roman s'abattit sous le romancier avant d'avoir fait la moitié du chemin que devait parcourir la fiction. » (B. Jouvin, dans *le Figaro* du 25 septembre 1864.)

CHAPITRE III. — § 2. **Page 54 :** Balzac, *Revue parisienne*, 3e livraison, 25 septembre 1840 (*Honoré Balzac critique littéraire*, par

L. Lumet, 1912, p. 225); Flaubert, *Correspondance*, édition Conard, t. II, p. 174 ; Sainte-Beuve, *Lundis*, t. XIII, p. 226, 16 mars 1857; en 1854 (t. IX, p. 241), il parlait déjà assez durement du romancier; Cuvillier-Fleury, *Dernières études hist. et litt.*, 1859, t. II, p. 304, 17 mars 1858. — **Page 55 :** Stendhal, *Correspondance*, éd. Paupe et Cheramy, t. I, p. 196, 107. — **Page 56 :** Sur *Armance* voir *Correspondance*, t. I, p. 445 ; sur *la Chartreuse*, *Corresp.*, t. III, p. 80. — **Page 58 :** *Vie de H. Brulard*, ch. XVIII. — Zola, *les Romanciers naturalistes*, p. 124. — **Page 59 :** Sainte-Beuve, *Lundis*, t. IX, p. 241, 2 janvier 1854 ; Taine, *Revue philosophique*, 1900, p. 446 ; *Correspondance*, t. II, p. 56, 61, 66 (1854), 98, 110, 158 (1855). L'étude de Taine sur Stendhal a paru dans la *Nouvelle Revue de Paris*, 1er mars 1864.

§ 3. **Page 60 :** Th. Gautier, *Histoire de l'art dramatique*, t. VI, p. 38, 15 janvier 1849 ; *Portraits contemporains*, p. 114 ; Th. de Banville, *Comédies*, 1902, p. 16 ; Sainte-Beuve, *Lundis*, t. II, p. 359. — **Page 61 :** Champfleury, *Feu Miette*, *Fantaisies d'été*, 1847, p. 6 ; Duranty, *Réalisme*, 15 décembre 1856, p. 28. — **Page 62 :** Pontmartin, *Revue des Deux Mondes*, 1er février 1855, p. 542. — Pontmartin, *les Fétiches littéraires* (*Causeries du samedi*, 1857). Voir aussi l'article de E. Poitou, *Revue des Deux Mondes*, 15 décembre 1856, p. 713. — J. Troubat, *Sainte-Beuve et Champfleury*, 1908 : lettres de Champfleury à sa mère, p. 122, 125, 126, 128 (1851). Champfleury, *M. de Balzac, père de la critique future* (14 juin 1851) et Notes dans l'ouvrage de Baschet (*H. de B.*, 1851); *Grandes figures d'hier et d'aujourd'hui*, 1861 ; L. Gozlan, *B. en pantoufles*, 1856 ; *Souvenirs sur B.* (*Rev. contemporaine*, 1858) ; *B. chez lui*, 1862 ; L. Ulbach, Préface de *Suzanne Duchemin* (*Rev. de Paris*, 1er et 15 janvier 1858) ; Duranty, *Réalisme*, 15 décembre 1856. L'article de Taine sur B. a paru dans les *Débats* en février-mars 1858. — **Page 64 :** Champfleury, lettres à sa mère, ouvr. cité, p. 170, 173. — Un journaliste écrivait drôlement (*Figaro*, 14 décembre 1856) : Champfleury « imite Balzac comme un homme qui aurait été longtemps à son service ».

§ 4. **Page 66 :** J. Janin, *Histoire de la litt. dramatique*, 1853, t. I, 431 ; Th. Gautier, *Histoire de l'art dramatique*, t. VI, p. 112, 13 août 1849 ; Champfleury, *M. Prudhomme au salon*, 20 mars 1846, dans *Pauvre Trompette*, 1847, p. 44. Les *Scènes populaires* paraissent en 1830, 31, 36, 39, 41, 46, 49, 53, 54, 55, 56, 57, 58, 64 (en adjoignant aux *Scènes populaires* les œuvres analogues). — Balzac a représenté H. Monnier sous le personnage de Bixiou, principalement dans *les Employés* (1838), mais aussi dans une quinzaine de romans. Voir Cerfbeer et Christophe (*Répertoire de la Comédie humaine*). B. a imité *les Scènes de la vie bureaucratique* parues en 1835 (*Scènes populaires*), dans *les Employés*, parus en 1838, sous le titre *la Femme supérieure*. — Th. Gautier reconnaît que les bourgeois de H. M. sont plus vrais que ceux de B. ; voir *Portraits contemporains*, p. 33 à 37. — Mirecourt, *H. M.*, 1857, p. 52 et 85. Sur la réputation de H. M. vers 1860, voir Daudet, *Trente ans de Paris*. Champfleury l'imite dans *Profils de bourgeois*, 24 mars 1845, et dans *M. Prudhomme au salon*, 1847 ; il écrit avec lui *la Reine des carottes*, 1848. En 1879, il publie *H. M., sa vie, son œuvre*. — **Page 68 :** Le propos de V. Hugo est rapporté par E. Bergerat, *Souvenirs d'un enfant de Paris* (*les Années de* *bohême*, 1911, p. 118) ; Barbey d'Aurevilly rapproche Homais et M. Prudhomme (*les Romanciers*, t. IV, 1865, p. 74) ; Pontmartin, *Nouvelles causeries du samedi*, 1860, p. 317 et 323, 25 juin 1857. — **Page 69 :** L. Maigron, *le Roman historique à l'époque romantique* 1898, p. 414 ; E. Sue, *la Famille Jouffroy*, 1854, Préface ; Gérard de Nerval, *Nuits d'octobre*, 1852, dans *la Bohême galante*, p. 178 ; *le Club des Pickwistes* est traduit en 1838 ; *Nicolas Nickleby* en 1839 ; *le Baron de Grosgwicg* et *Olivier Twist* en 1841 ; *le Marchand d'antiquités* en 1842. A partir de 1847, les traductions deviennent plus nombreuses : 8 en 1847 ; 3 en 1848 ; 3 en 1849 ; 3 en 1850 ; 3 en 1853. C'est à partir de 1854, et principalement dans les traductions que publia Hachette, que fut vulgarisée l'œuvre de Dickens ; en 1857, il paraît huit traductions ; en 1858 six. En 1855, *le Moniteur* publie du Dickens en feuilleton ; *Réalisme*, 15 février 1857, p. 49 ; Ch. Louandre (*Revue des Deux Mondes*, 15 novembre 1847) signalait déjà Dickens parmi les auteurs à succès. L'article de Taine sur Dickens est du 15 février 1856. — **Sur** Mérimée : Sainte-Beuve, *Lundis*, t. VII, p. 308. Duranty serait son fils naturel.

§ 5. **Pages 70 et suiv. :** Delaplace, *Revue contemporaine*, mars 1864, t. LXXIII, p. 140 ; Ch. de Mazade, *Revue des Deux Mondes*, 1er septembre 1860, p. 243 ; Mirecourt, *Courbet*, 2e édition, 1870, p. 53. Voir aussi E. Rousse, *Lettres à un ami*, t. I, p. 208 ; Ch. de Mazade, *Revue des Deux Mondes*, 1er juin 1853, p. 1070. — **Page 72 :** Pastiche de Champfleury dans la préface de la première édition des *Aventures de Mlle Mariette* ; de Feydeau, dans *Catherine d'Overmeire*, 1860, nouv. éd., p. 307 ; des Goncourt, dans *Manette Salomon*, nouv. éd., p. 331. — Sur les théories de Courbet et « la Brasserie » : Champfleury, *Souvenirs*, p. 179, 186 ; *Réalisme*, 15 janvier 1857 ; Duranty, *le Pays des arts*, p. 343 ; Schanne, *Souvenirs de Schaunard*, p. 286 ; A. Daudet, *Trente ans de Paris* (La fin d'un pître). — **Page 73 :** On reconnaissait que Monselet n'était attiré que par un certain « vin cacheté ». *La Soupe au fromage* a été reproduite dans les *Œuvres choisies* de Max Buchon (1876). Voici, à titre de curiosité, le texte que Champfleury donne de *la Femme du roulier* (*le Réalisme*, p. 194).

La pauvre femme
C'est la femme du roulier,
S'en va dans tout le pays
Et d'auberge en auberge
Pour chercher son mari
Tireli
Avecque une lanterne.

— Allons, ivrogne,
Retourne voir à ton logis
Tes enfants sur la paille,
Tu manges tout ton bien
Tirelin
Avecque des canailles.

Madam' l'hôtesse
Mon mari est-il ici?
— Oui, Madame, il est là-haut,
Là dans la chambre haute,
Et qui prend ses ébats
Tirela
Avecque la servante.

Madam' l'hôtesse,
Qu'on m'apporte du bon vin,
Là sur la table ronde,
Pour boire jusqu'au matin
Tirelin
Puisque ma femme gronde.

La pauvre femme
Retourne au logis
Et dit à ses enfants :
— Vous n'avez plus de père,
Je l'ai trouvé couché
Tirelé
Avec une autre mère.

— Eh bien, ma mère,
Mon père est un libertin
Et se nomme Sans-gêne.
Nous sommes ses enfants
Tirelan
Nous ferons tous de même.

Page 74: *Revue des Deux Mondes*, 15 août 1849, p. 578. —Le Salon de 1850 fut reculé. — **Page 75** : Champfleury, *Messager de l'Assemblée nationale*, 26 février 1851. — **Page 76** : Th. de Banville, *Comédies*, p. 22 (sc. IV). T. de B. a plusieurs fois attaqué Courbet. Voir *Odes funambulesques*, éd. déf., 1905, p. 105, 163, 235. — **Page 77** : « Exhibition et vente de 38 tableaux et 4 dessins de M. G. Courbet. » Suit le catalogue. — *Manette Salomon*, p. 321, 328, 344. — **Page 78** : Castagnary, *Salons*, t. I, p. 26, 148 ; Proudhon, *Du principe de l'art et de sa destination sociale*, 1865, notamment ch. XVIII et XIX.

CHAPITRE IV. — § 1. **Page 79** : Vapereau, *l'Année littéraire*, 1860, t. III, p. 103 n. ; Ch. de Mazade, *Revue des Deux Mondes*, 1er août 1852, p. 619 ; Baudelaire, *le Corsaire Satan*, 18 janvier 1848 (*Œuvres posthumes*, 1908, p. 169). — **Pages 80 et suiv.** : Champfleury, *Contes domestiques*, 1852, Dédicace ; *Lettre à M. Ampère touchant la poésie populaire* (*Revue de Paris*, 15 novembre 1853, p. 585) ; lettre à Max Buchon dans J. Troubat (*Une amitié à la d'Arthez*, p. 89) ; *l'Aventurier Challes* (*Revue de Paris*, 1er et 5 mai 1854) ; *Lettre à George Sand*, l'Artiste, 2 septembre 1855 ; *la Gazette de Ch.*, parut le 1er novembre et le 1er décembre 1856. — Le volume *le Réalisme* comprend : *a*. Quelques notes pour servir de préface (25 mars 1857) ; *b*. L'article sur l'aventurier Challes (*Revue de Paris*, 1854) ; *c*. La reproduction à titre de modèle, d'une des nouvelles de Challes ; *d*. La lettre à Ampère sur la poésie populaire (*Revue de Paris*, 1853) ; *e*. Un article sur *Est-il bon, est-il méchant?* de Diderot, paru dans la *Gazette de Champfleury* ; *f*. La littérature en Suisse (août 1853) ; *g*. Sur M. Courbet, lettre à George Sand (*Artiste*, 1855) ; *h*. Critique de *Une vieille maîtresse*, de Barbey d'Aurevilly (*Gazette de Ch.*). — **Pages 82 et suiv.** : Lettres de Ch. à Buchon, dans J. Troubat (*Une amitié à la d'Arthez*, 1887) ; *Souvenirs des funambules*, 1859, p. 98 ; *Souvenirs de jeunesse*, 1872, p. 193. — **Page 84** : *la Grande danse réaliste*, dans P. Eudel, *Champfleury inédit*, 1903, p. 322. — **Page 85** : Sur les aspirations démocratiques, voir : Notice en tête des *Poésies* de Max Buchon, 1878, p. X. — Voir une « clef » de *Ch. Demailly* ; dans A. Delzant, *Les Goncourt*, 1889, p. 71 n. ; *Ch. Demailly*, éd. nouv., p. 36 et 37. — **Page 86** : *les Oies de Noël* ont paru de janvier à mars 1850 dans *la Voix du peuple*, et ont été réimprimées dans *Contes domestiques*, 1852 ; elles ont reparu sous le titre *l'Usurier Blaizot*, 1858.

§ 2. **Page 86** : Voici les noms des collaborateurs de *Réalisme*, relevés à mesure qu'ils apparaissent dans les numéros : J. Sander, H. Roquairol, H. Terrans, L. Présurier, Wegsters, P. Wissous, Max Buchon, Soulas, L. de Néac. — **Page 87** : Sur l'influence de Ch. : H. Thulié, *Réalisme*, 15 février 1857 ; Duranty, *Petite décla-*

ration, *Réalisme* (même numéro). Joindre à ces études ; *Caractéristique des œuvres de M. Ch.*, en tête des *Amis de la nature* de Ch. — **Page 88 :** La collection de la Bibliothèque nationale ne contient pas le numéro du 15 novembre annoncé au *Journal de l'imprimerie* du 22 novembre. — **Page 89 :** L'article de Zola a paru dans *Le Bien public* du 22 avril 1878 ; il a été reproduit par Duranty en tête de la réédition de 1879 du *Malheur d'Henriette Gérard* et par Zola dans *le Roman expérimental*, p. 304. — **Page 90 :** Appréciations sur les poètes : 15 décembre 1856, p. 28 ; Duranty, *les Contemplations de V. Hugo, ou le Gouffre géant des sombres abîmes romantiques*, 15 janvier et 15 février 1857; *A quoi sert donc Charenton?* 15 décembre. Voir dans *Figaro*, 13 novembre 1856, un article de Duranty, *les Jeunes*, qui est un amusant éreintement des écrivains en renom. Sur Rétif, 15 janvier, p. 35 ; sur Stendhal, 15 mars ; sur Adolphe et sur Balzac, 15 décembre. Voir une énumération des ancêtres du réalisme, 15 mars, p. 69. — **Pages 91 et suiv. :** Assézat condamne la doctrine romantique du grotesque, mais maintient le droit aux sujets laids, 10 juillet. Sur la modernité des sujets, 15 décembre. Sur l'art social, *Pour ceux qui ne comprennent pas*, 15 décembre ; *M. Max Buchon et le réalisme*, 15 décembre, p. 18. — La tendance est pareille dans Maxime Du Camp : *Chants modernes*, 1855 ; L. Ulbach, *La liquidation littéraire* (*Revue de Paris*, mars 1853), et préface de *Suzanne Duchemin*, 1855. — **Pages 92 et suiv. :** Sur le style : H. Thulié, avril-mai. Sur le roman : Du caractère, 15 décembre ; la description, 15 janvier ; l'action, 15 mars ; le style, avril-mai ; imitation des naturalistes, 15 janvier ; le roman historique, 15 décembre. — **Page 93 :** Sur Flaubert, 15 mars.

§ 3. **Page 95 :** *Ch. Demailly*, éd. nouv., p. 266. — **Pages 93 et suiv. :** sur la critique de Sainte-Beuve pendant le règne de Louis-Philippe, voir G. Michaut, *Sainte-Beuve avant les lundis*, 1903, ch. XIII ; Sainte-Beuve, *De la littérature industrielle* (*Revue des Deux Mondes*, 1er septembre 1839) ; *Dix ans après en littérature*, 1er mars 1840 ; *Quelques vérités sur la situation en littérature*, 1er juillet 1843 ; *La Revue en* 1845, rec. dans *Portraits contemporains*. — **Page 97 :** Sur Buloz et Balzac, voir, entre autres, Monselet, *Petits mémoires littéraires*, p. 12 ; Th. de Banville, *Villanelle de Buloz* (*Odes funambulesques*). — *Du roman et du théâtre contemporain*, par M. E. Poitou, conseiller à la cour impériale d'Angers, 1857. — **Page 98 :** J. Fère, *Du Réalisme dans la littérature* (Congrès scientifique de France de 1864). — Discours de réception de Feuillet, 26 mars 1863. — Sur le discrédit du roman vers 1850 : *Revue des Deux Mondes*, 15 mars 1850, p. 1129 ; Ch. Louandre, Statistique de la production littéraire en France depuis quinze ans (*Revue des Deux Mondes*, 15 novembre 1847, p. 681. Voir aussi 1er août 1852, p. 619 ; 15 mai 1853, p. 857 ; 15 décembre 1856, p. 713).

§ 4. **Page 99 :** Sur la législation de la presse sous le Second Empire ; Fabreguettes, *Traité des délits politiques*, 2e édit., 1902, t. I, p. CLXXI. L'art. 14 de la loi du 16 juillet 1850 ne fut pas maintenu par le décret du 17 février 1852. — Du Camp, *Souvenirs*, t. II, p. 42 à 52. Voir aussi les Goncourt, *Ch. Demailly*, p. 22. Sur les nombreux petits journaux parus et presque aussitôt disparus, voir Hatin, *Bibliographie de la presse*. — **Page 100 :** Le décret du 17 février 1852 fut complété par ceux du 28 mars (journaux littéraires et scientifiques) et du 31 décembre (juridiction correctionnelle). Le cautionnement était de 30 000 francs pour une revue; plus pour un journal. Le droit de timbre était, pour une revue, de 0 fr.06 par feuille. — Sur les mésaventures de Champfleury, ses *Souvenirs*, p. 262 et 320 ; Préface des *Amoureux de Sainte-Périne*, 1873. — **Page 101 :** *Revue des Deux Mondes*, 15 octobre 1852, p. 1179. — **Page 102 :** Note de la *Collection complète des lois...*, par J. B. Duvergier, t. XXII, 2e édit., 1838, p. 149. Sur le procès des Goncourt, voir leur *Journal*, t. I, p. 34. Sur le reproche de « réalisme » fait à Baudelaire : J. Troubat, *Une amitié à la d'Arthez*, p. 95. — **Page 103 :** Rapport de la commission du colportage : *Moniteur*, 8 avril 1853. — **Page 104 :** Champfleury, *Souvenirs*, p. 315 ; lettre du 9 octobre 1856 à sa mère dans Troubat, *Sainte-Beuve et Ch.*, 1908, p. 177. — **Page 105 :** La circulaire de Billaut a paru dans *le Moniteur* du 6 juillet 1860. — Sur les cabinets de lecture : Fustier, *le Livre*, 10 juillet 1883, p. 230. Il y en avait 189 en 1840, 183 en 1860, 146 en 1870. — Sur l'affaire des bibliothèques populaires, *Moniteur*, 22 et 26 juin 1867. Sainte-Beuve prononça un discours (*Premiers lundis*, t. III, p. 204) ; il n'obtint pas l'ordre du jour pur et simple qu'il proposait. — **Page 106 :** Sur les projets de littérature d'état : Sainte-Beuve, *Premiers lundis*, t. III, p. 59. *Les Muses d'État* de V. de Laprade ont paru dans *le Correspondant* du 25 novembre 1861 ; Champfleury, *Souvenirs*, p. 323. — **Page 107 :** Champfleury, lettres à sa mère, ouvr. cit, p. 151 (1853 ou 1854).

Chapitre V. — § 1. **Page 108 :** La liste des ouvrages de Champfleury donnée par Thieme est incomplète et erronée (*Guide bibliographique de la littérature française de* 1800 *à* 1906). On la redressera et on la complétera avec : Clouard, *l'Œuvre de Champfleury*, 1891, et le catalogue imprimé de la Bibliothèque nationale. Depuis 1906 on a publié du Champfleury inédit : J. Troubat, *Sainte-Beuve et Champfleury, Lettres de Champfleury à sa mère, à son frère et à divers*, 1908 ; voir aussi F. Chambon, *Champfleury, Notes et documents inédits* (*Journal des Débats*, supplément littéraire du 22 avril 1909) ; *Amateur d'autographes*, décembre 1910 ; *Un autographe de Champfleury ; sa Visite à La Réole en* 1870 (*Annales romantiques*, 1907, t. IV, p. 223).

Ajouter aux références données par Thieme : *Catalogue des autographes composant la collection de Champfleury*, 1891 ; Baudelaire, *Œuvres posthumes*, 1908, p. 169, 18 janvier 1848 ; Ch. de Mazade, *Revue des Deux Mondes*, 1er août 1852, p. 619, et 1er juin 1854, p. 1050 ; H. Thulié, *Réalisme*, 15 février 1857 ; Cuvillier-Fleury, *Historiens, poètes et romanciers*, 1863, t. II, p. 9, 14 novembre 1858 ; E. Lataye, *Revue des Deux Mondes*, 1er mars 1859, p. 248 ; G. Vapereau, *l'Année littéraire*, 1860, t. III, p. 102 ; Ch. de Mazade, *Revue des Deux Mondes*, 1er septembre 1860, p. 243 ; E. Chesneau, *le Réalisme et l'esprit français dans l'art* (*Revue des Deux Mondes*, 1er juillet 1863) ; Nettement, *le Roman contemporain*, 1864, p. 151 ; E. Rousse, *Lettres à un ami*, t. I, p. 425 ; Zola, *les Romanciers naturalistes*, p. 338, 1878 ; J. Troubat, *Une amitié à la d'Arthez, Ch. Courbet, Max Buchon*, 1900 ; R. Lavaud, *la Petite Ville d'après Champfleury*, 1907 ;

Nadar, *le Poète vierge*, 1911 ; J. Troubat, *Notes et souvenirs* ; *Un Romantique méconnu, Champfleury* (*le Temps*, 20 août 1911).

Un mémoire de diplôme d'études supérieures a été présenté en juin 1910 à la Sorbonne par M. Bouvier sur Champfleury et le réalisme (1844-1857).

M. Strowski (*Tableau de la littérature française au* XIXe *siècle*, 1912) exécute Champfleury entre deux parenthèses et en six mots : « le sec, froid, intelligent et inutile Champfleury ». — **Pages 109 et suiv. :** Sur son ignorance et ses études : *Souvenirs de jeunesse*, p. 197 ; *Sainte-Beuve et Champfleury*, lettres à sa mère, p. 58, 60, 65, 67, 85, 295. Voir aussi *la Succession Le Camus*, édition, 1861, p. 257, où il parle de lui-même sous le personnage d'un ami d'Édouard May. — **Pages 111 et suiv. :** Sur son idéal littéraire, lettres à sa mère, p. 68, 89, 92. Sur la littérature considérée comme métier, même ouvrage, p. 49, 66, 114, 162, 166 ; lettre à Max Buchon, le 19 août 1860, dans J. Troubat, *Une amitié à la d'Arthez*, p. 146 ; *Souvenirs de jeunesse*, p. 146. — **Page 113 :** « Conseils à un jeune écrivain », en tête de *Grandes figures d'hier et d'aujourd'hui*, 1861, à Duranty, 3 décembre 1860.

§ 2. **Pages 114 et suiv. :** *Les Souffrances de M. le professeur Delteil* ont paru dans la *Revue de Paris* de janvier à avril 1853. Le livre a été imprimé la même année, dans le volume *Contes d'été*. Voir les lettres de Champfleury à sa mère, ouvrage cité, p. 144 et 145. Sur l'opinion de Sainte-Beuve : J. Troubat, *Une amitié à la d'Arthez*, p. 15 ; *Nouveaux lundis*, t. IV, p. 117. — **Pages 115 et suiv. :** *Les Bourgeois de Molinchart* ont paru dans la *Presse* à partir du 21 juillet 1854 (42 numéros) et ont été publiés en volume en 1855. Voir *Souvenirs de jeunesse*, p. 228 ; *Journal des Débats*, supplément littéraire du 22 avril 1909 ; Flaubert, lettre à L. Bouilhet du 5 août 1854, éd. Conard, t. III, p. 12. (L'éditeur renvoie faussement à *Mme d'Aigrizelles*, qui avait paru dans la *Revue de Paris* du 1er février 1854, et non en feuilletons ; le sujet de cette nouvelle n'a d'ailleurs aucun rapport avec les termes de la lettre de Flaubert). — **Pages 116 et suiv. :** *Monsieur de Boisdhyver* a paru dans *la Presse* à partir du 27 mai 1856 (31 numéros) et a été publié en volume la même année sous le titre *Grandeur et décadence de la vie domestique*. Voir les lettres de Champfleury à sa mère, ouvrage cité, p. 159, 163, 164, 167 ; lettres de Champfleury à Veuillot (*Figaro*, 10 juillet et 7 août 1856) ; *Journal des Débats*, supplément littéraire du 22 avril 1909). — **Page 118 :** *La Succession Le Camus* a été publiée dans le *Journal pour tous*, du 20 septembre au 25 octobre 1856 et publiée en volume en 1857. Voir les lettres de Champfleury à sa mère, ouvrage cité, p. 161, 170, 174, 176, 177, 181. Sur les difficultés que connut Champfleury, voir ici p. 100 et 104, et *Souvenirs de jeunesse*, p. 315. — Voir P. Eudel, *Champfleury inédit*, p. 7. — **Page 119 :** *Les Amoureux de Sainte-Périne* parurent dans la *Presse* à partir du 25 février 1858 (12 numéros), et en volume en janvier 1859. Cette publication suscita des difficultés ; voir Champfleury, *Souvenirs*, p. 262, 320, et ici p. 104. — **Pages 119 et suiv :** *la Mascarade de la vie parisienne* a paru dans *l'Opinion nationale* à partir du 5 septembre 1859 (49 numéros) et en volume en 1860 ; — *Le Violon de faïence*, à partir du 25 novembre 1861 (6 numéros) et en volume en 1862. Voir Sainte-Beuve, *Nouveaux lundis*, t. IV, p. 132 et suiv. ; lettres de

Champfleury à sa mère, ouvrage cité, p. 175. Sur le renoncement de Champfleury au roman après 1860, voir *Notice* en tête des *Poésies* de Max Buchon, 1879, p. XI ; lettres de Champfleury à sa mère ouvrage cité, p. 162, 170. — *Les Demoiselles Tourangeau*, 1863, sont encore une peinture de la vie provinciale.

§ 3. **Page 120 :** lettres de Champfleury à sa mère, ouvrage cité, p. 69. — **Pages 121 et suiv. :** *les Sensations de Josquin*, 1859, p. 2 et 3. Préface des *Souffrances de M. le professeur Delteil* ; lettres de Champfleury à sa mère, ouvrage cité, p. 88, 170, 174, 176, 177. — **Pages 122 et suiv. :** *Souvenirs de jeunesse*, ch. I à XI ; *Souvenirs des funambules*, 1859, p. 243. *Les Demoiselles Tourangeau* mettent en scène la famille de Courbet (J. Troubat, *Sainte-Beuve et Champfleury*, p. 219). — **Page 124 :** Champfleury, *Souvenirs de jeunesse*, p. 240 ; Sur la visite de Champfleury à Bayeux, lettre du 29 août 1855 (*Journal des Débats*, supplément littéraire du 22 avril 1909). Sur son voyage à Toulouse en vue du roman *la Belle Paule* (sur les jeux floraux), *Sainte-Beuve et Champfleury*, p. 189 et 194. — **Page 125 :** Sur les projets de voyage d'Algérie, même ouvrage, p. 170 et 172. L'expression « chercheur de réalité » se trouve dans la préface de *M. de Boisdhyver*. — *Souvenirs de jeunesse*, p. 275. — *La Succession Le Camus*, éd. 1861, p. 5. — **Page 126 :** *les Sensations de Josquin*, 1859, p. 2 ; *Souvenirs de jeunesse*, p. 280 ; Préface des *Demoiselles Tourangeau* datée du 7 juillet 1863. Voir aussi le prospectus rédigé par Champfleury en vue de la création d'un *Bulletin du romancier* (J. Troubat, *Une amitié à la d'Arthez*, p. 139). — **Page 128 :** *les Amoureux de Sainte-Périne*, début du ch. IV.

§ 4. **Page 129 :** lettres de Champfleury à sa mère, ouvrage cité, p. 112 et 161. Voir même volume, p. 182, n. 1. — **Page 132 :** Flaubert, *Correspondance*, t. III, p. 457, éd. Conard ; Les Goncourt, *Journal*, t. VII, p. 241, 10 février 1888.

§ 5. **Page 133 :** *Souvenirs de jeunesse*, p. 127 et 270. Voir aussi J. Troubat, *Une amitié à la d'Arthez*, p. 86. — **Page 134 :** Sainte-Beuve, *Cahiers*, p. 140.

CHAPITRE VI. — § 1. **Page 136 :** La liste des ouvrages de Duranty donnée par Thieme (*Guide bibliographique de la littérature française*) est erronée et incomplète. Il faut notamment dater de 1877 *les Séductions du chevalier Navoni* et ajouter *les Combats de Françoise Du Quesnoy*, 1872 ; *la Nouvelle peinture, à propos du groupe d'artistes qui a exposé dans la galerie Durand Ruel*, 1876 ; *Mlle Pomme*, par Duranty et P. Alexis, pièce jouée le 30 mars 1887. Duranty a collaboré à de nombreux journaux et revues, notamment à *Réalisme*, à la *Gazette des beaux-arts*, où il a publié un long travail sur la caricature étrangère pendant la guerre de 1870-1871, à la *Nouvelle Revue de Paris*, à *Paris*, etc. Voir aussi sa préface des *Amis de la nature*, de Champfleury.

Comme références, il y en a peu à signaler, du moins à ma connaissance ; en dehors des deux livres indiqués par Thieme, on peut consulter : *Revue des Deux Mondes*, 15 septembre 1862, p. 492 (sur *la Cause du beau Guillaume*) ; Huysmans, *A Rebours*, éd. Charpentier, p. 252 ; P. Alexis, dédicace de *l'Éducation amoureuse*, 1890 ; J. Troubat, *Une amitié à la d'Arthez*, p. 352 ; E. Lepelletier, *Émile Zola*, 1908 ; Baudelaire, *Pages de Carnet* (*Mercure de*

France, 16 décembre 1910, p. 612). — **Page 137 :** Fils naturel de Mérimée : renseignement donné dans *la Grande Encyclopédie*, par M. Tourneux ; *le Pays des arts* est un recueil posthume, dont deux nouvelles, sur quatre, avaient paru dans des recueils antérieurs ; *le Malheur d'Henriette Gérard* (paru en juillet 1860) a été réimprimé en 1879 par Duranty, avec un avertissement et deux extraits d'articles de Zola. — **Page 147 :** *la Cause du beau Guillaume*, s. d. (paru en juin 1862), daté à la fin : de novembre 1859 à décembre 1861 ; *la Canne de Mme Desrieux*, s. d. (paru en juillet 1862), dédicace signée du 1er février 1862. — **Page 148 :** *Théâtre des marionnettes*, 1862, réédité en 1880. — *Les Séductions du chevalier Navoni*, 1877, contiennent : *les Séductions..., Blanche Duparc, les Deux anges, l'Expiatrice, l'Enfant qui pleurait, Lovers Walk, l'Empailleur de La Roche-Fermat, la Robe rouge à flammes jaunes, la Simple vie du peintre Louis Martin.* — *Les Six barons de Sept Fontaines*, 1878, contiennent : *les Six barons, Gabrielle de Galandy, Bric à brac, Un accident.* — *Le Pays des arts*, 1881, contient : *la Statue de M. de Montceaux, l'Atelier, Bric à brac, le Peintre Louis Martin.* — **Page 149 :** La citation de Duranty est extraite de l'avertissement du *Malheur d'Henriette Gérard*, 1879.

DEUXIÈME PARTIE

Chapitre I. — § 1. **Page 153 :** Le tome II de *Autour de Flaubert*, par R. Descharmes et R. Dumesnil, 1912, contient une très abondante bibliographie de Flaubert. — G. Planche, *Le roman en* 1857 (*Revue des Deux Mondes*, 15 mars 1857) ; Baudelaire, *l'Artiste*, 18 octobre 1857 (recueilli dans *l'Art romantique*, p. 407). Les expressions citées sont empruntées à Baudelaire. — **Page 154 :** Voir, dans le volume cité de Descharmes et de Dumesnil : *Madame Bovary et son temps*. — Sainte-Beuve, *Lundis*, t. XII, p. 297 ; *Nouveaux lundis*, t. IV, p. 33 ; G. Merlet, *le Réalisme et la fantaisie dans la littérature*, 1861, p. 91. — **Page 155 :** Sur Balzac : Flaubert, *Correspondance*, t. IV, p. 283. (Les citations de Flaubert renvoient à l'édition Conard.) Voir aussi *Bouvard et Pécuchet*, p. 169. Sur Stendhal, *Correspondance*, t. II, p. 174. Sur Champfleury, t. III, p. 212 ; voir ici p. 116 et 132. E. de Goncourt a dit méchamment, mais pas tout à fait à tort (*Journal*, t. VI, p. 33) que les paradoxes de Flaubert étaient ceux de Gautier. — **Page 156 :** Sur le « réalisme de l'art pour l'art », voir l'article de G. Michaut, dans *Pages de critique et d'histoire littéraire*, 1910, p. 117 ; Sur la formation des idées de Flaubert, l'article très suggestif de H. Grappin, *le Mysticisme de Flaubert* (*Revue de Paris*, 1er et 15 décembre 1912); la thèse de L. Ferrère *l'Esthétique de Flaubert*, 1913. — Les beaux volumes de M. Maigron (*le Romantisme et les mœurs, le Romantisme et la mode*) sont le commentaire indispensable des *Œuvres de jeunesse* de Flaubert. — *Correspondance*, t. II, p. 208. — **Page 157 :** *Œuvres de jeunesse*, t. I, p. 446 ; *Correspondance*, t. I, p. 225. — **Page 158 :** *Œuvres de jeunesse*, t. III, p. 305 et suiv. — **Page 159 :** Sur « la Spirale », voir E.-W. Fischer, *Études sur Flaubert inédit*, 1908, p. 119 ; Flaubert, *Correspondance*, t. III, p. 202. — **Page 160 :** les Goncourt, *Charles*

Demailly, édition actuelle, p. 162. Sur la « vision » de Flaubert : lettre à Taine où il compare sa vision poétique à l'hallucination (*Correspondance*, t. III, p. 501). — **Page 161 :** Sur les sujets modernes : *Correspondance*, t. II, p. 293 ; *Œuvres de jeunesse*, t. III, p. 270 ; « Une rêverie... » (*Par les champs et par les grèves*, édition Charpentier, p. 107). Le texte de l'édition Conard est légèrement différent, p. 103. — *Correspondance*, t. IV, p. 245 ; t. II, p. 66. — **Page 162 :** *Notes de voyage*, t. II, p. 347.

§ 2. **Page 163 :** E. Bovet, *le Réalisme de Flaubert* (*Revue d'histoire littéraire de la France*, 1911) ; Du Camp, *Souvenirs littéraires*, t. I, p. 391 ; G. Roches, *les Origines de Mme Bovary* (*Revue de France*, 1896-1897) ; G. Leblanc-Mæterlinck, *Au pays de Mme Bovary*, 1913. — **Page 164 :** Anecdote du curé de Trouville : *Correspondance*, t. II, p. 288 ; sur la douleur du veuf, t. II, p. 273. — **Page 165 :** *Correspondance de Taine*, t. II, p. 231 et 235. — **Page 166 :** Flaubert, *Correspondance*, t. III, p. 230. — **Pages 167 et suiv. :** Sur le roman scientifique, *Correspondance*, t. II, p. 327, 125, 239 ; t. III, p. 480, 525. — **Page 169 :** *Correspondance*, t. II, p. 381 ; t. III, p. 449 ; t. II, p. 85. — **Page 171 :** *Correspondance*, t. II, p. 140. — **Page 172 :** Sur *Sœur Philomène* : *Correspondance*, t. III, p. 283.

§ 3. **Pages 172 et suiv. :** *Correspondance*, t. III, p. 85, 256 ; t. IV, p. 279 ; t. II, p. 216, 284, 119, 390, 309. — **Page 175 :** *Correspondance*, t. II, p. 296, 238, 405, 406 ; t. III, p. 501. — **Page 176 :** Hennequin, *Ecrivains français*, p. 21 ; Flaubert, *Correspondance*, t. IV, p. 349. — **Page 177 et suiv. :** *Correspondance*, t. IV, p. 293, 253, 245, 327, 364, 355 ; Zola, *les Romanciers naturalistes*, p. 188 et suiv.

Chapitre II. — § 1. **Page 180 :** Ajouter aux références données par les manuels de Thieme et de Lanson (en dehors de quelques volumes et articles indiqués plus loin) : Max. Du Camp, *Souvenirs littéraires* ; *Correspondance* de Flaubert et de Sainte-Beuve ; Sainte-Beuve, *Lettre sur la morale et sur l'art* (*Lundis*, t. XV) ; Nettement, *le Roman contemporain* ; Sur *Fanny*, *Revue des Deux Mondes*, 15 juin 1858, p. 968 ; H. Rigault, *Œuvres complètes*, 1859, t. IV, p. 528 (*Débats*, 5 août 1858) ; J. Janin, Préface de *Fanny*, 1858 ; Opinion d'Alexandre Dumas (*Mercure de France*, 16 avril 1909, p. 710) ; sur *Daniel*, *Revue des Deux Mondes*, 1er juillet 1859, p. 240 ; G. Sand, *Lettres à E. Feydeau* (*Revue de Paris*, 15 février 1896), p. 781 ; A. de Pontmartin, *Dernières causeries du samedi*, 2e édition, 1866, p. 326 ; sur *Sylvie*, *Revue des Deux Mondes*, 1er décembre 1861, p. 715 ; E. Montégut, *Revue des Deux Mondes*, 15 juillet 1861, p. 506 ; sur *Un début à l'Opéra* (*Revue des Deux Mondes*, 15 juillet 1863, p. 478) ; Sur *les Aventures de M. de Saint-Bertrand* : Cuvillier Fleury, *Études et portraits*, 1865.

Page 180 : Sainte-Beuve, *Nouveaux lundis*, t. IV, p. 31-33. — **Page 181 :** *Fanny*, nouvelle édition, 1881, p. 18 (préface de juin 1870). Voir sur sa jeunesse des anecdotes amusantes dans Du Camp, *Souvenirs littéraires*, t. I, p. 34 ; sur sa vie de coulissier : *Fanny*, p. 16 ; *Mémoires d'un coulissier*, 1873 ; Flaubert, *Correspondance*, t. III, p. 235 — **Page 182 :** *Journal des Gon-*

court, t. I, p. 164. — **Page 183 :** « Antiquaire pittoresque » (Sainte-Beuve, *Lundis*, t. XIV, p. 178) ; « Coloriste érudit » (*l'Artiste*, 3 janvier 1858, p. 1). — *Alger*, 1862, p. 267. — **Page 184**, Th. Gautier, *Moniteur universel*, 31 octobre 1856 (*L. Orient*, t. II, p. 261). — **Page 184 :** A Laporte, *Histoire littéraire du* XIXe *siècle*, t. V, p. 14. — **Page 186 :** Voir ici, p. 161 ; Feydeau, *Th. Gautier*, 1874, p. 96 ; *Journal des Goncourt*, t. I, p. 77 ; Feydeau, *Th. Gautier*, p. 169, 176, 192 et 111. — **Page 187 :** *Les Quatre saisons* ont paru dans *l'Artiste* : *le Printemps*, 5 avril 1857 ; *l'Été*, 28 juin, 5 et 12 juillet 1857 ; *l'Automne*, 24 janvier 1858 ; *l'Hiver*, 16 mai 1858 ; recueilli en volume 1858 ; nouvelle édition 1877. Voir J. Levallois, *Etudes de philosophie littéraire*, 1863, p. 300. — Flaubert, *Tentation de Saint-Antoine*, p. 176 ; Préface aux *Dernières chansons* de Bouilhet.

§ 2. **Page 188 :** Sainte-Beuve, *Correspondance*, t. I, p. 235, « une des Bibles... », avec *Volupté*, *Mlle de Maupin* et *Mme Bovary* (J. Troubat, *Sainte-Beuve et Champfleury*, 1909, p. 201, n.) ; G. Sand, *Lettres à Feydeau* (*Revue de Paris*, 15 février 1896) ; Flaubert, *Correspondance*, t. III, p. 222 ; Montégut, *Revue des Deux Mondes*, 1er novembre 1858, p. 197. — **Page 190 :** Sainte-Beuve, *Lundis*, t. XIV, p. 165. — **Page 191 :** E. Lataye, *Revue des Deux Mondes*, 15 juin 1858, p. 968 ; E. Montégut, *Revue des Deux Mondes*, 1er novembre 1858, p. 196. — **Page 192 :** Sainte-Beuve, *Lundis*, t. XIV, p. 166. — **Page 193 :** *Fanny*, p. 49. — **Page 194 :** Estève, *Byron et le romantisme français*, 1907, p. 15 ; Feydeau, *Th. Gautier*, p. 161. — **Page 195 :** *Fanny*, p. 91 et 140. — **Page 196 :** Max. Du Camp, *Souvenirs littéraires*, t. II, p. 266. Voir *Journal des Goncourt*, t. I, p. 177 ; Mérimée, *Lettres à une inconnue*, t. II, p. 97 ; Baudelaire, *Lettres*, 1907, p. 246.

§ 3. **Page 196 :** Feydeau, *Mémoires d'un coulissier*, p. 32. — **Page 197 :** *Revue des Deux Mondes*, 1er juillet 1859, p. 240. — **Page 198 :** G. Sand, *Lettres à Feydeau* (*Revue de Paris*, 15 février 1896 p. 783) ; Flaubert, *Correspondance*, t. III, p. 218 ; voir t. III, p. 191 et 211. — **Page 199 :** Sainte-Beuve (*Correspondance*, t. I, p. 236) conseillait à Feydeau de rendre la scène du couvent plus vraisemblable ; de même Flaubert (*Correspondance*, t. III, p. 223). — **Page 201 :** *Journal des Goncourt*, t. II, p. 187, 21 mars 1864 ; Sainte-Beuve, *Lundis*, t. XV, p. 345. — **Page 202 :** Voir P. Martino, *l'Œuvre algérienne d'Ernest Feydeau* (*Revue africaine*, 1909) ; G. Sand, *la Presse*, 8 mai 1857 ; sur *Sylvie*, voir Feydeau, *Th. Gautier*, p. 157, 160 et 164. — **Page 203 :** *Un début à l'Opéra*, 1863, p. XLVIII. Voir aussi *Du luxe des femmes, des mœurs, de la littérature et de la vertu*, 1866. — **Page 204 :** Flaubert, *Correspondance*, t. III, p. 190 et 236 ; Sur la mort de sa femme, voir Flaubert, *Correspondance*, t. III, p. 169 ; sur la décadence de Feydeau, Flaubert, *Correspondance*, t. III, p. 236 ; t. IV, p. 178. Voir aussi *Lettres de G. Sand* (*Revue de Paris*, 15 février 1896, p. 766).

CHAPITRE III. — § 1. **Page 205 :** E. Delaplace, *le Roman contemporain* (*Revue contemporaine*, mars 1864, p. 140). — **Page 206 :** *Correspondance de Flaubert et de George Sand*, p. 444 (lettre du 12 janvier 1876) ; J. Adam, *Mes sentiments et nos idées avant* 1870, p. 106 ; Ch. de Mazade, *les Romans d'hier et d'aujourd'hui* (*Revue* *des Deux Mondes*, 1er septembre 1860, p. 245); Nettement, *le Roman contemporain*, p. 109. — **Page 207 :** Montégut, *la Littérature nouvelle, Des Caractères du nouveau roman* (*Revue des Deux Mondes*, 15 avril 1861, p. 1012). — **Page 208 :** Taine, *Philosophes classiques du* XIXe *siècle*, édition actuelle, p. 298. — **Page 209 :** *Journal des Goncourt*, t. III, p. 68. — **Pages 210 et suiv. :** Sainte-Beuve, *Lundis*, t. XIV, p. 77 ; *Journal des Goncourt*, t. I, p. 389 ; Sainte-Beuve, *Correspondance*, t. II, p. 196 et 314 ; sur le dîner Magny, *Journal des Goncourt*, t. III, p. 160 ; Sainte-Beuve, *Correspondance*, t. II, p. 41. — **Page 212 :** Sainte-Beuve, *Nouveaux lundis*, t. III, p. 13 et suiv. ; t. VIII, p. 67 ; t. IX, p. 70 et 86. — **Page 213 :** *Journal des Goncourt*, t. II, p. 109 ; Taine, *Derniers essais*, p. 98.

§ 2. **Page 214 :** Zola, *Correspondance*, t. II, p. 37. Voir notamment *le Roman expérimental*, p. 221 ; et *le Temps*, 7 mars 1893. A. France, *le Temps*, 12 mars 1893. — **Page 215 :** J.-J. Weiss, *Essais sur l'histoire de la littérature française*, 1891, p. 93, 21 janvier 1858. — **Page 216 :** Taine, *Correspondance*, t. II, p. 183. — **Page 217 :** Zola, *Mes haines*, p. 203. — **Page 218 :** Taine, *Correspondance*, II, p. 211. — *Débats* du 26 janvier 1865 (*Essais*, 2e édition, 1866), recueilli par V. Giraud, *Essai sur Taine*, p. 119. — **Page 219:** *Correspondance*, t. II, p. 122.

§ 3. **Page 220 :** Taine, *Correspondance*, t. II, p. 157 ; II, p. 229 et suiv. — **Page 221 :** *Journal des Goncourt*, t. II, p. 96 ; Zola, *le Temps*, 7 mars 1893. Voir ici p. 58 et 60. — **Page 223 :** Taine, *Correspondance*, t. II, p. 260. — **Page 224 :** Voir notamment la préface d'*Étienne Mayran*, par P. Bourget, 1910.

CHAPITRE IV. — § 1. **Page 229 :** Zola, *Mes haines*, p. 67. — **Pages 230 et suiv. :** les Goncourt, *Préfaces et manifestes*, p. 209 (*les Maîtresses de Louis XV*) ; p. 223 (*la Femme au* XVIIIe *siècle*). — **Page 231 :** *Préfaces et manifestes*, p. 173 (*Journal*) ; Lettres de J. de G. à Zola, 27 février 1865. — **Page 232 :** Lettre à Zola de juillet 1870, dans A. Delzant, *les Goncourt*, p. 187. — **Page 233 :** Delzant, *les Goncourt*, p. 72 ; Lettre à Flaubert, 10 juillet 1861 (*Lettres de J. de G.*, p. 160) ; Flaubert, *Correspondance*, t. III, p. 281 ; *Préfaces et manifestes*, p. 17 (Préf. de 1875) ; Flaubert, *Correspondance*, t. III, p. 405. — **Page 234 :** Lettre à Zola, 10 janvier 1869 (*Lettres de J. de G.*, p. 208).

§ 2. **Pages 235 et suiv.:** *Journal*, t. I, p. 393 (1861); t. III, p. 237 (1868) ; t. I, p. 361 ; t. II, p. 229 (1864) ; Préface du *Journal*, p. VI. — **Page 236 :** *Lettres de J. de G.*, p. 157 (1860). — **Page 237 :** *Préfaces et manifestes*, p. 18. — **Page 238 :** Delzant, *les Goncourt*, p. 73 ; Préface de *Madame Gervaisais* ; Préface de *Germinie Lacerteux*, 1864. — **Pages 239 et suiv. :** Lettre à J. Claretie, 4 mars 1865 (*Lettres de J. de G.*, p. 222) ; *Journal*, t. III, p. 268 (1869) ; III, p. 248 (1868) ; Lettre à Zola, juillet 1870, dans Delzant, p. 187 ; Préface de *Madame Gervaisais* ; *Journal*, t. I, p. 354 (1860). — **Page 241 :** Voir Delzant, *les Goncourt*, pour chacun des romans. — **Page 242 :** Voir Mme A. Daudet, *Souvenirs autour d'un groupe littéraire*, 1909, p. 41 et 137. — **Page 243 :** *Lettres de J. de G.*, p. 299, n. 1 ; *Journal*, t. III, p. 263. — **Pages 243 et suiv. :** Préparation de *Sœur Philomène* (*Journal*, t. I, p. 350 et suiv) ; Préparation de *Germinie Lacerteux* (*Journal*, t. II, p. 193); de *Manette Salomon* (t. II, p. 308); de *Madame Gervaisais* (t. II, p. 115, 193, 263). — **Pages 244 et suiv. :** Préface de *La Faustin* ; *Lettres de J. de G.*, p. 29, n. ; *Journal*, t. III, p. 165.

§ 3. **Page 250 :** J. Claretie (*Revue de Paris*, 26 février 1865) nia aimablement la « démocratie » des Goncourt. — Sur Champfleury et Duranty, voir ici p. 85 et 91. — **Page 251 :** Préface des *Frères Zemgamno* ; *Lettres de J. de G.*, p. 151, n. — **Page 252 :** *Journal*, t. II, p. 281 ; t. II, p. 67. — **Page 254 :** *Lettres de J. de G.*, p. 313. Voir un article, très symptomatique de l'opinion actuelle, de Rémy de Gourmont dans *le Temps* du 17 février 1913.

Chapitre V. — § 1. **Page 256 :** Zola, *Correspondance*, t. I, 1907, p. 51, 125, 16. — **Pages 257 et suiv. :** Même ouvrage, p. 188, 165 177. — **Page 258 :** Même ouvrage, p. 116 et 204 ; P. Alexis, *Émile Zola*, 1882, p. 231 et suiv. — **Page 260 :** *La Confession de Claude*, édition actuelle, p. 112, 143, 149 ; Zola, *Correspondance*, t. II, p. 32 ; Alexis, *Émile Zola*, p. 64. — **Page 261 :** Zola, *Correspondance*, t. II, p. 27 et 33. — **Page 262 :** *Le Vœu d'une morte* a été publié en volume en 1867 ; Alexis, p. 73 ; Préface de la rééd. des *Mystères de Marseille*, 1884. *Les Mystères de Marseille* ont reparu à la fin de 1868 dans l'*Évènement illustré*, sous le titre : *la Famille Cayol*.

§ 2. **Page 263 :** Alexis, p. 74 ; *Correspondance de Zola*, t. II, p. 45 et 47. — **Page 264 :** « Equisses parisiennes » recueillies dans l'édition actuelle du *Vœu d'une morte*. Zola a peut-être subi l'influence de Baudelaire. — **Page 265 :** Zola, *Correspondance*, t. II, p. 13 et suiv. — **Page 266 :** Sur Sainte-Beuve, *le Figaro*, 9 février 1867. — Zola, *Mes haines*, p. 68, 71, 80, 96, 181, 240, 282, etc. — **Page 267 :** Même ouvrage, p. 97 à 100 ; article sur Taine, même ouvrage, p. 201 ; *Correspondance*, t. II, p. 37, 10 décembre 1866. *Congrès scientifique de France*, 33e session, 1re partie, t. II, p. 492 et suiv. Le résumé et les extraits ne donnent d'ailleurs qu'une idée assez imparfaite de ce que fut le travail de Zola. — *Mon Salon*, dans *Mes haines*, p. 300. — **Page 268 :** *Mes haines*, p. 25. — **Page 269 :** Sur la lecture de l'ouvrage de Letourneau, voir H. Massis, *Comment E. Zola composait ses romans*, 1906, p. 26 : reproduction des notes prises par Zola. Sur la lecture du livre du Dr Lucas, voir même ouvrage, p. 35. Les originaux de ces notes sont à la Bibliothèque nationale (N. acq., fr. 10.345). — **Page 270 :** *Journal des Goncourt*, t. III, p. 246.

§ 3. **Pages 271 et suiv. :** Zola, *Correspondance*, t. II, p. 45 et 47. *La Vénus de Gordes* a paru dans *le Figaro*, du 16 novembre au 20 décembre 1866. L'article de Zola contenant la première idée de *Thérèse Raquin* a paru, sous le titre *Un mariage d'amour*, dans *le Figaro* du 24 décembre. *Un mariage d'amour* a paru dans *l'Artiste* (août-octobre 1867) ; il y a en effet bien des adoucissements de texte. La première édition de *Thérèse Raquin* a paru à la fin de 1867, avec la date de 1868. Dans la deuxième édition, il y a un certain nombre de modifications de texte : tendance à accentuer la brutalité. L'article de L. Ulbach : « La littérature putride » (*Lettres de Ferragus*) a paru dans *le Figaro* du 23 janvier 1858. « ... Ma curiosité a glissé ces jours-ci dans une flaque de boue et de sang qui s'appelle *Thérèse Raquin*... C'est le résidu de toutes les horreurs publiées précédemment, etc. » Zola répondit par une *Lettre à Ferragus* dans le numéro du 31 janvier ; il parle peu de son livre et beaucoup de *Germinie Lacerteux*. « Ferragus » répliqua dans le numéro du 6 février et donna encore quelques coups de patte à Zola dans le numéro du 20 février. Voir Alexis, p. 78 ,et A. Brisson, *l'Envers de la gloire*, p. 80 et suiv. — **Page 273** : Sur *Madeleine Férat*, voir Alexis, p. 77 ; *Correspondance de Z.*, t. II, p. 68 à 70 ; Brisson, *l'Envers de la gloire*, p. 83 ; *la Honte* a paru en feuilletons dans *l'Événement illustré* du 2 septembre au 20 octobre 1868. Il n'est pas exact, quoi qu'en dise Alexis, que la publication ait été interrompue ; elle a été écourtée. Le numéro du 15 octobre contient une lettre de Zola et quelques mots du directeur Bauer destinés à rassurer les lecteurs. Il y a des suppressions considérables dans les derniers feuilletons. Les chapitres XI et XII du roman n'ont pas été reproduits ; le chapitre XIII a été réduit à quelques pages. Le roman parut en volume à la fin de 1868. — **Page 274** : Brisson, p. 81. — **Page 275** : *Thérèse Raquin*, édition actuelle, p. II, III et VII. — **Page 272** : Sur la théorie de l'imprégnation, voir Brisson, ouvrage cité, p. 84 ; Dr Lucas, *Traité philosophique et physiologique de l'hérédité naturelle*, 1850, t. II, 3e partie, livre I, chap. IV ; Michelet, *l'Amour*, 1859, livre IV, chap. VIII. — **Page 280** : Sur le mot « naturaliste », *Thérèse Raquin*, édition actuelle, p. VIII. — **Page 281** : Sainte-Beuve, *Correspondance*, t. II, p. 314, 10 juin 1868. — **Page 284** : Manuscrits de Zola à la Bibliothèque nationale (N. acq. fr., 10, 345, p. 1 à 25) et Massis, ouvrage cité, p. 20 à 24. *L'Œuvre*, p. 209 et 437. — **Page 286** : Massis, ouvrage cité, p. 18 et 62 à 63.

TABLE DES MATIERES

PREMIÈRE PARTIE

AUTOUR DE CHAMPFLEURY
« LA SINCÉRITÉ DANS L'ART »

6131-13. — Corbeil. Imprimerie Crété.